소농 버리고 가는 진보는
십 리도 못 가 발병 난다

소농 버리고 가는 진보는 십 리도 못 가 발병 난다

천규석 지음

실천문학사

차 례

제1부 잃어버린 낙원은 국가 이전의 농촌공동체였다

잃어버린 낙원도 유토피아도 농촌공동체였다 • 9

『노자(老子)』의 저자는 농민공동체 속의 노자(老者)들이다 • 51

제2부 국가 · 시장 · 분권을 넘어

나라란 무엇인가—가야사를 읽으며 • 93

가야연맹의 정체성을 다시 생각한다 • 107

지역 전통축제와 그 정체성의 계승 • 147

학교급식—시장의 논리를 넘어서 • 169

들에서 보는 친환경농업정책 • 183

지역갈등의 원흉은 중앙집권적 국가권력이다 • 213

분권운동을 넘어 기권(棄權) 자치로 • 229

제3부 농업의 포기, 민주주의의 포기

농업의 위기, 생명의 위기 • 251

우포늪보다 더 중요한 습지는 논이다 • 269

석유전쟁 다음엔 식량패권전쟁 온다 • 279

농지법 개악 행보 중단하라 • 297

지금도 남의 땅, 쌀농사까지 빼앗겼다 • 311

사람과 땅은 한 가족 한 생명이다 • 333

해설 | 농사꾼 천규석의 지역 자립공동체 철학 | 이찬훈 • 341

제1부

잃어버린 낙원은 국가 이전의 농촌공동체였다

잃어버린 낙원도 유토피아도 농촌공동체였다

야훼 하느님께서는 동쪽에 있는 에덴이라는 곳에 동산을 마련하시고 당신께서 빚어 만드신 사람을 그리로 데려다가 살게 하셨다. 야훼 하느님께서는 보기 좋고 맛있는 열매를 맺는 온갖 나무를 그 땅에서 돋아나게 하셨다. 또 그 동산 한가운데는 생명나무와 선과 악을 알게 하는 나무도 돋아나게 하셨다.

에덴에서 강 하나가 흘러나와 그 동산을 적신 다음 네 줄기로 갈라졌다. 첫째 강줄기의 이름은 비손이라 하는데, 은과 금이 나는 하윌라 땅을 돌아 흐르고 있다. 그 땅은 좋은 금뿐 아니라 브돌라라는 향료와 홍옥수 같은 보석이 나는 곳이었다. 둘째 강줄기의 이름은 기혼이라 하는데, 구스 온 땅을 돌아 흐르고 있었다. 셋째 강줄기의 이름은 티그리스라 하는데, 아시리아 동쪽으로 흐르고 있었고, 넷째 강줄기의 이름은 유프라테스라고 하였다.

공동번역 구약성서 「창세기」 2장 8절에서 14절에 나오는, 잃어버린 낙원인 에덴동산 이야기다. 특별한 설명이나 고증이 없이 이 성서 구절에 나오는 티그리스와 유프라테스 강의 이름만으로도 에덴이 지금의 이라크 어디쯤이라고 누구나 짐작할 것이다. 비록 현대문명의 원천인 석유가 쏟아져 나오고 있긴 해도 대부분의 땅이 사막이 되고 같은 종교를 가진 이웃과도 쉴 새 없이 갈등을 일으키며, 특히 최근에는 미국의 군사력에 의해 초토화된 이라크에 한때에는 낙원 에덴이 있었다니 납득하기 어렵지만, 그것은 사실인 것 같다. 그곳은 이른바 4대 인류문명 발상지 중 하나였으니까.

인류학자 앤드류 콜린스가 쓴 『금지된 신의 문명』(사람과사람, 2000)에 의하면, '에덴'이란 말은 기원전 3000년대 후반에 오늘의 이라크 땅인 고대 수메르 왕국에서 주도권을 잡았던 아카드족이 사용한 원시 히브리어인 아카드어로 '대초원' 또는 '대지'를 뜻한다고 한다. '에덴'의 동의어로 쓰이는 '낙원'(파라다이스)이란 말은 페르시아어 어원상 '담으로 둘러싸인 과수원'을 의미한다. '에덴'의 또 다른 동의어로 쓰이는 '천국'이란 말도 히브리어 어원에 따르면 '식물이 심긴 높은 땅'이란 뜻이라고 한다.

'에덴', '낙원', '천국' 등은 오늘에 와서 각기 약간 다른 뉘앙스의 말로 분화되었지만 그 어원이나 뜻을 따져 들어가면 이렇게 비슷하다. 요컨대 천국의 낙원이었던 에덴동산이란 어느 고원지방의 대초원에 있는 담으로 둘러쳐진 농촌공동체다. 다시 말해 에덴동산은 전설이나 신화 속의 허구가 아니라 고대국가 성립 이전에 분명히 실재했던 원시 농촌공동체가 그 모델이라는 것이다. 그렇다면 지금의 어느 지역이 그 실재의 모델이 된 지역일까?

위에서 인용한 글 속의 강들이 그 해답이 될 것 같다. 에덴에서 흘러나와 네 개로 갈라졌다고 한 그 강의 이름 중에 티그리스와 유프라테스 강은 메소포타미아 지역에 있다. 그러나 기혼 강은 지금의 나일 강으로 바다 건너 다른 대륙인 이집트에 있고 비손 강은 확실히 고증이 되지 않아 에덴의 실재 지역에 관해서는 견해가 분분하게 엇갈린다.

유대인들도 이라크 남부 어디에 에덴이 있다고 믿은 것은 분명하다. 왜냐하면 모든 성서상의 초기 사건들은 '시날 지방'으로 적힌 이 지역을 중심으로 전개되기 때문이다. 시날 지방(신월의 옥토)은 구약성서에서 티그리스 강과 유프라테스 강 사이의 충적평야에 대해 쓴 명칭이라 한다. 이곳에서는 기원전 3000년경부터 서기 1600년경까지 수많은 도시국가들이 명멸하며 이라크 고원지대와 남부 페르시아 만 사이의 평원을 다스려왔다. 그래서 유대인들은 에덴의 위치가 고대 수메르의 '비옥한 초승달 지대' 위쪽의 고원이라고도 믿는다.

영국인 윌리엄 위그램 신부와 그의 아우 에드거는 여러 해 동안 쿠르디스탄의 문화사를 연구하여 1914년에 『인류의 요람』이란 책을 냈다고 한다. 앤드류 콜린스는 이 책에 근거하여 에덴동산이 오늘의 터키 반(Van) 현의 주도인 반 또는 반 호수 동쪽 연안의 옛 우라르투 왕국의 수도 투슈파이거나, 반 호수 남서쪽 해안선 너머 고대도시 비틀리스 주위의 어딘가에 있었으리라고 추정했다. 그 어느 곳이건 반 호수를 정점으로 하고 있다는 점에서는 동일하다.

아르메니아 전설은 에덴동산이 대홍수로 물에 잠긴 이후, 지금은 반 호수의 밑바닥에 있다고 전하고 있다. 반 호숫가에는 해발 9천5백67피트의 넴루트다이란 쿠르디스탄의 가장 큰 휴화산이 있다. 이 산이 화산활동을 하던 시절에 흘러나온 용암이 둑이 되어 반 호수를 만든 것으로 본다. 반 호수 동쪽에 있는 대(大) 아라라트 산은 최근까지 화산활동을 하고 있었다고 한다. 앤드류 콜린스는 만일 위그램 형제의 주장대로 에덴동산이 거기에 있었다면 그곳은 반 호수의 밑바닥이 아니라 용암에 묻혀 있을 것이라고 한다.

수메르인과 쿠르드인들에게는 신들의 거주지로 알려진 에덴과 크하르삭 외에도 딜문 또는 틸문에 대한 전설이 있다. 앤드류 콜린스는 이 전설에 착안하여 기독교의 『아르벨라』 기록과 조로아스터교의 경전 『분다히쉰』 문헌 등을 꼼꼼히 검토한다. 그 결과 서기 945년에 바그다드에 들어와 소아시아에서 인도양에 이르는 쿠르드 제국을 세운 딜마 쿠르드인들의 조상 전래의 고향 '딜라만'이 양측 문헌에 다 같이 티그리스의 원류에 있다고 한 사실에 놀란다. '딜라만'은 그가 진작부터 에덴의 실재 장소라고 생각했던 반 호수 남서쪽의 비틀리스 부근에 있는 지역이고, 바로 이곳이 '신성한 왕국 딜문'이자 히브리 전설의 '에덴동산'이라고 양측 문헌에 같이 기록되어 있다는 것이다.

에덴의 실재 소재지가 어디이건, 성서의 표현대로 그곳은 온갖 맛있는 열매가 열리는 나무가 있고, 땅을 비옥하게 적셔주는 강물이 흘러가는 대초원에 있던 평화로운 원시 농촌공동체임에는 변함이 없다. 이렇게 말하면 구약시절에 농촌공동체가 아닌 도시가 어디 있었느냐고 말할지도 모르겠다. 하지만 구약시대에도 도시는 많았다. 인류 최초의 문명인 수메르문명은 시날 지방(메소포타미아)에 있던 도시문명이었다. 에덴 기사가 나오는 구약의 「창세기」 11장에도 '바벨'이란 도시의 얘기가 나온다.

사람들이 시날 지방(수메르 지역)의 한 들판에 이르러 벽돌을 빚어 굽고는 "어서 도시를 세우고 그 가운데 꼭대기가 하늘에 닿게 탑을 쌓아 우리 이름을 날려 사방으로 흩어지지 않도록 하자"고 하여 도시와 탑을 세웠다. 야훼 하느님께서는 이렇게 건방진 사람의 행위가 이들이 같은 종족으로 같은 말을 쓰는 데 그 원인이 있다고 보았다. 그리하여 그들이 쓰는 말을 뒤섞어 서로 알아듣지 못하도록 하여 도시 건설을 그만두게 한다. 야훼께서 온 세상의 말을 뒤섞고, 사람을 한 도시에서 온 땅으로 흩어놓았다고 해서 그 도시 이름을 '바벨', 곧 혼란이라고 불렀다는 것이다.

또 같은 「창세기」 18장과 19장에도 야훼 하느님의 분노를 사서 멸망을 당한 소돔과 고모라라는 도시 얘기가 나온다. 야훼의 분노를 사 두 도시가 멸망한 원인이 롯과 하느님의 천사를 박해하고 야훼 당신을 멀리한 것으로 암시되고 있긴 하지만 그렇다고 그것이 수많은 사람들이 사는 도시를 멸할 만큼 나쁜 것인지는 모르겠다. 하기는 성서에서 이 같은 의문을 주는 대목은 헤아릴 수 없을 만큼 많다.

그 대표적 사례가 「창세기」 4장에서 야훼께서 아담의 큰아들인 카인과 작은아들 아벨을 차별한 이유다. 카인은 그가 지은 곡식을, 아벨은 그의 양 떼 가운데서 맏배의 기름기를 각기 정성껏 야훼께 바쳤다. 왜 카인의 곡식 대신 아벨의 기름기를 차별적으로 취함으로 카인의 증오를 일으켜 동생을 살해하는 죄를 짓게 했는지에 대해서는 어떤 암시도 없다. 야훼는 유목민인 이스라엘을 대표하는 신이기 때문인가?

카인과 그가 지은 곡물은 에덴의 전통을 이어받은 농촌공동체의 표상이고 아벨과 그가 기른 양고기 예물은 에덴 낙원에서 추방당한 아담과 이브가 여기저기 떠돌며 살던 유목적 생활과 도시의 표상이라 할 수 있다. 그럼에도 분명한 이유 없이 야훼로 하여금 카인을 미워하고 아벨을 편애한 것으로 보이게 만든 유대인의 모순된 관념은 그들 민족의 유목적 생활과 중동의 토착 원주민에 대한 침략을 정당화하기 위한 일종의 자기암시와 복선이 아닐까? 하긴 요즘 세상에는 사람도 단지 자기 마음에 안 든다는 이유로 살인까지 하는데 하물며 하느님이 그 모든 모순에 대해 '내 마음이다'라고 했다면 더 할 말은 없다.

하느님 존재의 모순이야 어찌 되었건 간에 구약시대의 에덴은 물론 신약 이후의 도시화시대에도 사람이 이상으로 여긴 어떤 새로운 공동체도 농촌 중심이었지 도시로 묘사된 적은 아마 한 번도 없었던 줄 안다. 요컨대 낙원의 첫째 조건은 농촌공동체인 것이다.

'아담이 밭을 갈고 이브가 베를 짤 때 누가 귀족이었는가?'라는 유명한 혁명구호가 있다. 이 말은 1381년 잉글랜드 농민전쟁 때의 지도자 중 한 사람인 존 볼 신부가 한 말로 알려져 있다. 존 볼은 "선한 인민들이여, 재산을 공동으로 소유하고 농노도

귀족도 없으며 우리 모두가 하나 되는 그때가 오기 전까지 영국은 나아질 수 없으며 나아지지도 않을 것입니다"라는 말로 선교 활동과 농민전쟁을 주도한 원시 공산주의자라고 한다.

그러나 앞의 말은 전 유럽에 널리 퍼져 있는 말로, 존 볼이 처음 한 말이 아니라 오래전부터 전해 내려오던 비슷한 뜻의 말을 농민전쟁을 지도한 존 볼이 다시 새로운 의미를 실어 말함으로써 더 유명해진 것으로 추정된다. 하기는 존 볼뿐이겠는가? 착취계급 없이 모두가 밭 갈고 베 짜며 평등하게 살았던 원시 농촌 공동체가 인류가 잃어버린 낙원이라는 데 심정적으로 동의하지 않는 세상 사람은 아마 아무도 없을 것이다.

콜럼버스 발견 이전의 아메리카도 낙원이었다

재일 미국인 정치학자 더글러스 러미스가 쓴 『경제성장이 안 되면 우리는 풍요롭지 못할 것인가』(녹색평론사, 2002)라는 책이 있다. 이 책에서 서인도제도를 발견하고 침략, 식민화한 콜럼버스 자신도 발견 당시에는 그곳을 낙원으로 생각했다는 대목을 읽고 나는 콜럼버스의 미 대륙 발견 당시의 문헌자료를 찾아 읽었다.

콜럼버스가 신세계를 발견하고 침략한 1492년 이후부터는 서구 전체가 급속히 도시화되면서 자국 농촌의 식민화와 더불어 해외식민지 개척이 본격적으로 시작되었다. '도시'란 '시장(市場)'의 다른 말로 농촌을 파괴해서 자기 모습으로 계속 복제해내지 않고서는 그 존속 자체가 불가능한, 자연과 인간 모두에 대한 착취체제다. 자국의 농촌 식민지로는 그 존속과 확대가 어렵게 되자 하나의 출구로 시도된 것이 식민지 개척과 신대륙 탐험이었을 것이다.

앞에서 잠시 말했듯이 성서도 모순과 의문투성이지만 콜럼버스의 신대륙 침략 때 씌어진 항해일지야말로 그 모순의 극치가 아닐까 싶다. 남미 인디언의 사도로 알려진 라스 카사스 신부가 엮은 『콜럼버스 항해록』(범우사, 2000)에 의하면 콜럼버스가 발견한 서인도제도는 틀림없는 에덴 낙원이다. 그런데 이 항해일지에는 그 낙원을 처음부터 그냥 낙원으로 두지 않고 그 뒤에 금은보화와 향료 등이 숨겨진 침략의 대상으로 보고, 그 착하디착한 원주민은 바로 그 착함 때문에 스페인 왕국의 신민과 기독교의 신도가 되지 않으면 안 된다고 하는 서구 중심의 모순된 의식과 비극적 정신이 일관되게 그려져 있다.

1492년 10월 11일, 첫 기항지인, 그곳 인디오의 말로는 '과나하니'로 불리는 현재의 바하마제도의 와틀링 섬에서 만난 원주민을 콜럼버스는 이렇게 묘사하고 있다.

저는 힘보다는 사랑을 통해 그들을 그릇된 믿음으로부터 해방시키고 우리의 성스러운 신앙에 귀의시키는 것이 더 낫겠다고 판단하고는 그들이 우리들에게 친근함을 느끼도록 하기 위해 그중 몇 사람에게 챙이 달린 붉은 모자와 목걸이로 쓸 수 있는 유리구슬과 가치가 별로 없는 다른 물건 몇 개를 주었습니다. 그러자 그들이 몹시 기뻐하며 놀랄 정도로 우리를 따랐습니다.

그 후 그들은 앵무새와 무명실타래, 투창 및 다른 많은 것을 가지고 우리가 있는 보트까지 헤엄쳐 와서는 우리가 주는 다른 것, 즉 예를 들어 작은 유리구슬이나 방울 같은 것과 교환했습니다. 요컨대 그들은 자신들이 갖고 있는 것을 기꺼이 주고 뭐든지 주는 대로 받았습니다. 그러나 제가 볼 때는 그들은 어느 면에서나 대단히 가난한 것 같았습니다. 그들은 하나같이 어머니가 낳았을 때처럼 벌거벗은 채 돌아다녔고 어린 소녀 한 명밖에 보지 못했지만 그것은 여자들도 마찬가지였습니다. 또 제가 본 사람들은 젊은이들뿐이고, 30세 이상 된 남자는 한 명도 보지 못했습니다. 그들은 하나같이 용모와 자태가 아주 아름다웠습니다. 몸매도 훌륭하고 얼굴도 잘생겼습니다. (중략)

그들은 무기도 지니고 있지 않았고, 또 그것이 어떤 것인지도 몰랐습니다. 제가 그들에게 칼을 보여주자 아무것도 모르는 그들이 칼날 쪽을 잡아 손을 베었기 때문입니다. 철기(鐵器)도 없었습니다.[1)]

콜럼버스는 본선이 좌초한 보이오 섬(에스파뇰라 섬)의 한 부락 주민에 대해서도 12월 25일 항해일지에서 이렇게 묘사했다.

그는 부락 사람들과 함께 눈물을 흘리고 있었습니다. 그들은 이렇게 사랑으로 흘러넘치고 욕심도 없으며 모든 면에서 우수합니다. 두 국왕 폐하(스페인 본국)께 저는 이 세상에 그들 이상으로 선량

1 라스 카사스, 박광순 옮김, 『콜럼버스 항해록』(범우사, 2000), 82~83쪽.

한 사람들도 없고 또 이보다 더 좋은 땅도 없다고 믿고 있다고 말씀드립니다. 자신들을 사랑하듯이 이웃을 사랑하고 이 세상에서 가장 상냥한 말로 얘기하며 성격이 온순하고, 얼굴에 늘 미소가 감돌고 있습니다. 남자든 여자든 어머니가 낳았을 때처럼 벌거벗고 다닙니다.[2)]

또 콜럼버스는 기항하는 곳마다 그 풍광과 경물의 아름다움에 대한 찬사의 도를 높여간다. 앞에 도착한 곳이 자기가 본 곳 중에서 가장 아름다운 곳이라고 격찬해놓고는 다음 도착지에서는 그것을 거듭 뒤집는 표현을 되풀이해간다. 그가 첫번째 항해 때 쓴 일지에서만도 이런 식으로 극찬을 한 글이 스무 군데 이상에서 보인다.

제독은 이곳에서 셀 수 없을 만큼 많은 섬을 발견했는데 어느 섬이나 다 상당히 크고 매우 높은데다가 천여 종의 나무와 엄청난 숫자의 야자나무가 꽉 들어차 있었다. 제독은 이렇게 맑고 또 높은 섬들을 보고 감탄하면서, 두 국왕에게 보증하건대 그저께부터 이 지방의 해안과 섬들에서 보아온 것들은 전에 본 어떤 것들보다 높고 아름다우며 안개나 눈도 없이 깨끗한데다 그 기슭이 바다에 아주 깊이 잠겨 있는 산도 이 세상에 없을 것이라고 말하고 있다. 그리고 제독 자신은 이 섬들이야말로 세계지도의 동양 끝에 그려져 있는 저 무수한 섬들이 분명하다고 생각하고, 또 여기에 막대한 부와 보

2 라스 카사스, 같은 책, 216쪽.

석과 향료가 있으며, 이 섬들은 남쪽으로 아주 멀리 뻗어 있고 또 모두 이 방향으로 흩어져 있을 것으로 믿고 있다고 말하고 있다. 그리고 그는 여기에 뉴에스트라 세뇨라해라는 이름을 붙였다.

제독은 두 국왕에게 보증하는데 자신은 100분의 1도 말하고 있지 못하다고 믿고 있으므로 자신이 이처럼 높이 평가하더라도 경탄하지 말라고 할 정도로 이 항구에서 발견한 이 섬들의 비옥함과 아름다움과 높이와 관련해 여러 번 언급하고 있다.[3)]

11월 14일 항해일지에서 이렇게 묘사한 뒤부터 콜럼버스는 거의 매일 도착지마다 그 아름다움에 대한 격찬의 도를 더해가다 11월 27일의 일지에서는 또 이렇게 묘사하고 있다.

두 국왕 폐하께 확신을 갖고 말씀드리거니와 제가 보기에는 태양 아래 여기보다 더 좋은 곳은 있을 수 없을 것 같습니다. 이곳은 땅도 비옥하고 춥지도 덥지도 않고 온난하며, 또 맛 좋고 깨끗한 물이 풍부합니다. 악성 전염병으로 가득한 기네아의 강과는 다릅니다. 하느님을 찬양해야 할 일입니다만 지금까지 두통을 호소하는 사람도 없고 병으로 드러누운 사람도 없었습니다. 단 한 사람, 평생 결석(結石)으로 고통 받으며 살아온 노인이 있었는데 그 사람도 이틀이 지난 뒤에 깨끗이 나아버렸습니다. 이것은 세 척의 배에 다 해당되는 얘기입니다.[4)]

3 라스 카사스, 같은 책, 139~140쪽.
4 라스 카사스, 같은 책, 157쪽.

콜럼버스가 서인도제도에 도착한 이후의 항해일지의 어디를 펼쳐보아도 그 같은 아름다운 인심과 풍광의 묘사로 가득 넘치고 있다. 이렇게 아름다운 원주민들의 심성과 자연환경이 조화를 이루는 삶은 태초에 인간과 인간, 인간과 자연이 조화롭게 살았던 천국이나 에덴동산의 삶과 다르지 않다. 유럽에서는 이미 사라지고 없는 실낙원이다.

콜럼버스가 최초로 발견한 에스파뇰라 섬에는 타이노족 인디언이 살고 있었다. 아직 중앙집권적 국가권력에 복속되지 않은 원주민들은 단순한 형태의 사회조직, 즉 부족사회에서 추장의 영도 아래 마을 공유지를 공동 경작하는 낮은 물질문명 속에 살았다. 농사 외에는 토기를 굽고 목화에서 실을 뽑아 옷감을 짰고, 그때까지도 금속은 사용할 줄 모르는 토기시대를 유지하고 있었다. 다시 말하면 철제무기를 앞세운 계급국가가 성립하기 이전의 부족공동체 사회였던 것이다.

콜럼버스는 그가 기항하는 곳이나 지나가다 특별히 인상적인 곳마다 자기 식의 이름을 새로 지어 붙였다. 에스파뇰라 섬의 어떤 아름다운 계곡에는 '파라이소(낙원) 계곡'이라는 이름도 지어 붙였다. 그는 또 1차 항해를 마치고 돌아오는 길에 포르투갈의 아조레스 제도 중 하나인 산타마리아 섬에서 닻을 내릴 수 없을 정도로 심한 폭풍우를 만난다. 이곳에서 1493년 2월 21일에 라스 카사스가 쓴 항해일지에는 이런 구절이 보인다.

> 제독(콜럼버스)은 결론적으로 다음과 같이 말하고 있다. 즉, 존경할 만한 신학자와 현명한 철학자들이 지상의 낙원은 동양의 끝에

있고, 그곳은 기후가 더할 나위 없이 좋다고 말했는데, 그것은 아주 지당한 말이며 이번에 자신이 발견한 땅이야말로 동양의 끝(낙원)이라는 것이다.[5]

세상에 낙원이 있다면, 콜럼버스가 가기 전의 서인도제도와 남북 아메리카 대륙이야말로 분명히 낙원이었다. 그런 곳이 낙원이 아니라면 낙원은 있어본 적이 없고 또 앞으로도 영원히 없을 것이다. 혹자는 농사와 수렵, 어로만으로 꾸려가는 물질 수준 낮은 원시적 농촌공동체를 낙원으로 보는 데 주저할지 모른다. 그러나 본디 채취 수준의 농사와 수렵, 어로에 의존하는 낮은 물질문명의 만인 노동사회에서나 인간평등의 낙원이 가능하지, 잉여생산이 많은 물질문명 사회는 필연코 수탈과 지배가 있는 계급사회가 되는 것이다.

그러나 콜럼버스는 에덴을 찾아온 것이 아니라 금은보화와 귀한 향료를 찾아왔고, 낙원의 원주민이 되기 위해 온 것이 아니라 원주민들을 제국의 신민과 노예로 만들기 위해 식민지를 찾아온 것이다. 그가 극찬에 극찬을 거듭한 풍광도 그것 자체로 보지 않고 그 뒤에 숨겨진 황금과 함께 보았고, 세상에서 가장 착하고 순진무구한 원주민도 제국의 잠재적 신민과 노예노동의 원천으로 본 것이다.

16세기 초 에스파놀라는 아메리카 식민지화의 교두보가 된다. 콜럼버스는 1492년의 1차 항해로부터 네 차례의 항해를 한 뒤

5 라스 카사스, 같은 책, 280~281쪽.

1504년에는 스페인에 소환됨으로써 결코 행복할 수 없는 침략자적 임무를 마감한다. 그러나 뒷날 아스테카와 캘리포니아를 침략한 에르난 코르테스, 잉카제국을 침략한 프란시스코 피사로, 태평양 연안 탐험대를 이끈 바스코 누네스 데 발보아, 1539년 플로리다 만으로부터 북미대륙의 침탈을 시작한 에르난도 데 소토, 1540년 뉴멕시코로부터 북미대륙 침략을 시작했던 프란시스코 바스케스 데 코로나도 등과 같은 사람들이 콜럼버스의 뒤를 이어 식민지 침략 지배를 본격화해간다.

유럽인이 오기 전에는 전 카리브해 지역에 약 75만 명의 원주민이 살고 있었고, 그중의 3분의 1인 25만 명이 에스파뇰라 섬에 살고 있었다고 한다. 그런데 1492년 콜럼버스 침략 이후 불과 16년 만인 1508년의 인구 조사에 의하면 이 섬의 인구가 고작 6만으로 줄었다고 한다. 라스 카사스의 『인도의 일반 역사』에 의하면 1548년 이 섬의 타이노족 원주민 인구는 5백 명도 채 안 남았다고 했다. 사실상의 멸종 상태다. 스페인 사람들이 이 섬들에서 자행한 인디언 말살 방식은 이후에 남북 아메리카의 식민지배자들에 의해 원주민들에게 가해진 방식처럼 사실상의 집단 학살이었다. 라스 카사스 신부는 『인디언 파괴에 대한 간략한 보고서』에서 이렇게 묘사했다고 한다.

그들이 사람들 사이로 뚫고 들어가 어린이건 노인이건 임산부이건 가리지 않고 몸을 찢었으며 칼로 베어 조각 냈다. 울타리 안에 가둔 한 떼의 양을 습격하는 것과 다를 바 없었다. 그들은 끼리끼리 그들 가운데 누가 단칼에 한 인간을 두 동강 낼 수 있는지, 창으로 머리를 빠갤 수 있는지 혹은 내장을 몸에서 꺼낼 수 있는지 내기를 걸었다. 그들은 갓난아기들의 발을 잡고 엄마의 젖가슴에서 떼어내 머리를 바위에다 패대기쳤다. 어떤 이들은 아기의 어깨를 잡고 길로 끌고 다니면서 놀리고 웃다가 결국 물속에 던져 넣고 '이 작은 악질 같은 놈아 허우적거려보라'고 말했다. 엄마와 아기를 동시에 칼날 위로 뛰어오르게 하고 발로 차면서 앞으로 내몬 사람들도 있었다. 그들은 또 넓은 올가미를 만들어 사람들을 매달아 발이 땅에 닿을락말락하게 하였고, 구세주와 12사도를 기리기 위해 13개의 올가미를 만들어 각 올가미에 인디언 13명을 매달았고, 나중에 그들 발밑에 나무를 쌓고 불을 붙여 그들 모두 산 채로 태워 죽였다. 그들은 또 인디언들의 몸에 마른 짚을 묶거나 감고서 그 짚에 불을 댕겨 그들을 태워 죽였다. 순전히 그럴 목적으로 살려둔 다른 인디언들의 두 손을 자르고 그것을 그들의 몸에 묶고서는 그런 상태로 이렇게 말하면서 쫓아냈다. '이 공개장을 가지고 가서 산속으로 도망친 너희 동포들에게 새로운 것을 가져다주어라.' 신분과 지위가 높은 사람들은 대개 다음과 같은 방식으로 인디언들을 죽였다. 쇠막대기로 석쇠를 만들어 쇠스랑 위에 올려놓고 그 위에 불행한 자들을 단단히 묶고 그 밑에 불을 약하게 피워 인디언들이 점점 끔찍한 단말마의 비명을 지르고 말할 수 없는 고통 속에서 결국 정신을 놓게 하였다.[6)]

사람의 잔인성이 어디까지인지 그 한계를 실험하기 위한 경연

6 안드레아스 벤츠케, 윤도중 옮김, 『콜럼버스』(한길사, 1998), 144~146쪽에서 재인용.

장 같은 모습에 소름이 끼친다. 기독교 신자들인 식민자들이 심지어 12사도와 구세주 예수를 기리기 위해 13개의 올가미를 만들어 원주민의 목을 매달고 발밑에 불을 붙여 산 채로 태워 죽였다는 대목을 읽으면 기독교는 모순 자체이고 하느님은 절대 존재하지 않는다는 생각이 든다. 아메리카의 낙원과 원주민을 이렇게 잔인하게 파괴하고 집단 학살한 그들이, 이제 다시 이미 오래전에 사라진 낙원의 땅 이라크를 불바다로 만드는 그들이 하느님을 믿는 하느님의 후예들이고 또 하느님이 이들의 편이라면, 하느님은 저주의 대상이거나 차라리 없는 쪽이 천만 배 낫다고 할 수 있을 것이다.

스페인 사람들이 이렇게 잔인할 수 있었던 이유를 『콜럼버스』의 저자 벤츠케는 그들이 단일 민족국가를 이루는 과정에서 비기독교인들을 이단으로 적대시한 종교재판의 전통에서 찾는다. 스페인에서 무어족을 상대로 했던 국토회복 전쟁이 신세계에서의 정복전쟁으로 연결되었다는 것이다.

다음으로는 본국의 스페인 국왕의 통치권이 미치지 못하는 먼 지역을 최소한의 투자로 단기간에 식민화하기 위한 '위탁 통치' 제도가 이런 잔인성을 확대했다는 것이다. 이에 따라 각각의 이주민에게 일정 기간 일정 숫자의 원주민들이 위탁되어 사유화되었고, 사유화된 원주민들은 이주민들에 의해 보수도 없는 살인적인 강제노동에 동원되었다는 것이다. 그리하여 노동력이 있는 원주민들은 금광에 강제 동원되었고, 잔혹한 노예노동으로 죽어갔다. 그들은 굶어 죽거나 아니면 그들 자신이 알고 있는 독초를 이용하여 스스로 목숨을 끊음으로써 강제노동의 굴레에서 벗어나고자 했다.

그들이 원주민에게 베푼 배려나 영혼의 구원은 남자들을 금을 캐라고 광산으로 보내는 것이었다. 금을 캐는 것은 거의 견딜 수 없는 노동이었다. 그들은 여자들을 이른바 그들의 거점이나 농장으로 보내 농사를 짓게 했다. 그것은 힘이 세고 건장한 남자들이나 할 수 있는 일이었다. 그들은 남자들에게나 여자들에게나 똑같이 양식으로 아무 영양가도 없는 푸성귀 따위밖에 주지 않았다. 젖 먹이는 엄마들의 젖이 말랐고 짧은 시간 안에 어린 아기들이 모두 죽어갔다. 남자들은 완전히 격리되어서 살아야 했고 여자들과 사소한 접촉도 할 수 없었다. 그래서 번식이 완전히 중단되었다. 남자들은 노동과 굶주림에 지쳐 광산에서 쓰러졌고 여자들은 같은 방식으로 농장과 이른바 거점에서 죽어갔다.[7]

또 하나의 원주민 말살 요인은 식량문제다. 에스파뇰라 원주민들은 스페인 사람들과 전쟁을 치르면서 침입자들에게 식량을 제공하지 않으려고 경작을 중단했다. 그러나 이 조치는 오히려 그들 자신의 굶주림을 자초했다. 식민자들은 원주민들의 비축 양식을 전부 빼앗고 소비했다. "한 스페인인이 종종 단 하루 만에 각각 식구를 열 명까지 거느린 원주민의 세 가족이 한 달 내내 먹기에 충분한 양식을 빼앗아 먹어 치운다"는 것이다. 원주민들의 마을 공유지는 주민들의 식량 생산보다는 사탕수수 재배

7 안드레아스 벤츠케, 같은 책, 148쪽.

등 식민자의 플랜테이션 농업에 빼앗기고 원주민들은 또 이 농장에 강제 고용되는 악순환을 거듭 겪으면서 멸종해간 것이다.

더글러스 러미스는 『경제성장이 안 되면 우리는 풍요롭지 못할 것인가』에서 산업사회의 강제노동을 얘기하는 중에 에스파뇰라 섬의 타이노 원주민들이 자신들의 강제노동을 대물림하지 않기 위해 스스로 생식을 거부하여 스페인 식민화 백 년 만에 그 종족을 스스로 멸종시켜갔다는 이야기를 한 적이 있다. 끔찍하지만 감동적이기도 한 이 이야기에 자극받아 콜럼버스의 서인도제도 발견 당시의 자료를 찾다가 만난 것이 라스 카사스 신부의 『콜럼버스 항해록』과 안드레아스 벤츠케의 『콜럼버스』였다.

그런데 더글러스 러미스와 안드레아스 벤츠케의 진술에는 상당한 거리가 있다. 러미스는 강제노동을 못 이긴 원주민들이 스스로 생식을 거부했던 것으로 기술한 데 반해 벤츠케는 앞서의 인용글에서처럼 원주민 스스로가 아니라 식민지배자가 원주민 남녀의 접촉까지 강제 금지시켜 생식을 불가능하게 한 것으로 되어 있다. 팔은 안으로 굽는다고, 바로 그 식민자의 후손인 러미스가 사료를 살짝 왜곡하여 강제노동에 반대한 원주민 스스로가 생식을 거부한 것으로 얘기를 바꿈으로써 그 멸종 원인을 원주민들의 아름답고 숭고한 자유의지에 돌리려고 했을까? 아니면 안드레아스 벤츠케가 사료를 왜곡한 것일까?

아메리카 원주민의 멸종 원인으로는 앞에서 본 식민주의자들에 의한 강제노역과 이를 거부하는 이들에 대한 직접 살해, 그리고 원주민 남성들의 광산 수용과 여성들의 농장 수용을 통한 강제적 남녀 격리에 따른 생식 중단, 또는 자발적 저항수단으로서

원주민 자신에 의한 독초 음독을 통한 자살과 생식 중단도 물론 적지 않은 비중을 차지할 것이다. 그러나 뒷날 알려진 바로는, 가장 큰 원인은 유럽 식민주의자들이 가져온 독감, 천연두, 홍역 등의 바이러스성 질병이었다고 한다. 유럽 식민주의자들이 들어오기 전의 아메리카에는 그런 질병이 전혀 없었기 때문에 그에 대한 면역성도 원주민에게는 전혀 없었다. 이렇거나 저렇거나 원주민 멸종과 지구상에 마지막으로 남은 낙원인 남미 농촌 파괴의 책임은 서구 식민자들에게 있지 원주민 자신들에게 있는 것은 아니다.

성서에 나오는 에덴이나 콜럼버스의 발견 이전의 아메리카의 낙원은 자연발생적인 농촌공동체로서의 낙원이다. 그런데 이와는 약간 달리 인간의 사상이나 이념이 투영되어 인간이 만들거나 만들고자 하는 낙원이나 이상향도 있다.

무릉도원은 국가를 거부한 피부역 농촌자치공동체다

서울대 박한제 교수가 쓴 중국 역사 기행 책 세 권이 있다. 그 중 제2권 제3장은 도연명(陶淵明)과 그의 『도화원기』에 관한 얘기이다. 이 글이 실린 제2권의 책 제목은 『강남의 낭만과 비극』(사계절출판사, 2003)으로 꽤나 부드러운데, 그 내용은 결코 단순한 낭만과 비극 이야기가 아닌 상당히 심각한 이야기로 채워져 있다. 이 책의 3장을 통해 내가 이해한 도연명과 그의 사상을 요약하면 대충 다음과 같다.

도연명은 중국의 동진 말과 유송 초기(365~427년)에 살다 간 유명한 시인이자 은일자다. 그의 작품은 "자, 돌아갈거나! 전원이 장차 황폐해지려는데 어찌 돌아가지 않으리오!"로 시작되는 그 유명한 「귀거래사」를 비롯하여 150수 내외로, 결코 많지는 않지만 모두 뛰어난 작품이다. 그중에는 우리에게 무릉도원 얘기로 알려진 『도화원기』도 있다. 길이도 짧고 구성도 단순해서 모두 다 아는 얘기지만, 기억을 상기시키기 위해 다시 요약하면 이렇다.

진(晋)나라 태원 연간(376~396년)에 무릉 사람이 고기잡이 물길을 따라가다가 홀연히 절경의 복숭아꽃 숲을 만났다. 어부가 그 복숭아꽃 숲에 취해 계속 물길을 따라가자 그것이 끝나는 곳의 산속에서 동굴과 마주친다. 희미하게 빛이 새어드는 그 동굴을 지나자 드넓고 기름진 들과 아름다운 연못, 뽕나무와 우거진 대나무 숲, 정연하게 늘어선 집이 있고, 닭과 개 우는 소리가 들리는 마을이 있다. 그런데 거기서 사는 사람들은 진(秦)나라 때 난을 피해 왔다가 이 절경을 만나 다시는 밖으로 나가지 않음으로 세상과 단절된 채 그 사이 한나라, 위나라, 그리고 진(晋)나라가 있었다는 사실도 모른 채 지상의 낙원을 이루고 산다는 것이다.

마을 사람들은 바깥세상 사람들에게 이 마을 얘기를 발설하지 말 것을 부탁했으나 어부는 여러 군데 표시를 해두고 즉각 고을 태수에게 알렸다. 태수와 또 다른 사람들이 이 길을 다시 찾았으나 모두 길을 찾는 데 실패했다는 얘기다.

물론 이 얘기는 작품 속의 허구다. 그러나 문학적 상상력에 의

한 허구는 처음부터 완전한 허구가 아니라 어떤 실재에 의해 매개된 사실적 허구다. 문학작품의 허구뿐만 아니라 민간 속의 전설이나 신화도 마찬가지다. 작품 속의 상상적 허구도 그 상상력을 촉발시키는 실재의 모델들이 있고 그 모델들의 종합과 연상으로 새로운 상상적 허구의 모델을 다시 구성해간다는 것이다. 모든 문학적 허구는 그래서 단순한 허구가 아니라 실재하는 사실에 바탕을 둔 연상을 통해 작가의 뜻(사상)을 나타낸다는 점에서 실재적 허구 또는 허구적 실재라 할 수 있다.

그렇다면 이 『도화원기』의 실제 모델이 된 지역은 어디일까? 현재의 호북성(湖北省) 장가계(張家界) 근방의 무릉 지역이라는 것이 오랜 통설이었다고 한다. 그런데 인민공화국 성립 뒤에 반동학자로 몰리다가 1969년 문화대혁명 기간 중에 죽은 중국의 유명한 학자 진인각은 이 통설을 부인하고 섬서성(陝西省) 동관(潼關) 근방의 홍농(弘農) 혹은 상락(上洛-낙수 상류)이라고 주장했다. 그러나 무한대학의 교수인 당장유는 『도화원기』의 고사가 특정 지역의 모델에 근거한 것이 아니고 본래 동진-유송 교체기에 남방 형상(荊湘) 지방에 떠돌던 전설이었다고 한다. 이 전설에 근거하여 도연명이 자기 뜻을 담아 창작했다는 것이다.

그런데 최근에 구강사범전문대학의 어떤 중국사 교수는 이상의 여러 설을 반박하고 『도화원기』의 실제 배경은 여산 동남 기슭에 있는 강왕곡(康王谷)이라고 주장한다. 이 주장에 따르면 도연명은 시상(柴桑)에서 나고 자라고 죽었기 때문에 63년 생애 중에 무릉에 한 번도 가보지 못했고 홍농이나 상락에도 당연히 가보지 못했으리라고 추정된다. 그리고 또 그는 『도화원기』 속의 무릉인을 도연명 자신이라고 주장하는데, 도연명의 조상이 무릉의 혜족인(徯族人)이기 때문에 자기 조적(祖籍)을 따라 그렇게 자칭했다는 것이다.

강왕곡은 도연명의 고향 심양군(尋陽郡) 시상현(柴桑縣)에 있다. 그곳은 봄이 되면 복숭아꽃이 만발하고 그 꽃잎이 계곡을 따라 흘러내리는 등의 풍광이 『도화원기』 속의 그것과 일치해서 당시 사람들에게도 도화원으로 알려져 있었다는 곳이다. 그곳이 강왕곡이 된 사연은 이렇다. 진(秦)나라가 초나라를 멸망시키려 할 때 초나라 회왕의 아들이 난을 피해 여산의 동남 골짜기로 들어섰다. 그때 진나라 장수 왕전이 그를 추격해 왔는데, 때마침 엄청난 풍우가 몰아치는 사이에 왕전의 병마를 따돌리고 이 골짜기에 들어간 그는 계속 이곳에 은거하게 된다. 그래서 초왕촌이 생겨나자 처음에는 '초왕곡'으로 불렸으나 진나라의 추적을 피하기 위해 '초왕'을 '강왕'으로 고치면서 '강왕곡'으로 고쳐 불렀다고 한다. 이상의 사적이 피진(避秦), 피란, 피폭정(避暴政)을 서술한 『도화원기』의 내용과 부합하는데, 이런 사적을 잘 알고 있는 도연명이 강왕곡을 도화원의 모델로 삼았다는 것이다.

『도화원기』의 실제 모델 지역이 어디인가 하는 문제는 도연명과 『도화원기』의 문화유산을 팔아 관광수입을 올리려는 개방 중국의 해당 지역 인민들에게는 사활이 걸린 문제이겠지만, 필자에게는 그 모델이 어디든 있으면 됐지 어디인가가 중요한 것은 아니다. 필자의 중요한 관심은 그곳이 다름 아닌 농촌공동체란 것이고, 도연명이 그 농촌공동체를 통해 무슨 뜻을 담으려 했을까 하는 것이다.

도연명은 당대의 뛰어난 문인이고 유능한 지식인이다. 그럼에도 그는 젊은 시절 한때 먹고살기 위해 마지못해 벼슬살이를 짧은 기간 동안 하다 말다 하다가 끝내 41세 때부터는 완전히 벼슬길을 접고 귀농생활에 들어간다. 그가 이같이 벼슬살이를 싫어한 원인을 개인적인 취향이나 기질에 돌릴 수도 있고 그의 출신배경과 시대적인 상황 등의 여러 요인에서 찾을 수도 있다. 하기는 그의 개인적 기질과 취향도 그의 출신배경이나 시대적 상황에 제약된 것으로 본다면 그의 피세속(避世俗), 자연 은일사상도 그 시대와 사회적 상황의 산물일 수도 있다.

도연명은 동진조를 일으킨 훈귀(勳貴)를 증조부로 두었다고 한다. 동진의 운명이 기울어가던 당시에 도연명은 자신의 정치적 입장의 선택에 따라 생사가 갈릴 위험 속에 살았다. 이런 난세에 생명을 보전하려면 관록을 피해 농촌에 은거하며 자신의 노동으로 살아가는 소농생활이 차라리 가장 안전한 길이었을 것이다. 도연명은 사상적으로도 자신의 노동으로 자기 삶을 스스로 꾸려가는 농업과 노동 중심의 도가(道家) 사상에 속하는 사람이다.

그러나 당시의 농촌도 도연명이 은거하여 마음 편하게 살아갈 그런 전원은 이미 아니었다. 진(秦)나라 때부터 이미 정전제(井田制)는 폐지되고 토지의 사유와 매매를 특징으로 하는 지주경제가 확립되고 있었다. 이런 지주경제의 농민에 대한 가혹한 수탈로 한나라와 위진 남북조를 거치면서 농민의 유리 망명도 늘어가고 있었다. 이런 사회적 모순 속에 편할 날이 없던 도연명이 『도화원기』에 담고자 했던 뜻은 무엇이었겠는가?

진인각은 『도화원기』의 내용에 충실하게 그 주민들을 병란을 피해 온 피난민으로 보았다. 그러나 진인각을 비판한 당장유는 "진나라 임금이 하늘의 기강을 어지럽히자 현자들이 세상에서 몸을 숨겼다"와 "봄에 누에 쳐서 비단실 거두고 가을 추수 뒤에도 세금을 안 바치더라"고 한 「도화원시(挑花源詩)」의 내용에 근거하여 도화원 주민들을 난리를 피해 온 사람이 아니라 가혹한 세금과 만리장성 축성 등의 부역, 즉 폭정을 피해 온 자들이라고 했다.

당장유에 의하면 진인각이 말한 피난 · 피병과 자신이 말한 피부역은 엄격히 구별되어야 한다. 단순한 피병집단일 경우에는 이들 구성원 사이에 선비와 서민 간의 계급모순이 생겨나지만, 피부역집단에서는 그런 모순이 생겨나지 않는다. 따라서 상하 구별 없는 평등사회를 이루고 있는 도화원 주민들은 피병집단이 아니고 피부역집단이라는 것이다. 또 그들이 봉건통치계급 출신이었다면 전쟁이 끝나면 고향으로 다시 돌아가 착취자로 변해야 하는데, 계속 산골에 남아 농민으로 공동생활을 하고 있는 것으로 보아도 그들은 착취계급으로부터 폭정을 피해 온 피부역 농민집단이라는 것이다.

당장유는 이런 피부역 인민들의 동태를 도연명의 고향에서도 찾아 도연명과 결부시켰다. 도연명의 집안은 손권의 오나라 시대에 파양호 근방으로 이주해 왔는데, 당시 파양, 남성 일대에는 종부(宗部)가 크게 세력을 떨치고 있었다. 삼국시대 당시의 종부 또는 산월(山越)은 대부분 무거운 부역과 세금을 피해 산으로 들어온 농민들이 주 구성원이었다. 왕조에 대한 당시 인민들의 반항은 관청으로부터 멀리 떨어진 곳이나 인적이 드문 산림천택으로 도망하는 것으로 나타났다. 이런 피부역 입산자들의 존재가 동진 시대까지 계속되자 도연명은 이를 무릉 지역 만족의 전설과 결부시켜 『도화원기』를 썼다는 것이 당장유의 결론이다.

사람에 따라 조금씩 다른 해석을 가하고 있긴 해도, 『도화원기』는 당대의 폭정과 수탈을 피해 행정력이 미치지 않는 외딴 '새외도원'에 농촌공동체를 이루고 사는 집단을 모델로 도연명이 그리던 이상을 투영한 작품이라는 데는 모두 의견을 같이한다. 도연명은 관료와 귀족계급에 의해 토지가 독점되기 이전의 마을 공유지에서 자연의 순리대로 마을 사람 모두가 함께 일하고 함께 나누어 먹던 아름다운 농촌공동체의 이상을 『도화원기』에 투영하고자 했던 것이다.

중국사에서 최초로 강력한 중앙집권국가였던 진(秦)나라에 대한 피진(避秦)·피부역의 공동체의 자취는 우리 한반도의 역사에까지 남아 있다. 『후한서(後漢書)』와 『삼국지(三國志)』의 「한전(韓傳)」에 의하면 중국의 진(秦) 제국의 병역과 노역을 피해 진나라 사람들이 고조선의 서부 국경인 난하(灤河) 유역의 낙랑 지역으로 이주했다. 그러나 고조선 말기 이후 난하 유역이 전란에 휘말리자 그들 가운데 일부가 다시 한반도의 마한(馬韓) 지역으로 이주해 왔다. 이에 마한은 그들을 동부의 진한과 경계 지역에 살게 한다. 그들은 그곳에 성책(城柵)을 만들고 중국인 부락을 만들었는데 그 진인(秦人)들의 말이 마한의 말과 달랐다고 기록되어 있다고 한다.

위의 기록에서 '중국 진(秦)나라 사람'이라는 '진인'을 삼한 중의 '진한인(辰韓人)'으로 잘못 해석하여 진한과 마한의 말이 달랐다는 것으로 오해하는 학자도 있다. 그러나 사실은 그들이 진시황의 폭정을 피해 멀리 한반도까지 밀려온 피진 · 피부역 이주민이라는 것이다.

왜 실낙원도 유토피아도 농촌공동체였는가?

토머스 모어의 유명한 소설 『유토피아』의 의미는 그리스어로 '어디에도 없는 곳'이란 뜻의 'Outopos'란 말에 '이상향(理想鄕)'이란 새로운 의미가 부여된 것이라 한다. 이 소설도 도연명의 『도화원기』처럼 '유토피아'란 실재의 섬에서 5년간 살았던 라파엘 히드로다에우스라는 사람의 체험담을 기록하는 형식을 취한다. 그러나 콜럼버스의 침략 이전의 아메리카나 『도화원기』의 무릉도원과 에덴동산 등의 낙원이 실재했던 자연발생적인 원시 농촌공동체를 모델로 했던 데 비해 이 『유토피아』는 인위적인 상상의 도농공동체를 모델화했다는 점에서 다르다.

물론 이런 상상적인 이상 세계가 실현되기는 쉽지 않을 것이다. 설사 실현된다 해도 과연 그게 이상향이 될지 미심쩍은 데도 많다. 사형수의 사형 집행 대신이라지만 노예제를 인정한 것이 그렇다. 또 "자위 또는 우방국가의 영토로부터 침략자를 격퇴하거나 독재정권에 의한 희생자를 해방시키는 경우"를 대비해서라지만 남녀 모두 정기적으로 군사훈련을 받아야 하는 국민개병제도도 그렇다. 그럼에도 이 작품이 하나의 고전이 될 수 있었던 것은 이 작품 전체를 관통하고 있는 토머스 모어의 초기 영국 자본주의에 대한 강한 비판과 그 대안으로서의 유토피아 공화국이 외형은 인위적인 도농공동체이긴 해도 내용은 과거에 있었던 농사와 농촌 중심의 자치공동체 사회를 지향하기 때문이 아닐까 한다.

이 작품이 발표된 때는 1516년이다. 이때는 1492년 콜럼버스의 미 대륙 발견 이후 전 유럽에서 그 후계자들이 해외식민지 침탈 경쟁에 본격적으로 뛰어든 때다. 또 이때는 잉글랜드의 튜더 왕조가 새로 등장한 부자들의 강력한 요구에 따라 전통적인 마을 공유지를 부자들이 개인적으로 사유화하고 상품화할 수 있게 하는 인클로저 법령을 제정한 때다.

인클로저는 '인간이나 동물이 자유로이 통행할 수 있는 곳에 울타리, 도랑, 기타 장벽을 쳐서 일정 부분의 땅을 둘러싸다'라는 뜻이다. 서양에서는 16세기 이전까지는 대부분의 토지가 봉건영주의 소유였긴 해도 다양한 임차제도에 따라 조선조 후기의 우리 소작제처럼 농민들에게 장기 임대되었다. 말하자면 소유권과 이용권이 완전히는 아니지만 일정하게 분리되어 있었다. 이렇게 임차한 농지는 마을 공유지와 함께 우리의 두레처럼 마을 주민들이 공동으로 경작했다. 그런데 인클로저 법령이 제정되자 그 같은 전통적 농촌공동체가 땅에 대해 갖고 있던 모든 연고권이 끊어지고 땅에 대한 모든 권리가 법률적 소유주에게 독점되었다. 그리하여 농민들은 이제까지 조상 대대로 살던 고향에서 쫓겨나고 농촌공동체는 파괴되어 도시 변두리로 편입된다.

이렇게 16세기 초에 시작된 제1차 인클로저는 조지 3세 때인

18세기 말과 19세기 초에 다시 일어난다. 두번째 일어난 인클로저 혁명(인클로저 운동을 '가난한 자들에 대한 부자들의 혁명'이라 부른다)은 그때까지 농민이 일부 점유하고 있던 나머지 땅에서도 농민을 완전히 밀어내고 땅의 사유화와 상품화를 완결시킨다. 2차 인클로저가 일어났던 것은 악성 인플레로 인해 영주가 받는 토지 임대료의 상대적 하락에 대한 불만이 고조됐고, 1차 인클로저 이후 방직산업의 번창으로 그 원료인 양모 가격이 상승하자 지주가 직접 양을 방목하려 했기 때문이었다. 이리하여 농촌공동체는 완전히 파괴되고 '땅에 속해 있던 사람의 관계'는 이제 거꾸로 사람이 땅을 소유하고 매매하는, '땅이 사람에 속하는 관계'로 전도된다. 마을공동체 안에서의 사람과 사람의 수평적 관계도 고용하고 고용당하는 상하관계로 변화된 것이다.

물론 인클로저가 없었던 중세시대라고 해서 사유재산이나 관료귀족에 의한 지배와 수탈, 그리고 그로 인한 인간 갈등이 없었던 것은 아니다. 그러나 가진 자들이 초래한 두 차례의 혁명으로 인한 갈등은, 그때까지의 중세적 갈등과는 그 차원을 달리한다. 중세 봉건사회에서는 소수 농노에게나 있었던 강제노동이 이때부터는 임금노동이란 이름으로 대다수의 사람들에게 다시 강요되었다. 농지나 산 등 자연에 대한 인클로저는 이제 다시 임금이란 굴레로 사람에 대한 인클로저로 확대되었다는 것이다.

그 인클로저는 지금도 진행되고 있는데, 그것은 모든 생명의 비밀인 유전자를 '특허'라는 이름으로 인클로저 하는 것이다. 세계적인 저술가 제러미 리프킨은 그의 『바이오테크 시대』(민음사, 1999)에서 많은 지면을 할애하여 이 인클로저를 설명하는데, 바로 16세기부터 있었던 농지 인클로저와 오늘날의 생명 유전자 특허 인클로저의 연속성을 강조하고 그것을 비판하기 위해서다.

인클로저는 모든 악의 원천이다. 토머스 모어도 『유토피아』에서 영국에서 시작된 인클로저를 만악의 근원으로 묘사한다. 아니, 모어가 『유토피아』를 쓰게 된 직접적인 계기도 아마 이 인클로저 때문이 아니었던가 싶다.

양입니다. 아주 조금밖에 먹지 않는 것이 보통인 이 유순한 짐승이 이제는 사나운 식욕을 갖게 되어 사람까지 먹어치우게 된 것 같습니다. 들과 집과 도시, 모든 것을 삼켜버립니다. 더 쉽게 말씀을 드리면 최상의, 그리고 가장 값비싼 양모를 산출하는 지방에서는 귀족과 지주, 심지어 몇몇 성직에 있는 수도원장까지도 그들의 선조들이나 선임자들이 토지로부터 거두던 이익에 점점 불만을 갖게 되었습니다. (중략) 그들은 소유지를 모두 목장으로 만들고, 아무도 경작을 못하게 해서 사회에 적극적으로 해를 가하지 않을 수 없게 된 것입니다. 그들은 심지어 가옥을 헐어내고 전 촌락을 철거하고 있습니다. (중략)

그 결과 어떤 일이 일어날까요? 한 명의 탐욕한 인간이 마치 악성 종양처럼 그의 고향을 먹어치우고, 차례차례로 전야(田野)를 흡수해서 수천 에이커를 울타리 하나로 둘러 막아버립니다. 결과는 수백 명의 농민들이 축출당하는 것입니다. 농민들은 기만당하거나 협박이 두려워 억지로 소유지를 포기하거나, 학대에 못 견디어 끝내는 땅을 팔아치우는 것입니다. 어떠한 수단을 썼든 간에 이 가엾은 사람들, 남자와 여자, 남편과 아내, 과부와 고아, 어머니와 갓난

애는 그들의 모든 고용인—고용인이 많다는 것은 부유하다는 표시가 아니라, 단지 많은 인력이 없이는 농장을 경영할 수 없다는 표시입니다—과 함께 떠나가지 않으면 안 되는 것입니다.[8)]

이처럼 자국 안에서의 전통적인 농촌공동체의 파괴와 도시에 의한 농촌 식민지화의 모순을 콜럼버스로 대표되는 서구 식민주의자들은 신대륙 발견이나 다른 나라의 식민지화로 확대 연장하고자 했다. 그러나 동시대의 토머스 모어 경은 이를 새로운 도농공동체인 유토피아를 통해 극복하고자 했다는 점에서 위대하다. 물론 토머스 모어의 유토피아는 앞서 말한 것처럼 사라져간 실낙원으로서의 전통적 농촌공동체와는 상당히 다르다. 그가 그리는 유토피아 공화국은 54개의 도시와 그를 둘러싼 농촌으로 이루어진, 계획적이고 가장 이상적인 도농복합형 전원이다. 도시 변두리인 농촌에는 도시의 가구 수와 같은 수의 농장이 있어 유토피아 주민들은 2년 교대로 농업에 종사한다. 그러니까 그곳의 시민은 도시민과 농민이 따로 없는 순환 교대형 주민인 것이다.

농촌에서 2년 일한 다음에 도시에서 보내는 2년간은 양모 취급 기술 또는 직조기술을 배우거나 석공, 철공 또는 목공 일을 한다. 만민 균등 근로제를 통해 근로 시간은 농사일이든 도시의 일이든, 하루 6시간으로 충분하다고 한다. 농사와 다른 일에 배분되는 사람 수와 시간은 똑같지만 유토피아의 중심 일은 아무래도 농사인 것 같고, 주거공간 또한 형식적으로는 농촌과 도시

8 토머스 모어, 황문수 옮김, 『유토피아』(범우사, 2003), 41~42쪽.

가 분리된 것 같지만 내용상으로는 둘이 통일된 전원도시인 것으로 보인다.

과거에 잃어버린 낙원들은 모두 농촌공동체였다. 원시기독교 사상이나 낭만적 사회주의에 영향 받은 18~19세기의 수많은 공동체들도 농촌공동체였다. 오늘날의 새로운 화두로 떠오른 지속가능한 사회의 지향인 모든 생태공동체도 모두 농사 중심의 농촌공동체다. 그 이유는 무엇일까? 『유토피아』에는 그 이유가 명시되어 있지는 않다. 짐작건대 사람 생명의 기본인 식량 부족을 미연에 철저히 방지하기 위해서인 것 같다. 그리고 "성별과 관계없이 시민이면 누구든지 하는 일이 있는데, 그것은 농업입니다. 농사는 아동교육의 필수과목입니다. 아동은 농업의 원리를 학교에서 배우며 정기적으로 도시에 가까운 들로 나가서 실습을 합니다. 그들은 농사를 짓는 것을 견학할 뿐만 아니라 직접 일을 합니다"[9]라고 한 것으로 보아 모어의 만민농민화 사상이야말로 농사를 생업의 기본 수단으로만 본 것이 아니고 인성과 인격의 교화 수단으로 본 것이 아닐까? 그렇다면 이것은 시대를 뛰어넘는 탁견이다.

사실 인간은 손과 발에 흙 떨어질 날 없는 농사일로부터 벗어나 손발을 깨끗이 씻고 흙을 떠나는 그 순간부터 생명 파괴적인 사기꾼이 되기 쉽다. 물론 화학비료와 농약과 기계로 땅을 수탈하고 그 생명을 파괴하며 그 땅에서 나온 반생명적인 농산물로 소비자를 속여야 먹고사는 지금 상업농시대의 농민의 삶은 본질

9 토머스 모어, 같은 책, 94쪽.

적으로 생명 파괴적인 도시의 삶과 별로 다를 바가 없다. 하지만 시장과 공업에 예속당하지 않고 다른 생명을 파괴함 없이 재생 순환적인 농법으로 모두 스스로 농사지어 먹던 농촌공동체 시대의 농민은 자연을 속이거나 수탈하지 않았던 만큼 인간을 속이거나 수탈하지도 않았다. 땅과 하늘의 섭리에 순응하여 사람을 가장 사람답게 살게 하는 근본적인 구도(求道)의 삶이 전통농업이었다.

농민 · 농사와 그 공동체 버리고 가는 진보는 가짜다

『서구의 몰락』을 쓴 슈펭글러는 많은 사람들이 말로는 농촌을 그리워하지만 한번 농촌을 떠난 사람은 설사 아스팔트 위에서 굶어 죽는 한이 있어도 다시 농촌에 돌아가지 않는다고 했다. 한때의 고도 경제성장이 한계와 고비를 맞아 국제통화기금의 직접 통치를 자초했던 이른바 IMF 때의 그 많은 노숙자 중에서도 농사지으러 농촌에 돌아간 사람은 하나도 없었던 줄 안다. 현실 농촌이 그러함에도 이상적 새 공동체운동이라면 아직도 모두 농사 중심의 공동체를 지향하지 않으면 안 되는 진짜 이유는 무엇일까?

4백50만여 년의 장구한 인류사의 대부분은 채집과 수렵으로 떠돈 원시공동체의 시대이고 농경정착의 기간은 신석기시대 이후 불과 1만여 년 남짓밖에 안 된다. 또 농경정착시대 이후에도 중앙아시아의 초원과 사하라 남쪽의 아프리카나 북미의 일부 지역에서는 여전히 정착 없이 떠돌며 목축으로 생계를 이어간 유목민들이 있었다. 농경사회 이후의 초원유목 부족사회는, 그 사회의 비자급성이 주된 이유겠지만, 주변의 농경사회를 침략하여 정착국가를 세워나가는 중심세력이 되었다. 그러나 정작 유목의 본고장인 초원지대에서는 그 역시 비자급적인 이동성이 주된 이유로 원시공동체처럼 부족 또는 부족연맹 단계의 사회로 지속할 수밖에 없었다.

바로 이런 초원유목사회의 무국가성에 대한 철학적 통찰로 들뢰즈와 가타리는 '유목주의'라는 하나의 새 사조를 유행시켰다. 초원이나 사막지대에서 국경 없이 떠돌아다니는 전통적 유목생활과 국제통화기금, 세계은행, 세계무역기구 등이 주도하는 오늘날의 초국가적 세계시장제국주의의 코드는 매우 유사하거나 일치하는 부분이 많다. 시장세계화된 오늘날의 세계는 적어도 자본과 상품에 관한 한 국경 없이 자유롭게 이동하는 신유목사회인 것이 분명하다. 그런 뜻에서라면 들뢰즈와 가타리의 유목철학이 본의가 어디에 있건 세계시장제국주의의 신유목사회를 이론적으로 뒷받침해주는 최신 철학 사조임도 분명하다.

이 사회의 주류들은 산업사회 이후를 기술정보사회니 지식창조사회니 물류와 문화 중심의 사회니 하며 신유목주의적 세계화 사회의 미래를 긍정적·낙관적으로 보고 있는 것 같다. 하지만 이 신유목사회는 세계의 모든 농경정착사회를 농경지로 두는 대신 시장화함으로써 그 생태적 지속을 불가능하게 만든다. 신유목적 세계시장제국주의는 자본 주도 산업사회의 연장과 확대이고 산업자본제국주의의 또 다른 변주곡이고 그 극대화일 뿐이다.

농경사회에 토대했던 국가사회에 문제가 많다고 해서 지구를 농경지 대신 시장으로 만드는 신유목주의가 인류사의 보편적 대안이 될 수 없는 것은 너무도 분명하다. 신유목적 세계시장제국주의 사회의 역사란 서구의 경우 길게 잡아 3백 년쯤이고, 이 땅의 경우는 고작 30~40년이다. 유목사회를 아무리 철학적으로 미화해도 전통유목사회는 태생적 비자급성으로 인해, 신유목사회는 자급적인 농경의 삶을 스스로 파괴, 시장에 예속시킴으로써 지속이 불가능한 한계사회임을 부인할 수 없다.

그러나 농경사회는 1만 년 이상의 생태적 지속과 자급자족이 가능한 사회였다. 그리고 대부분은 공업과 도시에 의해 붕괴되고 없어졌지만 그래도 아직은 부분적으로 생명을 유지해가는 사회다. 무엇보다 지금 우리가 원시사회나 전통적 유목사회로 되돌아가는 것은 불가능하지만 농경사회로 되돌아가는 것은 얼마든지 가능하다. 오늘날의 생태주의 사상의 지향이 지속 가능한 농업 중심의 소농공동체로 귀결될 수밖에 없는 이유가 바로 여기에 있다. 중앙집권적 국가와 지속 불가능한 시장체제를 동시에 극복할 대안은 농촌공동체뿐이고, 토지의 독점에 저항하고 지역적으로 자급자족할 수 있는 자치직접민주주의의 토대도 소농공동체밖에 없다.

그러나 '농(農)' 자만 붙었다고 그것이 다 미래의 대안이 되는 것도 아니다. 지금과 같은 화학농, 시설농, 대규모 기계농, 기업농, 유전자 조작농, 다국적농, 산업으로서의 상업농 등은 '농' 자를 아무리 달고 다녀도 공업이나 다른 산업처럼 지속이 불가능하다. 그것도 부존 자원과 공업과 시장에 종속된 한계가 분명한 산업의 하나이기 때문이다.

그래서 요즘의 귀농자들이나 공동체 운동가들은 하나같이 생태농업을 주장한다. 그러나 아직은 이 지구상의 어디에도 명실상부한 생태농을 회복한 곳은 없는 것 같다. 유기농주의자들은 농약이나 비료를 안 쓰는 것만으로 생태농인 것으로 착각하거나 자위하고 있지만, 그것은 비료와 농약 대신 유기물을 썼기 때문에 유기농이라 할 수는 있는지 몰라도 석유에너지 등 부존자원에 크게 의존하는 대형기계와 비닐하우스 등의 시설에 의존하는 상업농은 결코 진정한 생태농이라 할 수 없다. 대규모 기계와 시설에 의존하는 상업적 산업농의 생산양식에 그대로 의존하는 오늘의 유기농 상업주의야말로 생태계의 파멸을 오히려 앞당길 것이다.

상업적 산업농의 틀을 벗어나 자급농 공동체로 돌아가지 않고서는 진정한 생태농은 불가능할 것이다. 토머스 모어의 『유토피아』에서처럼 시민의 절반씩을 교대로 농사를 짓게 하는 방식이든 영구적으로 정착하는 귀농이든 최소한 주민의 절반 이상이 농촌으로 돌아가 짓는 자급농 수준의 농사가 아니고서는 진정으로 지속 가능한 생태농은 불가능할 것이다. 이 같은 자급 수준의 소농두레(협동) 방식의 농사는 생태적 지속을 위해서뿐 아니라 인류의 영원한 이상인 주민자치의 직접민주주의를 위해서도 더 절실하다.

중앙집권과 그 직접적 표현인 관료주의의 산물인 오늘의 거대 기술주의 산업사회와 지역적 주민자치의 직접민주주의는 양립할 수 없다. 오늘날처럼 권력의 중앙독점과 그 연장인 거대 기술,

곧 전기와 자동차기술에 완전히 예속된 사회에서 지역 자립과 주민자치의 민주주의는 불가능하다. 아주까리기름으로 불 밝히는 호롱불의 시대로 돌아가자는 말은 아니지만, 적어도 중앙집권이 불가능한 생태적이고 지역적인 발전기술과 자전거 같은 지역 제한적인 운송수단으로 삶의 범위를 지역화하지 않는 한 지속 가능한 지역자치와 직접민주주의는 없다.

전기와 자동차 등 공업기구들은 없으면 불편할 것 같지만, 인류사의 대부분을 그것 없이 살아온 것처럼, 사는 데 필수적인 것은 아니다. 그러나 먹는 것은 없다고 안 먹고는 살 수 없는, 말 그대로의 생필품이다. 이 생필품들을 자국의 힘없는 소농들에게 분산시켜 맡겨놓은 재래시장에서도 수시로 파동을 일으켜서 도시의 서민생활을 불안케 했다. 그런데 최근 발암성 화학물질에 절인 중국산 농수산물의 연속적인 파동이 보여주듯 생산은 다른 나라에다, 유통은 초국적기업에 독점시켜주고서도 우리의 생존이 안전할 수 있을까? 농산물의 세계시장 개방이 소비자들에게는 농산물을 낮은 값에 안정적으로 수급되게 하는 것 같지만 그 유통이 초국적기업에 모두 독점되는 그날에도 안정이 지속될까? 사람의 밥그릇을 족보도 정체도 알 수 없고 따라서 그 책임도 물을 수 없는 보이지 않는 손인 초국적기업에 독점시켜주고서 민주주의는 고사하고 최소한의 생존권인들 장기적으로 안정되게 보장받을 수 있겠는가?

청년실업이 사회문제가 되고 있다. 공장에는 첨단 자동기계가 사람 대신 돌아가고, 만인이 스스로 지어 먹어야 할 농사는 초국적기업의 농약과 기계시설에 의존하다 이제는 그 생산 · 유통 ·

가공까지 소수의 기업에 독점시켜주었는데 보통사람에게 남을 일자리가 어디에 있겠는가? 그런데 그 독점으로부터 일자리를 분산시켜 스스로를 지키려는 자구 노력이나 공동체사회 운동은 거의 없고 줄어드는 일자리를 서로 차지하려는 개인 경쟁만 치열해갈 뿐이다.

자경소농의 두레농사만큼 자립적 · 자치적 · 민주적이면서도 많은 일자리를 보장해주는 삶의 방식은 없다. 지금 농사가 돈은 안 되고 힘만 드는 것은 보이지 않는 손인 시장에 의해 교환가치가 조작되고 부가가치를 빼앗겼기 때문이지 그것 자체의 사용가치가 다른 것만 못해서가 결코 아니지 않은가? 그런 농사를 시장의 손에 맡겨두고 가는 진보나 개혁, 그리고 민주주의는 보나마나 전부 가짜 진보, 가짜 민주주의다. 소농민과 그들의 농사를 외면하고 가는 진보는 아마 십 리도 못 가 발병 날 것이다. 발병뿐이겠나? 속병까지 나리라.

그런데 어찌 된 셈인지 이 땅에는 농사와 농촌, 농민 중심의 지역 자립공동체 사회를 주장하면 못 이룰 꿈을 꾸고 사는 한심한 이상주의자로, 시대를 거꾸로 가는 보수반동으로, 심지어 에코파시즘으로 매도하는 물량진보주의의 광풍이 휩쓸고 있다. 희한하게도 이 땅에서는 진보주의자로 자처하는 사람일수록, 도시 노동자들을 위해 농산물 값은 싸야 하고, 그래서 세계시장의 값싼 농산물의 수입은 개방되어도 좋다고 여기며, 공산품 수출을 많이 해서 근로자 임금을 많이 올려주고 근로자도 공장 경영에 참여하면 진보사회가 이루어진다고 믿는 것 같다.

더 이해하기 어려운 것은 이 땅에서는 제 고향의 부모와 형제

자매들의 삶터인 농촌공동체가 해체당하는 고통은 나 몰라라 외면하고, 휴전선 북쪽의 정권에 우호적이거나 북한 땅을 들락대며 민족 화해와 그것이 재벌의 관광산업을 앞세운 시장흡수통일이든 무엇이든 민족통일을 부르짖으면 진보주의자가 되는 현실이다. 한반도 남쪽의 모든 땅을 도로공화국, 토목공화국, 투기공화국으로 모두 거덜 내고도 모자라 북쪽에 남은 농촌까지 남한과 똑같은 복제품으로 거덜 내려 하는 통일도 통일이면 다 좋은 것인가?

이 땅에는 2만 2천 개가 넘는 시민사회운동단체가 있다고 한다. 전농(전국농민회총연맹), 가농(한국가톨릭농민회), 한국농업경영인중앙연합회 등 몇 개를 뺀 나머지는 거의 도시에서 도시 문제를 대상으로 하는 시민단체다. 그러나 그런 시민단체라고 해도 궁극적으로는 이 사회의 민주화와 평화, 지속 가능한 삶의 실현을 목적으로 한다. 그렇다면 그 모든 것의 기초인 우리 농업·농촌·농민 문제는 그 단체의 명시적 운동 목적은 아닐지라도 언제나 관심을 가지고 때로는 유관단체와의 깊은 연대와 적극적 동참을 통해 함께 해결해야 할 문제다.

울산에 있는 현대중공업은 임직원이 2만 7천 명이나 되는 대기업이라 한다. 이 기업이 2003년 12월에 자기 구내식당에서 1년간 소비한 식품원료량을 발표했다. 이에 따르면 쌀이 8톤 트럭으로 2백 대 분량인 1천5백80톤이고, 80킬로그램들이 가마로는 1만 9천7백50가마, 닭이 25만 3천21마리, 돼지 4천3백37마리, 소 4백83마리, 생선은 3백55톤, 배추는 1만 포기라고 한다. 1인당으로 환산하면 쌀이 58.5킬로그램, 배추는 3분의 1포기 정도, 생선은 13.1킬로그램, 쇠고기는 8근, 돼지고기가 28근, 닭고기는 9.4마리 정도를 소비한 셈이다. 육류 소비량에 비하면 배추와 쌀 소비량은 매우 낮다. 그러나 여기서의 관심은 그 과다한 육류 소비를 탓하려는 것이 아니고 이 식품의 원료 소비량이 우리 농민의 몇 세대가 평균적으로 생산하는 분량인가에 있다.

한 마지기, 곧 2백 평당 세 가마의 쌀이 생산된다고 할 때 쌀 1만 9천7백50가마를 생산하려면 논이 약 1백32만 평(6천6백 마지기)이 필요하다. 그렇다면 쌀은 1만 평(50마지기) 논 소유의 농민 132명분의 생산량이고, 닭은 5천 마리의 양계 농가 50여 호, 돼지는 2백 두씩의 양돈 농가 21여 호, 소는 20두씩의 한우 농가 24호, 배추는 농가 1가구의 생산분이 될 것이다.

수출 지향의 현대중공업이 결코 그럴 리 없겠지만, 농산물의 완전개방에도 불구하고 만일 현대중공업의 노조가 자기 구내식당의 식품원료로 농촌과 직거래를 통해 우리 농산물을 쓰기로 고수한다면 모두 2백 세대가 훨씬 넘는 우리 농가를 지킬 수 있다는 계산이 나온다. 직장의 구내식당에만 그치지 않고 우리 농산물 먹기 직거래를 자기 가정까지 확대해간다면 그 농산물 양은 몇 갑절(최소 2~3갑절)로 늘어날 것이다. 이런 우리 농산물 직거래운동이 전국의 모든 노조로 번질 때 우리의 농업은 어렵지 않게 지켜질 것이다. 하지만 이것은 자기 회사제품의 수출을 하나라도 더 늘려 월급, 수당, 상여금 등의 연봉을 한 푼이라도 높이려 하는 노조원들과 경영인들에게는 실현이 매우 어려운 주문일 줄 안다.

그러나 노조가 사회구성원 모두에 대한 배려 없이 자기 몫 챙기기에만 몰두하면, 그것은 곧 부메랑이 되어 자기한테로 돌아온다. 대기업의 임원과 노조원의 임금이 올라가면 갈수록 구조조정 명목으로 명퇴자와 임시직 근로자의 수는 늘어날 것이다. 하청기업의 납품가는 더 낮아질 수도 있고 자금 압박도 더 심해져 실업자군을 더 늘려갈 것이다.

무엇보다 도시 노동자들의 값싼 수입농산물 구입은 그나마 남아 있는 우리 농촌의 완전 분해로 이어져 도시의 실업률을 더 높일 것이다. 임시직 또는 시간제 근로자나 청년 실업자가 양산된 것도 기업의 인건비 절약과 생산성 향상을 위해 첨단 자동기계에 인간 노동이 대체되었기 때문이겠지만, 농업의 화학화 · 기계화와 수입개방으로 인해 농업에서 퇴출된 농촌인구가 도시에 유입된 것이 더 큰 원인일 것이다. 그렇다면 농민 · 농업에 대한 노동자의 배려와 투자, 그리고 그로 인한 일시적 손해는 결코 손해가 아니다. 그것은 구조조정 명목의 파면, 명퇴, 정년퇴직의 대상이 되고 있는 자신과, 사회적 불안요소이자 정규 대기업 노동자에게도 심리적 부담요인이 되고 있는 임시직 · 시간제 근로자와 청년실업 문제도 동시에 해결해주는 일종의 사회 안전판을 위한 투자, 곧 자신에게 이익이 되돌아오는 투자인 것이다.

노동자가 누군가? 농촌의 농민이 망해서 도시의 노동자가 되는 것 아닌가? 그렇다면 노동자와 농민은 결코 남이 아니다. 따라서 농민과 농업에 대한 노동자의 배려는 곧 자신에 대한 배려다.

도시에서 노동하든, 농촌에서 농사일을 하든, 구내식당에서 식사를 하든, 자기 집에서 밥을 먹든, 결국은 모두 잘 먹고 잘살자고 하는 짓이다. 그렇다면 남이 지어주는 못 믿을 먹을거리를 먹고 사는 공장의 노동자들보다 농사를 직접 지어서 잘 먹고 잘 살 수 있다면, 농민으로 사는 삶이 더 자유롭고 자치적이며 자연친화적인 인간다운 삶이 아닐까? 그러기 위해서도 농업과 농촌부터 먼저 살리고 볼 일이다. 앞에 보이는 이익만 보고 일직선으로 내달리는 삶은 결코 잘 사는 것도 진보적인 삶도 아니다. 뒤도 돌아보고 좀더 멀리 보고 크게 생각하는 삶이 진짜 미래지향적이고 진보적인 삶일 것이다.

『노자(老子)』의 저자는 농민공동체 속의 노자(老者)들이다

오 동서고금의 사상서들을 통틀어도 『노자(老子)』만큼 많이 읽히고 자주 언급되며 자기 식으로 주해되고 있는 사상서는 그리 많지 않을 것이다. 그런 『노자』를 쓴 저자는 누구인가? 그의 도(道) 사상은 어느 시대 어느 곳에서 무엇에 토대하여 그것을 대변하는 사상일까?

가장 오래된 노자 전기는 사마천(司馬遷)의 『사기(史記)』에 나오는 「노자전(老子傳)」이라고 한다. 이에 의하면 노자의 성은 이(李), 이름은 이(耳), 자는 백양(伯陽), 시호는 담(聃)이었다. 노자가 고향을 떠나 주나라 왕실 도서관인 수장실(守藏室)의 사서로 일할 때 공자가 찾아와 도를 구했다. 이때 노자는 공자의 위선을 매도하고 내쫓았으나 그래도 공자는 자기 제자들에게 노자를 용에 비유해서 말한 적이 있다. 그렇다면 노자는 공자와 동시대인이고 공자보다 훨씬 뛰어난 경지에 있는 사상가다.

이 밖에도 『사기』에서는 공자와 동시대에 책 15권을 편찬한 초나라의 노래자(老萊子)가 노자라는 설, 서주의 태사(太史, 궁정 기록관)인 담(擔)이 노자라는 설 등 여러 이설들을 소개하고 있다. 『사기』의 「노자전」도 그 이전에 노자에 대한 것으로 여겨지는 이야기가 실린 여러 책의 단편적인 기사와 항간에 떠도는 노자에 대한 이설들을 기록한 것일 뿐, 그 사실관계가 분명하지 않다. 그래서 노자는 실존인물 아닌 가공인물이거나, 특정 개인이 아니라 어떤 시대의 어떤 사상을 대표하는 상징적 존재라는 등의 추정이 가능하다.

다석 유영모 선생의 제자 박영호 선생이 주해한 『노자』(두레, 1998)에서는 주로 공자의 언행을 후대의 제자들이 기록한 것으로 알려진 『논어(論語)』의 「미자편(微子編)」과 「헌문편(憲問編)」에 나오는, 노자 자신이거나 그 부류일 것으로 연상되는 은자들을 소개한다. 그러면서 노자를 공자와 동시대인이거나 오히려 약간 앞선 기원전 500년대의 인물로 보고 있다.

그러나 노자의 사상 내용으로 볼 때 노자는 공자보다 후대인이거나 최소한 동시대인이었지 결코 앞선 세대로 볼 수가 없다. 노자사상은 공자사상의 비판과 부정으로 일관하고 있는데 이는 공자사상이 노자사상보다 조금이라도 먼저 형성 유포되지 않고서는 불가능한 일이다. 그러므로 공자가 춘추시대 말기(기원전 551~479년)의 인물이라면 노자는 그와 동시대인이거나 전국시대 이후의 사람이라고 보아야 사리에 맞을 것이다.

『사기』에는 원본과 이본이 있는데 노자의 출생지도 원본과 이본에 각기 다르게 적혀 있다고 한다. 원본에는 노자가 초나라 세력권 내에 있던 진(陳)나라의 상(相)에서 태어났다고 씌어져 있고, 이본에는 노자의 출생지가 초나라의 고현(苦縣) 여향(厲鄕) 곡인리(曲仁里)로 되어 있다. 노자의 출생지가 이본에 다르게 적힌 것은 당(唐) 시대의 도가(道家)들이 공자가 주창했던 인(仁) 사상에 반대한 노자사상에 보다 충실하기 위해 노자가 인(仁)을 굽히는 '곡인(曲仁)' 마을에서 태어난 것으로 조작했기 때문이라는 주장이 있다.

『사기』 이본에 적힌 노자의 출생지인 고현은 현재의 하남성(河南省) 동부에 있는 녹읍현(鹿邑縣)으로, 황하(黃河)로부터 남으로 1백50킬로미터쯤 떨어진 곳이라고 한다. 이런 근거로 노자의 사상을 남방계 사상으로 보는 견해도 있다. 그러나 초나라는 도읍이 양자강(揚子江) 연안에 있어 남방의 나라지만, 고현은 오히려 황하에 가까운 화북 지역에 속한 지역이며, 확실성도 없는 『사기』 이본의 기사에 따라 노자사상을 남방계 사상으로 보는 것은 무리라고 하는 견해도 있다.

『장자(莊子)』의 「천운편(天運篇)」에서는 공자가 노자를 패(沛)에서 만났고, 「우언편(寓言篇)」과 『열자(列子)』의 「황제편(黃帝篇)」에서도 양주(楊朱, 또는 楊子)가 노자를 패에서 만났다는 기록이 보인다. 패현(沛縣)은 고현에서 1백50킬로미터 떨어진 강소성(江蘇省) 서북단에 있었고, 전국시대에는 초나라 아닌 송나라의 땅이었다고 한다. 이처럼 노자는 활동시기와 함께 출생지와 활동장소 또한 종잡을 수가 없다.

하지만 노자의 출생시기와 출생지가 구체적으로 어떤 시대 어떤 지역이든 간에 사상 내용으로 볼 때 노자사상이 남방적인 것은 분명하다. 노자사상의 핵심적 특징은 원시적 자연으로 귀의하는 동양문화사상의 한 특징과 일치한다. 남과 경쟁하여 승리한다든가 악과 투쟁하여 이긴다고 하는 것은 노자사상과 거리가 멀다. 정의의 싸움보다는 차라리 패배하는 평화를 택하고 부귀를 하찮게 여겨 가난한 가운데서 안빈낙도를 찾는 삶에 오히려 높은 가치를 두는 것이 노자사상이다. 세상에 나가 적극적으로 현실정치에 관여하려고 했던 실천적인 공자의 유가사상이 북방에서 탄생하고 그 지역을 대표했던 것에 비해 노자사상은 이와 대척지점에 있는 남방지역, 특히 쌀농사를 주로 하는 정착적 농경공동체 지역을 대표하는 평화사상이라 할 수 있다.

『논어』에 노자의 부류로 보이는 은자(隱者)들의 얘기가 실린 탓인지 『노자』를 은자들의 철학 또는 사상이라고도 한다. 은자들, 곧 숨은 자들이란 자기 몸이나 이름을 드러내지 않고 일부러 감춘 자를 뜻하기도 하겠지만, 다른 한편으로는 자신을 드러낼 뚜렷한 개인적 실체가 없는 경우를 뜻하기도 한다.

이기석과 한백우가 번역해서 낸 『논어』에 들어가 그 속에 등장하는 은자들을 직접 만나보자. 「헌문편」에는 이름 외에 어떤 신분인지 알려지지 않은 미생묘란 사람이 공자에게 질문을 던진다. "구(丘)야, 너는 무엇이 그리도 분주한가. 설마 너의 구변으로 다른 사람의 마음을 사서 출세를 해보려는 뜻은 아니겠지."[10] 또 다음처럼 노골적으로 비아냥거리는 부분도 있다. "자로가 석문 근처에서 묵게 되었는데 문지기가 말하기를, '어디서 오시는 거

10 이기석 · 한백우 역해, 『논어』(홍신문화사, 2002), 314쪽.

요?' 자로가 대답하기를, '공씨 댁에서 옵니다' 문지기가 말하기를, '바로 그 안 될 줄 알면서도 행하는 자 말이오.'"[11]

『논어』에 나오는 이런 은자들의 말이 그대로 『노자』에 실린 것은 없다. 그러나 그 문맥과 어투들은 『노자』 속의 말들과 너무 닮아 있어 그런 말을 했던 은자들이 노자공동체의 일원일 것이라 추론하는 것은 얼마든지 가능하다. 그러므로 『노자』의 저자는 『사기』에 나오는 이이도 아니고 노씨(老氏) 성을 가진 노담(老聃)도 아니고, 다음에 말하는 늙은 은자들이나 농부들처럼 농촌공동체 안에서 나이와 삶의 연륜을 풍부하게 쌓은, 말 그대로의 '늙은 자(老者)'들일 가능성이 높다.

『논어』 「미자편」에는 길 가던 공자가 제자로 하여금 나루터 가는 길을 물어 오게 하자 "'도도한 물결에 온 천하가 다 휩쓸려 있거늘 이를 누구의 힘으로 바꾸리오? 또 당신은 사람을 피하는 선비를 따르기보다는 세상을 피하여 사는 선비(은자)를 따르는 것이 어떻겠소?' 하고 고무래로 흙을 덮어가는 것을 멈추지 않았다"[12]고 했다는 장저와 걸익이 나온다. 이들은 실지로 밭을 매는 농부다. 또 같은 「미자편」에서는 공자의 뒤를 따르다 뒤처진 자로가 지팡이에 대바구니를 매달아 어깨에 걸친 노인에게 "영감님께선 우리 선생님을 보셨는지요?"라고 묻는다. 그러자 노인은 "사지를 부지런히 놀리지도 않고 오곡을 분별할 줄도 모르는 사람 말인가?"라고 힐문하며 지팡이를 땅에 꽂아놓고 김을 매는데, 이 노인도 농사꾼이다.[13]

11 이기석 · 한백우 역해, 같은 책, 318쪽.
12 이기석 · 한백우 역해, 같은 책, 391쪽.

자로가 공자에게 달려가 이 말을 전하자 공자는 "은자일 것이다" 하고 말한다. 『논어』에 등장하는 다른 은자들도 거의 농사꾼이거나, 아니더라도 몸을 움직여 먹고사는 노동자들이지 지배계급이 아닌 것은 틀림없다. 그러므로 유학이 국가주의 내지 왕권주의적 체제 내의 철학인 데 견주어 노자사상은 일해서 먹고사는 농민 내지 농촌공동체적 반체제사상 또는 재야 철학임에 틀림없다.

무엇보다 노자사상이 농촌공동체적 사회에 토대한 농민적 사상이란 근거는 모든 사람들이 한결같이 그것을 무위의 사상 또는 철학이라고 하는 데 있지 않을까? 물론 전통농사가 자연생명질서를 최대한 존중하며 그 자연질서를 흉내 내서 작물을 심고 기르고 가꾸는 일이긴 해도 인간의 자연에 대한 최초의 반역이 농사인 이상 그것을 무위 그 자체라고 할 수는 없다. 그러나 농업적 자연 반역은 인간이 자연의 생명창조 질서를 최대로 존중해서 확장하고 연장함으로써 인간 생명의 번영을 약속해주는 인간 영위라는 측면에서 무위자연보다 어떤 면에서는 더 무위적인 인간 영위가 아닐까?

이런 정황들로 미루어 나는 『노자』도 특정 시대, 특정 장소, 특정 개인에 의해 씌어진 사적인 저작이 아니라고 생각한다. 그것은 속담이나 전설, 신화 등과 같이 여러 시대를 두고 여러 사람들의 상상력과 지혜를 축적시킨 공동체적 전승물일 가능성이 높다. 실지로 『노자』에는 여러 시대에 걸쳐 여러 사람들이 추가

13 이기석 · 한백우 옮김, 같은 책, 391쪽.

로 기록한 흔적이 여러 곳에서 보인다. 『노자』는 전부 81장으로 나뉘어 있으나 문맥상의 순리에 따라 장이 나뉘지 않고 뜻이 중복되는 곳도 많아 처음부터 81장은 아니었던 것 같다고 한다. 한(漢)나라 때 와서 81장으로 나뉘었다는 설도 있다

후인들의 증보 흔적이 드러나 보이는 예를 하나 들면 『노자』 제22장은 첫머리를 '곡즉전(曲則全)'으로 시작하는데도 끝에 "고지소위 곡즉전자 기허언재 성전이귀지(古之所謂 曲則全者 豈虛言哉 誠全而歸之)"라며 또 '곡즉전'을 되풀이하고 있다. 그래서 끝부분인 '고지소위' 이하의 구절은 뒷사람이 추가한 글귀라는 주장이 있다.

또 『노자』에는 인명이든 지명이든 고유명사가 일절 나오지 않는다는 특징이 있다. 이것은 『노자』의 필자가 의도적으로 특정 인명과 지명을 빼었기 때문이라기보다는 노자에 담긴 사상이 어느 특정 지역의 어느 특정 개인이 특정 사안을 기록한 것이 아니고 긴 세월 동안 오랜 시차를 두고 여러 지역 공동체에 사는 여러 사람들의 삶에서 나온 공동체적 지혜와 사유를 종합한 기록이기 때문일 것이다. 그렇지 않고서는 공자와 동시대 또는 약간 앞선 시대부터 활동을 시작했다는 노자가 공자 사후 훨씬 뒤까지 살아서 이미 완성된 공자사상에 대해 강하게 비판 또는 힐난하는 모순을 설명할 수 없을 것이다. 이런 모순을 해결하기 위해 공자가 도를 물었던 초나라의 노래자를 공자 사후 105년째인 기원전 374년에 진(秦)나라를 방문하여 진에서 패자가 출현할 것이라고 예언한 주나라 태사 담과 동일인으로 보는 전설을 만들기도 했다. 그러나 공자와 동시대에 또는 조금 앞서 태어난 노자

가 기원전 479년에 73세로 죽은 공자보다 1백여 년 더 살아 2백세까지 살았다는 민간 전승은 노장을 도가의 원조로 반드는 사람들에 의해 퍼뜨려진 전설일 뿐, 오늘의 우리가 합리적 사실로 받아들이기는 어려운 일이다.

노자사상은 농민 자신들의 생활사상이다

『노자』는 고도의 형이상학적인 도(道)의 세계를 관념적 용어 대신 대단히 소박하고 즉물적인 비유로 드러내는 것으로도 유명하다. 그게 바로 농사일하는 사람들의 생각과 철학이라는 증거다. 그 대표적인 예로 자주 인용되는 것이 제6장이다. 6장의 원문은 이렇다. "곡신불사 시위현빈 현빈지문 시위천지지근 면면약존 용지부동(谷神不死 是謂玄牝 玄牝之門 是謂天地之根 綿綿若存用之不動)." 내가 가지고 있는 노자 역해서는 모두 여섯 가지다. 박계윤의 필사본인 『노자야 놀자』는 해석이 너무 길어 여기서 빼고 나머지 다섯 권의 6장을 모두 옮겨본다. 번역의 차이가 어느 정도인지 비교해보자.

곡신은 죽지 않으니 이를 현빈이라고 한다. 현빈의 문이 바로 천지의 근원이다. 면면히 잇는 듯한데, 이를 활용해도 지치지 않는다.[14]

14 노태준 역해, 『道德經(老子)』(홍신문화사, 2001), 42쪽.

곡신은 죽지 않으니, 이를 알 수 없는 생산자라 한다. 이 알 수 없는 생산자의 문이 천지의 뿌리이다. 이는 미세하게 이어져서 있는 듯 없는 듯하지만 아무리 써도(用) 다함이 없다.[15)]

곡신은 죽지 않는다. 이것을 현빈이라 한다. 현빈의 입구, 이것을 하늘과 땅의 근본이라고 한다. 그것은 끊이지 아니하고 언제까지나 남아 있으며 아무리 퍼내도 결코 다하는 일이 없다.[16)]

계곡의 하느님은/죽지 않는다./이를 일컬어/가믈한 암컷이라 한다./가믈한 암컷의 아랫문,/이를 일컬어/천지의 뿌리라 한다./이어지고 또 이어지니/있는 것 같네./아무리 써도/마르지 않는도다.[17)]

하느님은 죽지 않는다./이를 하늘어멈이라 한다./하늘 어머님의 입/이를 일러 하늘땅(우주)의 뿌리라 한다./한결같이 계시니/쓰는 데도 애쓰지 않는다.[18)]

앞의 셋을 번역한 사람들은 도학자들인 것 같고, 뒤의 둘의 번역은 기독교인의 것이다. 동일한 원문의 번역으로 보기 어려울 만큼 아전인수의 정도가 심해도 너무 심하다. 이래서 번역은 믿

15 김항배, 『노자철학의 연구』(사사연, 1986), 251쪽.
16 황병국 옮김, 『老子道德經』(범우사, 1996), 32쪽.
17 김용옥, 『노자와 21세기(上)』(통나무, 2000), 257쪽.
18 박영호 역저, 『老子』(두레, 1998), 41쪽.

을 것이 못 되고 번역자의 창작품으로 보아야 한다는 말이 맞는 말인 것 같다. 모든 고전적 사상들이 다 그렇지만 노자사상만큼 많은 사람들이 여러 각도에서 자의적으로 또는 아전인수 식으로 끌어다 써먹는 고전도 드물다. 하기야, 노자사상만큼 삶의 문제를 근원적이면서도 포괄적으로 천착해낸 사상도 없다 보니 더욱 그럴 수도 있을 것이다. 그러니 나라고 노자를 내 식으로 역해하여 써먹지 못할 이유가 없지 않은가? 『노자』 6장은 일하는 농민들이 모여서 이렇게 읊조리는 얘기를 다듬어 문자에 담은 것이 아닐까?

> 불사의 텅 빈 골짜기 신이여/이는 현묘한 여인과 같도다/깊고 오묘한 여인의 X여/이는 천지 만 생명을 낳는 근원이로다/끊이지 않고 계속 이어지며/아무리 써도 마르지 않는 생명의 샘이여!

영원한 생명인 도는 죽지 않는다. 이는 오묘한 암컷의 그것처럼 만 생명을 낳는 근원이다. 또 영원한 생명인 도는 실처럼 끊이지 않으며 아무리 써도 다하지 않는다는 뜻이다.

제55장은 두터운 덕을 간직한 사람은 비교컨대 순진무구한 벌거숭이 아이처럼 무심, 무욕에 이른다는 내용으로 시작한다. 그리하여 이런 세계에서는 벌, 전갈, 독사도 쏘지 못하고 맹수도 다른 짐승을 잡아먹지도 않고 사나운 새들도 할퀴지 못한다고 했다. 이 구절에서 우리는 구약성서의 「이사야서」에서 예언한 하늘나라를 쉽게 연상할 수 있을 것이다. "늑대가 새끼 양과 어울리고 표범이 숫염소와 함께 뒹굴며 새끼 사자와 송아지가 함

께 풀을 뜯으리니 어린아이가 그들을 몰고 다니리라. 암소와 곰이 친구가 되어 그 새끼들이 함께 뒹굴고 사자가 소처럼 여물을 먹으리라. 젖먹이가 살모사의 굴에서 장난하고 젖 뗀 어린아이가 독사의 굴에 겁 없이 손을 넣으리라."

이와 똑같은 이사야의 천국은 일찍이 있어본 적이 없지만 어쩐지 농경사회와 많이 비슷한 사회이고, 상상만 해도 정말 기분 좋은 세상이다. 위의 인용 부분 중에서도 특히 압권인 것은 "사자가 소처럼 여물을 먹으리라"는 것이다. 이 말은 천국에서는 사자도 소처럼 꼭 여물을 먹어야 된다는 뜻이 아니라 인간사회에서만이라도 서로간의 약육강식은 꼭 극복되어야 할 것이라는 소망을 비유적으로 담고 있는 것 같다. 사자가 여물을 먹는 그런 천국 세상은 기대하기 어렵지만, 만물의 영장이자 이성적 존재로 자칭하는 인간이라면 잡식으로부터 점차 육식화되어가고 있는 지금까지의 식습관을 버리고 채식으로 바꾸는 것이 얼마든지 가능할 것이다. 육식에서 채식으로 음식을 바꾸는 것은 단순히 건강을 위한 식생활의 변화가 아니라, 금수의 세계보다 더 잔혹한 인간세계 안의 약육강식 사회를 보다 평등하고 평화로운 사회로 바꾸는, 인류사에서 아직까지 있어본 적 없는 혁명 중의 혁명의 첫출발이 될 것이다. 이것 하나도 못 바꾸면서 인의예지와 도와 덕을 백만 번 천만 번 들먹여봐야 아무 소용없을 것이다.

노자는 이런 천국의 세계에 대해 "뼈는 약하고 근육은 부드러우나 손아귀의 힘은 강하다. 아직 남녀의 교합 경험이 없는데도 아이들의 고추가 꼿꼿하게 선다. 이는 정기가 지극하기 때문이다"(『노자』 제55장)라며 도의 세계를 육체적이고 성적인 비유를 통해 직설적으로 표현한다. 이런 거침없는 비유와 직설적 표현은 생명을 생산하는 땅과 동떨어져 추상적 도덕을 논하는 유학자들로부터는 볼 수 없는 표현이다. 그것은 땅의 풍요로움과 다산성 속에서 무위자연적인 농적 삶을 살면서 자연과 성의 신비로움을 몸소 깨닫고 체험하는 농촌공동체 속의 야성적인 농민들만이 할 수 있는 표현이다. 농민들, 즉 일하는 사람들의 표현과 비유는 그렇지 않은 사람들에 비해 직설적·즉물적·구체적이다. 그러므로 노자사상은 대지의 철학이자 농민공동체의 생명철학인 것이다.

그렇다고 『노자』가 육체적이고 지상적인 형이하학에만 매몰된 것은 결코 아니다. 장자나 후대의 유학에서 보이는 '성(性)'과 '이(理)' 등의 형이상학적 용어를 전혀 쓰지 않고 일상적이고 즉물적인 말을 사용하면서도 무위자연으로서의 도의 천착에는 그 어떤 형이상학적 사유나 비유도 따라잡을 수 없는 초절의 경지를 이루고 있다. 노자의 어느 장을 골라도 그런 경지를 만날 수 있다. 모두 그런 경지이지만 그중에서 농민과 농촌공동체의 사상을 가장 잘 드러낸 몇 장만 골라보자.

노자사상의 뿌리는 반국가 농촌공동체 사회다

"최상의 지도자는 아래(백성)에서 그가 있음을 알 뿐이고, 그 다음 지도자는 친하여 아래에서 칭찬을 받는 자이고, 그 다음은 백성에게 두려움의 대상이 되는 자이고 마지막은 아래 사람의 업신여김을 받는 지도자다." 자주 인용되는 『노자』 17장의 앞부분이다. 이는 요순시대에 지어진 것은 아니고 후대에 지어진 것이라지만, 농촌공동체적 요순의 평화시대를 가장 상징적으로 들려주고 있는 〈격양가(擊壤歌)〉와 그 맥이 닿아 있다.

> 해 뜨면 들에 나가 일하고
> 해 지면 집에 돌아와 쉬네
> 내 손으로 우물 파서 물 마시고
> 밭을 갈아 먹고사는데
> 임금은 있으나 마나

이런 지혜는 나라라는 것이 생기기 전인 요순시대적인 농촌공동체 사회에서부터, 나라라는 것이 생긴 이후 계속 빼앗기고 사는 국가사회 속 농촌공동체까지의 오랜 세월 동안 축적된 농촌공동체적 체험 없이는 결코 실감할 수도 깨달을 수도 없다. 역사에서 그 사회가 국가사회이냐 아니냐를 판단하는 기준 중의 하나가 법의 존재 유무라고 한다. 법과 금기사항, 정치, 문명 등은 국가사회의 상징이다. 사람들은 흔히 인간의 자치능력이 떨어지고 서로 싸움질이나 하고 힘센 자가 모든 것을 빼앗아 독점하니까 그것을 방지하기 위해서 법이 필요하고, 그래서 국가권력이 필요악으로 존재할 수밖에 없다고 생각한다.

그러나 노자들은 57장에서 "천하에 금기사항이 많으면 백성은 점점 가난해지고, 백성들에게 문명의 이기가 많아지면 나라는 점점 혼란해지고, 사람에게 기교가 많아지면 기괴한 물건이 많이 제작되고, 법령이 점점 정비되면 도둑은 오히려 많아진다"고 했다. 어째 천 년도 훨씬 전에 이미 오늘날의 이 세상을 정확히 예견하고 한 얘기 같다. 지금 날로 더해가는 세상의 혼탁과 파괴가 법과 제도를 가진 나라와 기술 문명이 모자라기 때문은 아니다. 그래서 "성인은 '내가 무위자연이면 백성은 자연히 교화되고, 내가 고요한 것을 좋아하면 백성은 저절로 바르게 되고, 내가 무위무사하면 백성은 자연히 넉넉해지고, 내가 무욕이면 백성은 자연히 순박하게 된다'고 하였다."(『노자』 제57장)

법령과 금기, 문명과 기교가 없는 세상, 그것은 분명히 국가 이전의 원시 또는 초기 농경공동체 사회다. 그리고 백성을 교화시키고 바르게 하며 넉넉하고 순박하게 하는 무위의 성인은, 군자도 군왕도 아닌, 그저 공동체 속에서 자기를 드러내지 않고 묻혀 사는 자연인 그 사람이다. 『노자』에 나오는 성인의 모델은 도덕적으로 완벽한 군왕이나 유가의 군자처럼 비치기도 하지만 그런 도덕적 완결성을 갖추고 살고자 한다면 군왕과 군자의 지위를 버리고 농촌공동체 속의 한 구성원으로 내려오는 길밖에 없을 것이다.

『노자』 58장도 "그 정치가 흐리멍덩해야 백성이 순박해지고, 그 정치가 똑똑할수록 그 백성의 순박성이 사라진다"고 했다. 그런데 오늘날에 와서는 정치를 잘한다는 것이 세금 많이 걷어서 그 돈으로 댐 막고 산 까부수고 들판 파 뒤집어서 길 닦고 집 짓는 국토개발, 국책사업 많이 하는 것이 되고 말았다.

제18장에서는 "큰 도가 폐지되었기 때문에 인(仁)과 의(義)가 강조되고, 인간의 간지(奸智)들이 오히려 각종 규범을 만들어내

고, 혈육의 사이가 나쁘니까 효(孝)와 자(慈)란 말이 생기고, 혼란한 국가에 충신 있는 법"이라 했다. 인과 의, 효자와 충신 등 인간사회의 덕목들이 없어도 모두 평화로웠던 때는 언제인가? 국가가 성립하기 전 원시 또는 농촌공동체 사회 시절이 바로 그 때가 아닌가?

또 제19장은 "성(聖)과 지(智)를 끊어버리면 백성의 이익이 백 배 더하고 인을 끊고 의를 버리면 백성이 효도와 사랑을 되찾을 것이고, 교활함과 이익을 끊고 버리면 도둑이 없어진다. 그러나 위의 덕목을 끊고 버리라는 세 문장만으로는 부족하다. 그래서 부연 설명이 더 필요한데, 비단처럼 순수하고(素) 통나무 같은 질박한(朴) 삶만이 사심과 과욕을 적게 갖는 길"이라고 썼다. 소박한 삶, 그것은 지금은 잃어버린 농촌공동체적 삶 말고 다른 어떤 삶에서 다시 찾아볼 수 있겠는가?

농촌공동체가 노자사상의 뿌리라는 것이 잘 나타나는 또 하나의 장은 46장이다. "천하에 도가 있으면 파발마가 똥밭 가는 농삿말이 되고, 천하에 도가 없으면 군마가 들판(싸움터)에서 새끼를 낳게 된다. 만족을 모르는 것보다 더 큰 화는 없고, 욕심내어 얻고자 하는 것보다 더 큰 허물은 없다. 그러므로 족한 것을 아는 것에 만족하면 항상 만족한다."

도가 있으면 파발마가 농사 말이 된다는 것은 싸움 없이 농사짓던 농경공동체가 평화의 사회요 동시에 도가 지배하는 사회라는 뜻이다. 그러므로 도의 원천은 농촌공동체다. 이 말은 또 싸움과 수탈이 본질인 국가사회가 농촌공동체로 돌아가면 도가 지배하는 사회가 된다는 말과 같다. 싸움의 원천은 불만과 뭐든 부족하다고 느끼는 욕심에 있다. 농경공동체 사회라고 해서 인간 사회인 이상 불만, 부족, 욕심이 전혀 없었던 것은 아니지만 그래도 산업, 시장의 국가사회만큼 그 정도가 심하지는 않았다.

노자의 농민 · 농촌공동체적 사상이 표현된 곳 중 압권은 아무래도 '소국과민(小國寡民)'으로 시작되는 제80장일 것이다. 여기서 묘사된 소국과민의 이상사회는 다름 아닌 시원적 농촌공동체가 그 모델이다.

> 작은 나라에다 백성은 적어서 여러 가지 기물(器物)이 있지만 이를 사용하지 않게 하고, 백성으로 하여금 죽음을 중하게 여겨 멀리 이사하지 않게 한다. 배와 수레가 있긴 하지만 이를 탈 곳이 없고, 갑옷과 무기가 있긴 하지만 진열할 곳이 없다. 사람들로 하여금 다시 새끼를 묶어서 약속의 표시로 사용하게 하고, 그 음식을 달게 먹고, 그 의복을 아름답게 입고, 그 거처에 안주하고, 그 풍속을 즐거워하도록 한다. 이웃 나라를 서로 바라보고 닭과 개의 소리가 서로 들려도, 백성이 늙어서 죽음에 이르기까지 서로 왕래하지 않는다.[19]

노자는 이 원시사회를 상덕(上德)의 세상, 즉 인간이 가장 인간다운 자세를 실현하고 있었던 이상의 시대로 보았고, 그 사회와 지금의 사회와의 간격을 두고 진보의 관념이나 문명의 미명으로 호도하는 것을 부정하였다. 그는 오히려 지금 사회의 현실을 인류의 타

19 노태준 역해, 앞의 책, 253쪽.

락으로 보고, 인간이 불필요한 행위를 지나치게 많이 하고 있는 것이니, 과잉된 유위(有爲)의 장막에 가려서 본래의 위(爲)를 보지 못하게 된 것이라고 반성하였다.[20]

한때 한반도 남쪽에서는 철 지난 진보-보수 논쟁이 심심찮게 벌어진 적이 있었다. 진보가 앞으로만 나가는 발걸음을 뜻하는 것이라서 그런지 이 땅에서는 진보주의자들일수록 농업사회를 유목적 시장사회로 극복 통합해야 할 대상, 심지어 청산의 대상으로 보고 있다. 그들이 지향하는 이상사회는 공업적 물량 생산에 토대한 북구식 복지국가 또는 사회주의적 복지국가주의인 것 같다. 다시 말해 그들은 가진 자에 대한 세금 징수를 통해 모든 사람이 고루 잘사는 이상사회를 만들겠다는 것인데, 그게 과연 가능한 길일까? 지금처럼 소수만 잘사는 세상도 생태적 지탱이 불가능해 지구 종말을 코앞에 두고 있는데, 모두가 고루 잘사는 사회를 만들겠다는 이들의 정치적 구호는 자기들 스스로도 믿지 않는 거짓 구호다.

노자는 욕망의 억제와 비움의 사상이다

현능(賢能)을 숭상하지 않으면 백성들로 하여금 다투지 않게 하고, 얻기 어려운 재화를 귀하게 여기지 않으면 백성들로 하여금 도

20 노태준 역해, 같은 책, 25~26쪽.

둑질하지 않게 하며, 갖고 싶어하는 것을 보이지 않으면 백성들로 하여금 마음을 어지럽게 하지 않을 것이다. 이 까닭에 성인의 다스림은 그 마음을 비게 하여 그 배를 채우고, 그 뜻을 약하게 하여 그 뼈를 튼튼하게 한다. 그리하여 항상 백성을 무지무욕(無知無欲)하게 하고, 이른바 아는 자로 하여금 아무것도 하지 못하게 한다. 이와 같이 무위를 행하면 다스려지지 않음이 없는 법이다.[21]

위 글은 노태준이 '무위의 정치'로 제목을 달아 역해한 『도덕경』 제3장의 내용이다. 이 장은 『맹자』의 "현(賢)을 귀히 여기고 능(能)을 부린다"는 구절을 의식하여 그에 대한 반론으로 쓴 장으로 보기도 한다. 맹자뿐만 아니라 오늘의 현인들로 자처하는 우리의 정치가와 사회운동가, 진보주의자들이 꼭 귀담아 들어야 할 말이다. 이 말은 오늘의 우리가 당면하고 있는 모든 문제들에 대한 해법을 고스란히 담고 있는 말이다.

『노자』 제59장 첫 부분에는 "치인사천 막약색 부유색 가이조복(治人事天 莫若嗇 夫唯嗇 是謂早服)"이라는 구절이 나온다. 여기 나오는 '색(嗇)'에 대해서는 대부분의 주석자들이 '인색', '검소' 등으로 주석하는 데 의견 일치를 보인다. 노태준은 사람을 다스리고 하늘을 섬기는 데는 색(검소함)만 한 것이 없으며, 오직 검소를 일러 조복(일찌감치 도를 따름)이라 한다며 '색'을 '검소함'으로 주해했다. 박영호도 『노자』에서 "사람 다스림과 하느님 섬김에 아낌만 한 게 없다/그저 오직 아낌이다/이를 일러 일찍

21 노태준 역해, 같은 책, 36쪽.

(욕망을) 다스림이라 한다"며 역시 '색'을 '아낌'으로 보았다.

'아낌'으로 말할 것 같으면 다스림과 섬김의 사상이나 미덕 이전에 농부의 몸에 밴 생활 그 자체다. 자연과 하늘의 순리에 가장 충실했던 공동체 시대의 농부는 논밭에 떨어진 이삭은 물론이고 알곡 한 알도 결코 그냥 지나치지 않고 거두어들인다. 아이들이 밥상 위에 떨어뜨린 밥알 하나도 당연히 스스로 주워 먹게 했다. 심지어 그릇을 씻은 구정물까지 가축의 먹이로 거두어졌지 결코 수채에 그냥 내버려지는 법이 없었다. 먹다 남은 음식을 버린다는 것은 이들로서는 천벌을 받아 마땅할 일이었다. 그런 시대를 살아왔던 내게는 이 좁은 한반도의 남쪽 반 토막 땅에서 한 해 동안에 십 몇 조를 헤아리는 양의 음식 쓰레기를 버리는 지금의 세상이 행복하게 여겨지기는커녕 무섭고 두렵기만 하다. 농사를 짓고 농촌공동체의 심성을 가진 농부라면 누구도 이것을 용납할 수 없다. 오죽하면 '아끼다'라는 뜻의 '색(嗇)' 자가 '쌀을 넣기만 하고 낼 줄 모른다'는 뜻의 '쌀뒤주 름(廩)' 자와 '올 래(來)'의 합자로 '농부'라는 말로도 쓰일까?

이런 우리 심성을 헤아려서인지 제59장의 '색'을 '농부'로 주해한 『노자』 본도 있다. 우리 공생농두레농장에 두레 김매기 모임에 동참했던 한의사 박계윤이 복사본으로 엮어서 내게 준 『노자야 놀자』(2000)에 의하면 왕필(王弼)이 주석한 『노자』가 그랬다고 한다.

왕필이 주석한 『노자』를 저본으로 한 『왕필의 노자』의 번역자인 임채우는 '색'에 대한 왕필의 주를 이렇게 번역했다. "'막약'은 지나지 못하는 것이다. '색'은 농부이다. 농부가 밭을 일군다는 것은 힘써 잡초를 제거하고 가지런히 하고, 자연히 크게 해서 흉황과 병해에 서두르지 않으며 흉작과 병충이 든 원인을 제거하는 것이니, 위로 천명을 받들고 아래로 백성을 편안하게 함이 이보다 나은 게 없다."[22]

이 주해에 자극받은 박계윤이 『동아중한한중사전』에서 찾아본 '색(嗇)'의 뜻은 다음과 같았다고 한다.

> 색(嗇): 올 래(來)+쌀뒤주 름(廩)의 약자와의 합자. '름'은 쌀광 또는 쌀뒤주에 넣을 줄만 알고 낼 줄은 모르도록 아낀다는 뜻. ① 아끼다. 소중히 여기다. ② 흡흡하다. 인색하다. ③ 탐하다. 탐내다. ④ 쌓다. ⑤ 거두다. ⑥ 적은 듯이 하다. 존절히 쓰다. 『노자』 치인사천 막약색. ⑦ 농사=『한서』 복전역색(服田力嗇). / 색부(嗇夫): ① 농부, 농민. ② 벼슬 이름, 지위가 낮은 벼슬.

박계윤은 노자가 '오래가고(久)' '늘 그러한(常)'이라 표현하는 '도(道)'는 요즘 유행하고 있는 지속 가능성과 같은 뜻이라고 본다. 그렇다면 오래고 유일하게 지속 가능한 인간행위인 농업이야말로 그 도의 구체적 실천이 아니겠느냐고 한다. 그는 이어서 이렇게 쓰고 있다.

> "언젠가도 말한 적이 있네만 난 천규석 선생이 쓴 『돌아갈 때가 되면 돌아가는 것이 진보다』가 이 장의 가장 완벽한 해설서라고 생

22 왕필, 임채우 옮김, 『왕필의 노자』(예문서원, 1997), 215쪽.

각하네. 형한테 편지를 쓰기 위해 다시 천규석 선생의 책을 펼쳐 보았지, 졸업하고 예살라비(고향)에 터를 잡으면 선생님을 꼭 뵈러 가려고 벼르고 있다네. 책 41쪽에 보면 요런 구절이 있어.

세상에는 사람이 사람답게 사는 도(道)에 관한 성인들의 귀한 말씀이 많다. (그런데 나는 그 도가 땅에 있다고 믿는다) 땅속에서 나는 생명을 먹고, 싸고, 결국 땅속으로 돌아가는 것이 사람의 이치이므로, 아무리 성인군자의 말씀이라 해도 땅의 진리를 토대로 할 때 진실하지, 땅의 진리를 무시한 말일 때는 공허해질 수밖에 없다.

따라서 나는 만도(萬道)의 근본을 땅이라고 믿는다. 땅의 질서가 사람의 질서요, 우주의 질서이고, 뭇 생명의 질서라면, 땅의 질서에 따라 농사짓고 사는 일이야말로 도에 가장 가까운 삶이라 본다.

옳거니! 옳거니! (하략)

물론 여기에 인용된 내 글은 노자 59장을 염두에 두고 쓴 글이 아니다. 59장은 고사하고 노자의 어떤 장도 이 글을 쓸 때 떠올린 바 없다. 이 글에서와 같은 땅에 대한 내 생각은 내가 땅에서 농사일을 할 때면 언제나 땅과 주고받는 대화들이다. 그것은 땅이 직접적으로 내게 준 교훈이고, 땅과의 관계에서 나온 땅에 대한 내 사랑의 독백일 뿐이다. 그런데도 그것이 노자의 어떤 장의 해설을 대신할 수 있다면 그건 우연이 아니라 바로 노자사상이 땅과 함께 사는 농민과 농촌공동체를 대표하는 사상이기 때문일 것이다.

사실 『노자』는 그 뜻을 담은 한자(漢字)가 우리들에게 거리감을 주고 주눅 들게 해서 그렇지, 뜻 자체는 매우 상식적이고 익숙해서 마치 농민 자신들의 생각을 그대로 대변해주는 듯한 친숙함을 준다. 그래서 내 경우에는 평소 『노자』를 무슨 사상이나 교훈으로 특별히 기억하고 받들어 간직할 필요를 느끼지 않았다. 자기 말이나 글을 자기가 스스로 잘 인용하지 않는 것처럼, 『노자』는 내 자신의 생각은 아니지만 마치 내 것 같은 친숙함 때문인지 나는 말할 때나 글을 쓸 때에 그것을 인용한 기억이 별로 없다. 그러고 보니 걸핏하면 '공자 왈 맹자 왈'을 인용하는 옛 사람들은 많았지만 '노자 왈'을 했던 사람은 별로 없었다. 그것은 노자사상이 지배자의 유학사상과 달리 지배당하는 농민공동체 사상이었기 때문일까?

박계윤은 왕필의 주에 따라 59장을 "치인사천막약색/부유색가이조복(治人事天寞若嗇/夫唯嗇可以早服)"으로 문구를 바꾸고 이렇게 번역했다. "사람을 다스리고 하늘을 섬기는 것으로는 농사짓는 것 만한 게 없으니/오직 농부만이 일찍 도를 좇을 수 있습니다."

어떤 역해가 원작자의 사상과 원문에 충실한 것인지 판별할 능력이 내게는 없다. 그러나 모든 문자화된 추상어들이 구체적 사물과 현실에 토대한 관념적 번역이라면 '색' 또한 그럴 것이다. '아낌', '검소' 등의 추상명사의 구체적 토대는 쌀 한 알도 버리지 못하는 전통 농부의 삶과 그 태도에서 말고 다른 어디서 구해올 것인가? 그렇다면 '색'과 '색부'를 '농사'와 '농부'로 주석한 박계윤의 이 번역이 그러한 농민적인 삶을 가장 농민적인 시각에 충실하게 번역한 것이 아닐까?

농민의 현실적 생활에 토대한 농민의 사상일지라도 글자를 아는 지식인들이 뜻글자인 한문으로 문자화하는 과정에서 그 생각을 추상화하는 것은 피할 수 없었을 것이다. 거기다 사상과 철학은 원래 관념적이고 형이상학적이라는 선입관념을 지닌 도학자들이 그것을 더 추상적이고 형이상학적으로 주석해왔던 것도 사실이다.

그러나 『노자』는 농민공동체 내의 오랜 농민생활 경험에서 축약된, 가장 구체적이고 현실적으로 표현된 농민공동체의 사상이다. 이제 도학자들의 관념 속에 갇힌 『노자』도 그 본래의 영토로 해방시키고 복원시켜줘야 한다. 하지만 도학적이거나 유학적인 틀 속에 갇힌 노자사상이 자기 사상의 고향인 농촌공동체 속으로 해방 복권되는 것이 결코 쉬운 일일 수가 없다. 이미 빼앗아간 권력을 스스로 내놓는 기득권은 없다. 그것은 노자사상의 토대였던 농촌공동체가 국가와 시장으로부터 해방되고 복권되는 보폭만큼만 가능할 것이다.

『무위당 장일순의 노자 이야기』에 대한 단상

나는 『노자』의 역해서들을 여섯 권이나 가지고 있었지만, 그것을 제대로 읽은 적이 없다. 당연히 그밖의 『노자』 번역서들이나 연구서들을 일부러 주문해서 사 읽을 만큼 『노자』에 대한 나의 관심이 높지 않았고, 또 그 원문을 제대로 이해할 만큼의 한

문 실력도 내게는 없었다.

그래서 내가 가진 『노자』 번역문들을 대충 훑어보았을 때도 너무나도 당연하고 지당한 그 말씀을 시큰둥하게 받아들였다. 나의 관심은 지당한 말씀이 아니라 그 실천이다. 그래서 나는 노자들이 말씀하신 그런 이상적인 세상이 언제 있긴 있었던가, 있었다면 그건 어떤 사회였을 것인가 하는 생각을 하게 되었다. 그런 생각을 하다 보니 문득 노자의 도 사상의 원천이 국가와 지배자가 아직 없던 원시공동체나 농촌공동체였을 것이라는 데 생각이 미쳤던 것이다. 이런 생각으로 『노자』 번역서들을 다시 읽어보니 도처에서 그런 심증을 분명히 느낄 수 있었다. 그러나 『노자』에 대한 내 이해 수준으로서는 그것이 농촌공동체에 바탕을 둔 사상이라는 점을 느낄 수는 있었으나 그것을 논리적 · 구체적으로 적시하는 데 역시 한계를 느꼈다.

그런 한계 속에서지만 위와 같이 노자에 대한 나의 단편적인 소견을 적고 나니 문득 사회운동가에서 만년에는 생명사상가로 살다 가신 장일순 선생의 노자 이야기 책이 떠올랐다. 『무위당 장일순의 노자 이야기』는 1993년에서 1995년까지 상중하 세 권으로 단행본이 나왔다는데도 나는 그 책들을 출간 당시에 구입할 기회를 놓쳤기 때문에 이때까지 그 책을 가지고 있지 않았다. 솔직히 나는 무위당 장일순 선생의 사상을 잘 알지 못한다. 남들이 모두 무위당 선생, 장일순 선생 하며 이 땅의 생명사상의 원조 또는 대부쯤으로 말하고 있으니까 나도 그런가 보다 생각하고 있을 뿐이다. 사람을 잘 알려면 함께 일이나 생활을 같이 해보거나 어떤 어려움에 같이 부딪혀봐야 한다. 아니면 서로 배움을 주고받는 사제관계일 때다. 그런데 나는 무위당께 딱 한 번 인사를 드린 적은 있지만 방금 말한 그런 관계를 가져본 적은 없다. 그 밖에 사람을 좀 알 수 있는 것은 그 사람의 저서나 작품, 생전에 스스로 만들었거나 오래 간직한 유품을 통해서다. 무위당은 알다시피 서화작품들은 더러 남긴 것 같으나 유감스럽게도 보통사람들이 그 생각이나 사상에 가장 쉽게 접할 수 있도록 남긴 저서는 없다. 유일하게 남긴 책이 있긴 한데 그것은 당신이 직접 쓰신 책이 아니고 각종 모임에서 하신 말씀들을 타인들이 기록해서 녹색평론사에서 엮은 『나락 한 알 속의 우주』뿐이다.

이 책 속의 이야기는 내게 잔잔한 감동을 주고 있긴 하지만 그렇다고 내 인생에 무슨 전환점이 되어준 것은 아니다. 그 책을 읽기 훨씬 이전부터 나는 내 생존의 필요에 따라 농사행위로써 무위당의 생명사상을 나름대로 실천하고 있었다. 무위당은 유학, 노장학, 동학, 천주학 등과 자신의 삶의 역정을 통해 생명사상의 통찰에 들어간 것 같지만, 나는 그와 무관하게 실제적 삶을 통해 그의 생명사상과 조우할 수 있었던 것이다. 그렇다면 『무위당 장일순의 노자 이야기』에서도 틀림없이 내가 생각하고 있는 노자사상의 농촌공동체성을 다시 만날 수 있을 뿐 아니라 내가 미처 도달하지 못한 노자의 농업사상적 측면과 농촌공동체적 통찰로 인도될 것이라는 데 생각이 미쳤던 것이다. 그래서 책방으로 부랴부랴 달려가 삼인출판사의 개정판본인 『무위당 장일순의 노자 이야기』를 구입했다.

이 책은 지금까지 내가 훑어 본 대여섯 권의 『노자』 번역서들 중에서도 노자를 여러 관점에서 보려고 애를 쓴 흔적은 가장 많이 보였다. 그리고 몇 개 장의 해설에서는 나와 견해가 일치하는 것도 있었다. 예컨대 17장의 최고의 지도자인 '태상(太上)'을 요순으로 본 것이 그랬다. 55장의 해설에서 구약성서 「이사야서」가 예언하는 천국을 떠올린 것도 나와 일치했다. 그러나 이런 일치점보다는 차이점이 더 많았다.

다양한 관점에서 『노자』를 보려고 애쓴 흔적이 있었음에도 여기서의 노자사상은 전반적으로 기독교적으로 치우쳐서 해석되고 있었다. 형식상 이야기의 주인공이 되어 있는 무위당이 천주교 신자이고, 이야기를 유도하고 그것을 정리 기록한 이 아무개가 기독교 목사라서 그랬을 수 있을 것이다. 그러나 하느님의 신자들에게는 노자의 '도'가 '하느님'과 그 '말씀'으로 보이고 들리겠지만 비신자들에게도 그렇게 보이고 들릴 수는 없다. 농사꾼인 내 눈과 귀에 보이고 들리는 '도'는 일차적으로는 땅 위에 나 있는 길(路)일 뿐이다. 하늘 길이 땅 길처럼 내 눈에 보이지 않는다고 그것을 부인할 생각은 전혀 없지만 보이지 않는 하늘 길도 보이는 땅 길로부터 추상된 길임에는 틀림없을 것이다. 하늘 길이 아무리 원초적이고 본질적인 길이라 해도 사람과 땅 위의 자연이 빠지면 그것은 추상적인 존재, 곧 허구가 되기 쉽고, 자칫 중생을 거짓으로 유도하는 속임수가 되기 쉽다.

기독교인들은 『노자』의 도까지 하느님과 같은 존재라고 하거나, 도, 곧 무위자연이라고 하는 이상 심지어 도를 자연처럼 그 피조물로 위치시키고 싶을 것이다. 그러나 『노자』는 도를 정의하기 위해 수많은 구체적 행위와 사실들을 동원하고 있지만 그게 하느님이라고 딱 찍어 말한 적은 없다. 물론 『노자』에서도 예컨대 16장에서 "관용은 곧 공평이고, 공평은 곧 왕이고, 왕 곧 하늘이며, 하늘 곧 도(容乃公 公乃王 王乃天 天乃道)"라고 한 것처럼 '하늘'이 곧 '도'라 하지 않은 것은 아니다. 그러나 그 하늘 도는 제4장에서 "상제지선(象帝之先)"이라고 했듯이 창조주로서의 기독교의 하느님(帝)보다는 먼저 있는 존재일 것이라고 했다. 또 25장에서 "사람은 땅을 본받고 땅은 하늘을 본받고 하늘은 도를 본받고 도는 자연을 본받는다(人法地 地法天 天法道 道法自然)"고 했듯이 도의 종국적 모범은 하늘이 아니고 자연이다. 물론 여기서의 자연이란 사람과 땅과 하늘과 그 사이에 있는 다른 모든 생명들이 모두 하나라는 만물일체로서의 자연, 즉 더 이상의 설명이 필요 없고 또 불가능한 '스스로 그러한' 존재를 뜻한다.

'자연도 스스로 그러한' 존재이고 '하느님도 스스로 그러한' 존재이기 때문에 자연의 배후에 있는 도가 하느님과 같다고 할 수도 있다. 그러나 기독교는 자연을 하느님의 피조물로 보지만 『노자』는 자연을 도의 원천으로 그리고 도의 구체적 현전으로 보는 차이가 있다.

설사 궁극적으로는 도와 하느님이 하늘에서 일치할지 몰라도, 도는 먼저 사람과 땅으로부터 시작한다. 그러나 지금까지 수없이 나온 『노자』 주석서들이 거의 하나같이 추상적인 '하늘 도(天道)'만 설파했었는데 생명사상가로 알려진 장일순 선생의 노자 주해서까지 여전히 추상적인 하늘 도에 치우친 것이 못내 아쉬웠다. 요컨대 내가 기대했던 땅이나 농사와 관련된 농민 시각에서 본 『노자』 해설은 아니었던 것이다.

물론 하나도 없었던 것은 아니다. 『노자』 59장의 '색(嗇)'의

해설에서는 종로 단성사 앞 지하철역 통풍구에 엎질러져 끼인 질금콩을 하나하나 끄집어내어 자루에 담고 있는 한 시골 아주머니의 이야기를 전하고 있다. 서울 딸네 집에 다니러 온 이 시골 아주머니의 얘기는 정말 콧날 찡한 감동이었다. "농사꾼한테는 콩알이 그냥 콩알이 아니라 자기의 살과 마찬가지거든. 아끼지 않으려야 아끼지 않을 도리가 없는 거라. 그게 진짜 색이지."

농사꾼이 농산물을 자기의 살처럼 아끼는 이유는 자기 살 속의 땀과 때로는 피까지 흘리며 자기 살을 닮게 하며 지었기 때문이다. 『노자』 27장에 "성인은 항상 물건을 잘 구하지만 물건을 버리는 일이 없다"는 말이 있다. 그렇다면 『노자』에 나오는 수많은 성인의 구체적 실체는 다름 아니라 물건을 가장 아끼는 농사꾼이다. 물론 물건을 아끼는 것만으로 성인이 될 수는 없겠지만, 오늘의 시장적 이해관계 속에 사는 농업인 아닌 옛 공동체 시대의 농부의 삶은 『노자』에 나오는 성인의 삶과 별로 다르지 않다. 그런데도 다른 사람 아닌 생명사상가가 여기서 나오는 '색'을, 아낌을 최고의 덕목으로 실천하는 농사나 농부로 보지 않고 그냥 추상적(일반적)인 아낌으로 주해한 것은 참 아쉬운 일이다. 이런 농사와 농사꾼에 대한 이해 부족에서, 본의는 아니겠지만 농사꾼을 비하하는 것으로 보일 수도 있는 다음과 같은 말도 하게 된다.

60장의 해설 중에 "농사를 모르는 사람이 논에 나갔다가 모가 잘 자라지 못한다 싶어서 잘 자라게 도와준답시고 모포기를 쑥쑥 잡아당겼다는 얘기 끝"에 나오는 『맹자』의 "잊어버리지도 말고 자라는 것을 돕지도 말라(勿忘勿助長)"를 인용한다. 물론 '물망물조장(勿忘勿助長)'이란 말도 농사꾼의 농사 경험에서 나온 사실을 『맹자』에 기록한 것이지 『맹자』의 이 말에서 농사꾼이 무얼 배워서 농사를 짓는 것은 아니다. 그런데 이 말 뒤에 또 이런 섭섭한 말을 덧붙인다. "모가 자라는 건 하늘이 하시는 일이거든, 왜 성서에서 예수님도 말씀하시지 않는가? 농부가 씨를 뿌려도 그것이 어떻게 자라는지는 모른다고. 하느님 아버지께서 하시는 일인데 그걸 피조물인 주제에 농부가 어떻게 간섭할 수 있겠어?" 이 말의 근거로 저자는 다음과 같이 「마르코복음」을 인용한다.

"하느님 나라는 이렇게 비유할 수 있다. 어떤 사람이 땅에 씨앗을 뿌려놓았다. 하루하루 자고 일어나고 하는 사이에 씨앗은 싹이 트고 자라나지만, 그 사람은 그것이 어떻게 자라는지 모른다. 땅이 저절로 열매를 맺게 하는 것인데 처음에는 싹이 돋고 그 다음에는 이삭이 패고 마침내 이삭에 알찬 낟알이 맺힌다. 곡식이 익으면 그 사람은 추수 때가 된 줄을 알고 곧 낫을 댄다."

예수님은 땅이 저절로 열매를 맺게 한다고 말씀하셨구먼, 그 땅이 곧 하느님 아니신가?

그렇지요.[23)]

땅과 하늘이 열매를 맺게 한다는 자연의 이치를 모르는 농부는 아무도 없다. 성서의 이 구절도 농부의 그런 농사 경험의 일

23 장일순, 『무위당 장일순의 노자 이야기』(삼인, 2003), 559쪽.

부를 옮겨다 적은 것이지 그 반대는 아니다. 그러나 성서의 그 비유는 너무나 비약과 왜곡이 심하다. 마치 농부는 씨앗만 뿌리고 아무것도 한 것 없이 수확기에 낫만 들고 거두어 먹는 몰염치한 사람으로 묘사된다. 그러나 인용된 성서 구절에 나온 대로 농부는 땅에다 씨앗을 뿌렸다. 씨앗 뿌리는 것은 농사의 기본이지만 그러나 시작일 뿐이다. 씨만 뿌렸다고 땅과 하늘이 열매를 맺게 해주는 법은 절대 없다. 이보다 몇십 갑절 어렵고 많은 김매기 일과 북 주는 일은 성서에서 과감하게 생략해버렸다. 길고도 힘든 김매기와 북돋아 가꾸는 노력 없이 추수기에 낫 들고 나서는 몰염치한 농부는 세상에 없다.

물론 농부 없이도 하늘과 땅은 얼마든지 생명을 탄생시키고 가꿀 수 있다. 그러나 그냥 자연 상태의 풀이 아니라, 그리고 짐승이 아니고 사람이 먹을 농작물을 자라게 하는 농사는 농부의 씨 뿌림과 김매고 가꾸는 노고 없이는 절대로 불가능하다. 자연 상태의 나무나 풀, 동물 등을 자라게 하는 주인이 하늘과 땅이라면 농작물을 자라게 하는 주역은 당연히 농부다. 생명이 자라는 데 바탕이 되는 “그 땅은 하늘이기도 하지요”라고 표현한 것처럼 땅이 하늘이라면, 또 하나의 생명 창조인 농사에 크게 일조하는 농사꾼도 하늘이다. 어떤 시인이 “밥이 하늘이다”라고 한 적이 있는데 그렇다면 그 밥을 짓는 농사꾼도 당연히 하늘인 것이다.

식물이 농부의 손만 아니라 우리가 모르는 하늘과 땅의 생명 창조능력으로 자라난다는 그 신기한 이치도 씨를 뿌리고 뙤약볕 아래서 김매서 가꾸는 농부의 피땀 어린 경험에서 깨우친 진리이지 가만히 그늘에 앉아 도 닦는 도학자들이 하늘에서 계시 받은 진리는 아니다. 그런데 "하느님 아버지께서 하시는 일인데 그걸 피조물인 주제에 농부가 어떻게 간섭할 수 있겠어?"라고 한 표현은 무위당 선생이라면 하지 않았을 말이다.

하기는 1장에서 57장까지만 생전의 무위당과 글쓴이 이 아무개의 대담이고 58장 이후부터는 무위당 사후에 필자가 혼자 쓴 창작물이라고 『무위당 장일순의 노자이야기』 하권 서문에서 밝힌 바 있다. 하기사 무위당과 실제로 대담한 1장부터 57장까지라고 해도 그것을 기록하고 편집한 사람은 이 아무개이니 아무래도 무위당보다 글쓴이의 사상이 더 많은 비중으로 표현됐을 것은 당연지사. 아무래도 이제 와서 무위당의 참 사상에 제대로 접근하기는 어려울 것만 같다.

『노자』는 역시 고대 중국의 농촌공동체 사상이다

『노자』의 번역서들은 몇 권 가졌지만 나는 그 연구서나 중국사상사를 한 권도 제대로 읽은 적이 없었다. 순전히 『노자』 번역을 읽은 필자의 주관적 인상과 직관에 의존해서 '노자'는 농촌공동체 속의 '노자(老者)들'이고 그 사상의 토대 또한 농촌공동체라는 위의 단상들을 써놓긴 했지만 마음은 영 개운치가 않았다. 아무래도 노자를 좀더 알아봐야겠다고 헌책방에서 구입한 두 권의 중국사상사 책에서 뜻밖에도 나의 관점과 거의 일치하는 견해를 보고 나는 너무 반가우면서도 한편 무척 당황스러웠다.

앞서 말한 『노자』에 대한 나의 단상이 혹시 이 책을 오래전에 읽은 영향에서 비롯된 것이 아닐까 하는 생각이 들 만큼 그 책의 시각과 나의 시각은 일치했고 그것이 오히려 나를 당혹스럽게 했다. 그렇지만 이 책들은 위의 원고를 이미 완성한 뒤에 사서 읽은 책이 분명하다. 그럼에도 사람이 다르고 사는 지역이 다르고 심지어 시대까지 달라도 생각이 같거나 비슷한 것은 같은 '사람'이라는 보편성보다는 사회경제적 처지나 교육환경의 유사성 때문이라고 했던가? 기대했던 생명사상가의 『노자』 주해서에서도 만나지 못한 그런 시각이 이미 오래전부터 있었다는 것은 좀 뜻밖이기도 했다. 그 두 권의 책은 모리 미키사부로(森三植三郞)의 『중국사상사』(온누리, 1986)와 가이즈카 세이케키(貝塚茂樹)의 『제자백가』(까치, 1989)이다. 두 책의 저자와 역자들에게 감사하며 그 중요내용을 아래에다 발췌 요약했다.

공자의 도가 인의예지(仁義禮智)라는 인간의 덕목을 그 내용으로 하는 것과 대조적으로 노자의 도는 자연을 그 내용으로 한다. 노자에게는 자연으로 귀의하는 것이 곧 도에 귀의하는 것이다. 두 사상이 모두 같은 전란의 시대를 배경으로 하여 탄생했음에도 불구하고 도에 대한 이 같은 인식의 차이로 인해 전란의 원인에 대한 인식도 전혀 다르게 된다. 공자가 전란의 원인을 인의예지라는 도덕의 상실에 있다고 보는 반면 노자는 인의예지야말로 난세를 불러온 원인이라고 본다. 그래서 노자는 자연으로 귀의하는 것만이 인간사회에 영원한 평화를 가져온다고 본 것이다.

"대도(大道)가 없어서 인의가 있고 지혜가 나와서 대위(大僞)가 있고, 육친이 화(和)하지 못하여 효자가 있고 국가가 혼란해서 충신이 있다."(제18장) "민의 다스림이 어려운 까닭은 위정자가 인위적인 유위의 정치를 하기 때문이다."(제75장) "법령이 정비되면 될수록 도둑은 점점 많아진다."(제57장)

노자의 이러한 자연주의 사상은 얼핏 보기에는 무규정적이고 자유방임적이며 따라서 비현실적인 것처럼 보인다. 그러나 노자의 자연주의에는 현실적 근거가 있다. 당시에 현존하던 태고 그대로의 중국의 농촌공동체가 바로 그 현실적 근거다. 노자의 자연주의가 고대 중국에 현존했던 농촌사회를 모델로 했다는 점에서 노자는 현실주의자다. 그리고 태고의 소박한 자연 질서를 그대로 지닌 농촌공동체를 보존하면서도 그 공동체들이 서로 다치지 않고 평화롭게 공존·공영하는 새로운 이상세계를 건설하려 한다는 점에서 노자는 이상주의자다. 노자의 그런 현실적 이상주의를 가장 잘 나타내고 있는 것이 제80장의 소국과민(小國寡民)의 세계다. 그러나 그것은 당시 현존했던 농촌공동체를 근거로 했기 때문에 단순한 유토피아적 이상주의는 아니다.

자연에의 귀의는 요샛말로 '귀농'이다. 만물의 근본인 도와 인간사회의 영원한 염원이고 화두인 평화가 모두 자연 귀의에 근거해 있다는 것은 곧 그것이 농촌공동체의 평화사상에 근거해 있다는 말이다.

천지 근원인 도를 무위자연에서 찾는 노자에 의하면 인간의 경우 무위자연과 가장 가깝게 있는 사람은 어린아이와 여성이다. 그래서 도의 삶을 회복하려면 어린아이로 돌아가야 한다. "덕이 후한 사람은 갓난아이에 비교할 수 있다."(제55장) "자연의 기를 받아 몸을 부드럽게 하여 아기와 같을 수 있겠는가? 아직 철이

나지 아니하여 웃을 줄도 모르는 어린아이와 같다."(제20장)

인간의 자연 상태인 어린이에게 있는 유약과 순진의 덕은 곧 여성의 덕이기도 하다. "수컷의 성질이 어떠한 것을 알고서 암컷을 지키고 있으면 반드시 수컷이 암컷에게로 되돌아오는 것을 볼 수 있다. 이것은 마치 큰 계곡이 가만히 있어도 온 골짜기의 물이 저절로 모여드는 것과 같다. 사람도 이러한 계곡의 자연법칙을 본뜨거나 도덕률로 삼으면 그에게는 영구불변의 덕이 떠나지 아니하여 천진난만한 어린아이로 되돌아오게 된다."(제28장) "그러나 나는 뭇사람과 다른 점이 있으니 나는 나에게 밥을 주는 어머니인 자연을 귀중히 여긴다."(제20장) "이 세계에는 근원인 도가 있으니 그것을 모체(모성)라고 한다. 만일 모체를 파악하면 모체에서 생산된 아들, 즉 만물을 알 수 있다. 아들인 만물을 알면 다시 그 모체인 도를 지킬 수 있어 일생토록 위태하지 않다."(제52장)

여성의 원리를 천지의 근원과 같이 보는 노자사상은 그 근본에 있어서 농경민의 삶과 깊은 관련이 있는 것으로 생각된다. 농경민은 오곡의 풍요로운 결실을 여성의 생산력과 연결시켜 만물의 주관자인 신의 성을 여성으로 믿는 경우가 대부분이다. 이것은 사막이나 초원의 유목민의 신이 천신이고 남성인 아버지로 불리는 것과 대조적이다. 다음 문장은 바로 그 여성의 생산력에 대한 숭배를 가르친다.

"텅 빈 골짜기와 같이 끝이 없는 신의 모습은 불생불멸하므로 이것을 신비스런 암컷(牝)이라고 한다. 신비로운 암컷의 생식기는 우주만물의 근원이다. 신비로운 암컷은 처음도 없고 끝도 없고 영원토록 존재하는 듯하다. 천지만물이 이것을 근원으로 하여 연이어 생성하여도 도무지 마를 줄 모른다."(제6장)

텅 빈 골짜기와 같은 신은 불사의 생명을 가진다. 이 신을 '현묘하고 신비한 암컷'이라 부른다. 여성의 음문이야말로 '천지의 근원'으로 불리는 것이다. 그로부터 나온 샘은 끝없이 계속되는 것처럼 보이며 몇 번씩 쉬지 않고 사용해도 그 힘을 상실하지 않는다는 것이다.

『노자』의 이 같은 발상은 아마도 농민의 풍농의식이 풍요로운 생산과 관계된 생식기 숭배로부터 이뤄진 것과 같은 인식선상에 있을 것이다. 유가가 남성적이고 도시형의 사상이라고 하면 노자사상은 여성적이고 농촌형의 사상이다. 노자사상이 농민적인 것은 물의 유약주의(柔弱主義)를 존중하는 것에서도 보인다. "선 중에서도 최고선은 물과 같다. 물은 참으로 만물을 이롭게 하지만 높고 깨끗한 곳에 있으려고 다투지 않는다. 항상 사람들이 비천하고 더럽다고 싫어하는 곳에 스며든다. 그런 까닭에 물의 성질은 도와 비슷하다."(제8장) "천하에 물보다 약한 것은 없다. ……약한 것이 가장 강한 것을 이기고 부드러운 것이 굳센 것을 이김은 천하가 모두 알아도 잘 행하는 자가 없다."(제78장)

어린아이와 여성과 물 등에 공통되는 유약함과 낮은 위치 등은 농민들에게도 그대로 통하는 덕목이다. 농민은 도시에 있는 지배자의 명령에 유순하게 복종하여 반항하는 자가 없다. 경시되고 비천해도 노함이 없이 다만 날마다 일할 뿐이다. 태고 자연의 생활을 영위하는 농촌에서 이상적인 사회를 보고자 한 『노자』는 동시에 그 인생철학에서도 농민의 처세와 태도를 높게 평가하게 된다. 그러나 『노자』가 유약과 비하의 철학을 역설하고 여성과 어린아이, 농민과 물의 미덕을 찬미하고 있다 해도 그것을 패자의 지위에서 감수해야 한다고 주장하는 것은 결코 아니다. 도리어 약자야말로 참된 강자이고 "약(弱)은 강(强)에게 이기고 유(柔)는 강(剛)을 이긴다"(제78장)고 하는 역설의 진리를 말하고 있는 것이다.

"강과 바다가 모든 골짜기(百谷)의 왕이 되는 까닭은 강과 바다는 시냇물보다 가장 낮은 하류에 있어 냇물을 모으기 때문이다. 그러므로 백성들을 통치하려면 반드시 언사를 낮추어야 한다. 백성들의 앞에 서려고 하면 반드시 자기의 몸을 후퇴시켜야 한다. 성인 정치가가 다스리는 곳에서는 백성이 압력을 느끼지 않는다. 백성들의 앞에 나서도 장애물로 여기지 않는다. 이 때문에 천하백성들이 다 그를 싫어하지 않고 즐거이 추대한다. 왜냐하면 그는 백성과 대립되어 싸우지 않는 것을 정치의 원리로 삼기 때문이다. 그러므로 이 세계에서 그와 견주어 싸울 사람이 없다."(제66장)

이상은 모리 미키사부로가 『중국사상사』에서 노자에 대해 기술한 바를 필자 식으로 발췌 요약한 것이다. 다음은 가이즈카 세이케키의 『제자백가』를 통한 노자관의 요약이다.

노자가 춘추시대 말기나 전국시대의 실존인물이라 하더라도 그 생존연대와 『노자』라는 책이 성립한 시대에는 상당한 시차가 있을 것이다. 공자의 저서라는 『논어』나 묵자의 저술인 『묵자』를 비롯한 춘추전국시대의 모든 사상가들의 대부분의 저서들이 그들의 가르침을 직접 받은 제자들이나 혹은 간접으로 가르침을 받은 제자들이 스승의 사후에 스승과 제자들 사이의 문답을 더듬어 서 편집한 것과 같은 이유에서다. 『노자』는 진한시대의 도가들이 집대성한 금언집을 편집한 것으로 보는 사람들도 있다. 그러므로 노자가 역사적 실존인물이라 하더라도 그 저작인 『노자』가 원저자의 사상을 얼마만큼 제대로 전해주고 있는지 알 수 없다. 그러나 오랜 세월에 걸쳐 쌓인 여러 사람들의 지혜와 사상인 금언들을 편집한 흔적이 보인다고 해서 그 속에 일관성이 없다는 얘기는 아니다. 그랬다면 중국인들에게 『노자』가 그만한 사랑을 받을 수 없었고 세계적으로도 유명한 고전이 될 수 없었을 것이다.

『논어』「미자편」에는 장저와 걸익과 같은 은자, 초나라의 가짜 미치광이 접여, 이름 없는 노인들의 일화가 실려 있다. 이런 정황들로 미루어 『노자』는 춘추시대 말기 남쪽 지역의 은사들의 현실도피사상이 그 핵심 내용임을 알 수 있다. 처음에는 은자들의 반사회적 사상이 옛사람들이나 농촌공동체의 노장들에 의해 금언집으로 편집되고, 이를 추종하는 학파가 생겨나고 이들이 제(齊)나라의 직하에 들어가자 동북쪽 지역의 유가, 묵가 등과 서로 영향을 주고받으면서 점차 형이상학적 체계를 갖추게 된 것으로 보인다.

『노자』의 제80장에 잘 나타나 있듯이 노자가 이상으로 그리는 사회는 유가나 묵가가 품고 있던, 광대한 면적을 차지하고 많은 인구를 가진 중앙집권적 국가가 아니다. 소수 국민에 의한 최소한의 국가, 아니 그보다 오히려 더 작은 촌락공동체 사회였다. 노자는 자신의 이상사회를 완공, 대신, 학자들이 필사적으로 매달리고 있는 거대하고 번영된 제국에 가려 보이지 않는 중국의 구석진 사회에서 근근이 명맥을 이어가는 고립된 촌락자치제에서 찾았다. 『노자』에서 목가적으로 그려진 이런 자급자족의 농촌공동체의 이미지가 너무나도 선명하고 생생한 것은 이런 이상사회가 도시에 사는 사상가들이 서재에서 단순히 상상으로 가공한 세계가 아니라는 것을 분명히 보여준다. 그런 『노자』에 담긴 농촌공동체 사상이 중국 고대의 어떤 사회계급의 이데올로기를 대표하고 있는지에 관한 논전이 중국혁명 뒤부터 더욱 풍성해지고 있다.

중국 과학원 역사연구소를 주재하고 있는 역사가 범문란(范文瀾)은 『노자』야말로 춘추시대 말기부터 전국시대 초기에 걸쳐서 몰락하던 영주 계급의 사상을 대변한다고 주장한다. 마르크스주의 사회이론가 여진우(呂振羽)는 노자사상을 도시 상인들에 대한 농촌 신흥지주들의 반대를 떠받쳐주는 이론이라고 설명한다. 물론 이와는 전혀 다른 견해도 있다. 『중국사상통사』의 주요 저자 후외로(侯外盧)는 노자의 소국과민 공동체의 유토피아 사상이 전국시대에 몰락하고 있던 농촌공동체에 속한 농민들의 희망을 대표한다고 주장한다.

『노자』의 사상이 고대 중국사회의 어떤 계급을 대표하는 사상인가에 대한 논쟁은 중국에서 아직 결말이 나지 않았고 아마 앞으로도 그러할 것이다. 그렇지만 『노자』 속에 농민들의 생활체험과 농촌공동체의 정서가 일정하게 반영되어 있다는 것에는 누구나 동의한다. 그러나 이런 소박한 농민적 체험, 정서와 함께 또 농민 외적 정서와 사상이 일정하게 공존하는 것도 사실이다. 제3장을 보자.

"재능 있는 사람을 높이 평가하지 않으면 인민들 사이에 경쟁을 없앨 수 있을 것이다. 쉽게 손에 넣을 수 없는 물건을 대단하게 여기지 않으면 인민들 사이에 남의 물건을 훔치는 사람이 없어질 것이다. 게다가 갖고 싶어하는 대상이 되는 것들을 눈에 띄지 않게 해두면 사람의 마음이 동요하지 않을 것이다. 때문에 옛날 성인이 다스리던 시대에는 인민들의 마음은 텅 비게, 배는 부르게, 의지는 약하게, 육체는 강하게 했다. 즉, 인민들은 언제나 아는 것도 없고, 욕심도 없게 만들고 유식자들, 즉 위에서 다스리는 지배자들은 적극적으로 일을 하지 않도록 한다. 그렇게 하면 잘되게 되어 있다."

통치자에게는 아무것도 하지 말 것을, 피치자들에게는 어리석게 살라고 주장하는 점은 아무래도 통치자의 입장에서 정치의 비결을 가르쳐준다는 인상을 강하게 풍긴다는 점을 부인할 수 없다. 그러므로 『노자』의 저자는 농민들의 감정과 정서를 이해하고 있으나 결코 농민 자신은 아니라는 점이 분명하다. 저자는 현실의 부패한 정치에 절망하고 농촌으로 도피한 귀농 은사들이든가 아니면 전국시대 초기의 유랑민중의 지식계급 그룹에 속하는 사람들임에 틀림없다. 이 저자의 학설이 전국시대의 어떤 사회계급에 의해 이용되었으며 또 어떻게 이데올로기화가 되었는지는 아직 이렇다 할 결론이 내려지지 않았다. 결론이 안 난 것은 또 있다.

이런 소극적인 무위정치를 지지하는 노자철학이 유심주의인가 유물주의인가 아니면 이 두 가지가 혼합되어 있는가 하는 문제다. 이를 노자에게 직접 물어본다면 아마 이렇게 대답할 것이다.

"자네가 물질이라고 한다면 물질이라 해도 관계없어, 정신이라고 한다면 그것도 좋은 것이네. 그것은 어디까지나 이름(名)이므로, 이름이라면 어떻게든 갖다 붙이기 나름 아닌가? 그러나 도는 이름 이전에 있는 근원적인 실체인 것일세. 물질과 정신을 초월한 곳에 바로 도가 있네."

『노자』의 여러 장들에서 성인 이야기가 되풀이 등장하고 요순시대를 성인정치 시대로 보고, 성인정치를 이상의 정치로 보는 한에서 노자의 사상은 농민공동체만의 사상이 아닌 것은 분명하다. 이상적 자치공동체에서는 성인이든 평민이든 지도자를 필요로 하지 않는다. 요순시대는 지도자가 없는 자치공동체 시대다. 공자사상만큼은 아니지만 노자사상도 지식인들에 의해 이미 요순시대의 농촌공동체를 성인정치 시대로 이데올로기화하고 있는 것이다.

그러나 『노자』에서는 성인정치가의 역할 이상으로 농촌공동체의 삶과 덕목이 강조되고 있다. 이로 보아 최초의 『노자』는 농촌공동체에서 형성된 농민의 정서와 삶의 이야기를 농촌 내에 있는 지식인들이 문자로 기록하여 만든 금언집이나 잠언집이었을 것이다. 여기다 공자 등의 유가사상을 잘 아는 몰락한 도시의 지식인계급이 전란을 피해 농촌에 은둔한 뒤 자기 사상을 추가하여 재편집하는 과정을 거치면서 오늘날 전해지는 『노자』가 형성되었을 것이다.

제2부

국가·시장·분권을 넘어

나라란 무엇인가—가야사(加耶史)를 읽으며

"영축산 높이 높이 북천에 솟고/한(韓)·가야(加耶) 흘러 흘러 남에 낙동강"으로 시작되는 조성국 님의 「영산(靈山)의 노래」 중에 나오는 한·가야. "보아라 신라·가야 빛나는 역사/흐르듯 잠겨 있는 기나긴 강물"이란, 설창수 님 작시, 윤이상 님 작곡 〈낙동강〉에 등장하는 신라·가야. 그리고 옛 가야 땅에 자리잡은 각급 학교의 교가에도 단골로 등장하는 그 가야는 어떤 나라인가?

역사를 전공하지 않은 내가 가야에 대해 아는 지식이라고는 식민사관을 그대로 답습한, 8·15 직후의 초·중등학교 국사교과서에 짧게 소개된 가야사(?)가 전부였다. 그 교과서를 통해 내가 알고 지금까지 기억했던 가야란 낙동강 중·하류 지역에 위치한 여섯 개 소국들의 연맹체로 잠시 존속하다 하나의 통일국가를 이루지 못한 채 신라에 점령당한 비운의 소국이라는 정도였다. 그래서 옛 가야연맹 중 한 소국 땅에 태어난 내게 가야는 아련한 그리움과 신비로움, 안타까움과 서러움 등 복합 감정의 대상이었다.

그런데 얼마 전, 김태식이 지은 『미완의 문명 7백 년 가야사』(푸른역사, 2002)란 제대로 된 가야사가 나왔다. 전체 세 권으로 된 이 책은 내가 싫어하는 호화판 양장제본에 고급 용지까지 쓰고 있었지만, 가야유물 사진을 천연색으로 싣기 위해서는 고급 용지 사용은 어쩔 수 없겠다 싶어 8만 8천4백 원이란 적지 않은 값을 주고 사서 읽고 있다. 하지만 아무리 잊혀진 가야사를 복원해주는 귀한 책이라 해도 그 호화판 양장제본은 읽기에만 불편을 주는 과용과 과소비라는 아쉬움을 지우지 못하게 한다.

그건 그렇다 치고 전에는 전혀 생각지 못했다가 이 책을 읽으며 새삼 느낀 것은 가야가 잠시 동안 존재하다 역사 뒤로 사라진 소국이 아니고 신라, 백제, 고구려 등 이른바 삼국과 그 기원을 같이하여 약 7백 년 동안이나 이들과 공존했다는 사실이다. 가야연맹은 이른바 삼국시대의 붕괴를 알린 백제의 멸망(서기 660년)보다 불과 98년 전인 562년에 후기 가야 맹주국인 대가야가 신라에 합병되면서 그 막을 내렸던 것이다. 이 책의 저자 김태식은 바로 이런 이유를 들어 잊혀진 가야사의 복원을 통해 삼국시대 대신 사국시대 체제로 우리 고대사를 복원하지 않고서는 우리 역사를 제대로 이해할 수 없을 뿐만 아니라 이른바 임나일본부설 등 식민사관의 허구성도 극복할 수 없다는 입장을 견지한다. 그렇지만 김태식은 그의 가야사에서 왜 지금까지 역사교과서가 그런 엄연한 사국 현상을 굳이 외면하고 삼국시대 체제를 고수하고 있는지에 대한 고찰은 건너뛰고 있다. 물론 아직은 실증적이고 과학적인 연구의 뒷받침이 모자라기 때문에 이를 기다리느라고 그랬을 것이다. 그런 학계의 실증적 고찰을 기다리는 동안 문외한이 나름대로 생각해보니 그 이유는 대충 다음과 같은 데 있지 않을까 싶다.

그 첫번째 이유는 당대 사실을 기록한 단 두 개뿐인 우리 사서(史書)의 이름이 『삼국사기』와 『삼국유사』로 매겨져 있기 때문일 것이다. 이름뿐 아니라 김부식의 『삼국사기』는 그 내용도 신라, 고구려, 백제에 관한 기사 외에 다른 주변 국가에 대한 기록은 지나가는 식으로 이루어질 뿐이다. 일연의 『삼국유사』는 『삼국사기』와는 달리 삼국 이전과 동시대 여러 고대국가의 기원신화와 멸망을 다루고 있긴 하나 이는 매우 단편적이다. 물론 가야에 대한 기사도 있긴 하지만 그것은 이 책 제1권의 「5가야조」와 제2권의 「가락국기」 등 두어 군데뿐이다. 삼국과 7백 년을 같이해온 가야에 대한 기록으로서는 너무 작은 비중이다. 삼국에 대한 기사도 백제와 고구려에 대한 것보다 주로 신라와 관계된 기사, 그것도 주로 불교와 관계된 얘기에 크게 편중되어 있다. 물론 이런 현상은 승리자 중심, 통치지배자 중심, 기록자의 사관 중심으로 씌어지는 역사서의 한계 때문이다.

두번째, 사서의 기록이 이처럼 한정되어 있기 때문에 가야사는 고고학적 유적 발굴에 의존해서 복원할 수밖에 없으나, 그 유물마저 대부분이 일제에 의해 도굴되어 일본 소장자들에게 독점됨으로써 가야사는 일본 사학자들에 의해 크게 왜곡되어 기록되었다. 그 영향을 크게 받은 일제하의 식민사관이 가야사를 아예 없는 것으로 무시하거나 임나일본부설에 따라 일본의 식민지로 왜곡하고 그 복원을 등한시했기 때문일 것이다.

가장 중요한 이유로는 가야가 신라, 백제, 고구려 같은 삼국처럼 중앙집권적 고대국가 체제를 갖추지 못하고 망할 때까지 지역분권적 연맹체제를 갖추고 있었기 때문이 아닐까? 다시 말해 가야는 다른 삼국처럼 중앙집권적 국가다운 고대국가 단계에 이르지 못한 국가 이전 단계의 지역부족공동체의 연맹 또는 연합체여서 후대의 거의 모든 사가들이 가야를 삼국과 동렬로 보지 않았기 때문일 것이다. 그렇다면 7백 년 동안이나 엄연히 삼국과 함께 실존했던 가야를 마치 없었던 것처럼 여기거나 변방시한 『삼국사기』나 『삼국유사』의 관점도 온당하지 않지만, 그 삼국과는 다른 국가 이전의 가야연맹 체제를 그들과 같은 위상에 두는 김태식류의 사국시대로의 역사 복권도 결코 온당할 수 없지 않을까? 그래서 내 사견으로는 이 시대를 삼국시대 대신 '일연맹 삼국시대'로 재명명, 복권시킴이 타당하지 않을까 한다.

가야사를 읽으며 또 한 번 감명받은 것은 내 개인적 호기심이 나름대로 충족되었기 때문이다. 나는 내가 태어나 사는 영산이 지금의 창녕읍을 중심으로 한 비화가야국에 속했었는 줄 알았는데 이 책을 읽고 그게 전혀 아니라는 사실을 알았다. 사실 영산은 지금의 창녕군의 한 면이지만 그 문화전통이 창녕과 너무 다른데, 나는 그 원인이 일제 초기 1914년 영산현의 창녕군 속군으로 통합되었던 것과 1919년 영산 3 · 1만세 사건을 계기로 달라진 민심에 있었던 줄 알았으나, 사실은 이보다 훨씬 더 오래고 깊은 데 있었던 것이다.

지금 창녕읍을 중심으로 했던 비사벌국은 영산, 계성, 장마, 남지, 길곡, 부곡 등 남부 창녕 지역을 제외한 창녕읍, 대합, 대지, 유어, 이방, 성산 등 북부 창녕지역과 현풍, 유가, 구지 등 현재의 대구시 달성군 남부 지역과 함께 이룬 별개의 소국이었다. 북부 창녕 중심의 비사벌국은 그 출토 유물로 미루어 낙동강 수계의 편리한 교통로를 통해 초기에는 전기 가야연맹의 영향권에 들었을 가능성이 없지 않지만, 4세기 말 5세기 초 무렵에는 신라 영향권에 들었다가 6세기 전반에는 신라의 속군현으로 편입되었다고 한다. 그러므로 비사벌국은 대체적으로 가야가 아닌 신라 계통 소국으로 보는 것이 타당하다고 한다.

그러나 영산을 중심으로 한 지금의 남부 창녕지역은 북부 창녕지역의 비사벌국과는 완전히 별개인 탁기탄국이란 소국을 이루었고, 전·후기 가야연맹의 분명한 일원이었다. 영산면 교리, 성내리에 남아 있는 성터도 후기 가야 맹주국인 대가야의 주도로 의령 부림의 이열비성과 같이 514년경에 축조한 마수비성으로 추정하기도 한다. 탁기탄국은 고령 대가야 멸망(562년) 약 30년 전인 530년 전후에 김해 남가라국, 창원의 탁순국과 비슷한 시기에 신라에 합병되었다. 그렇다면 영산은 신라 땅에 속했던 때보다 가야 땅에 속했던 때가 훨씬 더 길다. 영산뿐만 아니라 옛 가야 땅의 사람들은 그래서 신라의 후예이기에 앞서 가야의 후예라고 해야 할 것이다.

가야가 장기간에 걸쳐 왜 또는 백제의 지배를 받았다는 기존의 설을 그동안에 축적된 고고학적 성과로 통쾌하게 뒤집고 역사적으로 지대한 공훈을 하게 될 김태식의 가야사에도 결정적 한계는 있다. 그것은 가야의 가장 큰 멸망 원인을 중앙집권적 고대국가 체제로의 발전이 신라, 백제보다 늦어진 데 있다고 보는 이른바 국가주의 발전사관이다. 가야 멸망의 원인을 잘못 보았다는 것이 아니라, 중앙집권적 국가체제를 발전과 어떤 지향점으로 보는 그 사관이 한계라는 것이다.

나라란 무엇이고 왜 아직도 건재하는가? 영토 확장과 백성 지배가 나라의 본질이라면 중앙집권적 권력의 확대가 발전일 수도 있다. 중앙집권은 고대국가만의 특징이 아니라 모든 국가, 특히 근대국가로 갈수록 더 심화되는 현상이다. 하지만 대내외적으로 평등관계에 있는 여러 씨족과 부족, 지역 소국들을 하나둘 병합해서 중앙집권화하고 귀족과 관료계급을 만들어 백성을 지배하고 영토를 확장해가는 식의 국가발전이 결코 선일 수는 없다. 통치계급의 끝 모를 욕망 충족을 위해 봉사하는 중앙집권적 국가권력은 모든 사람에게, 심지어 통치계급 자신에게도 비극일 뿐이다. 만일 이것의 강화를 나라의 본질과 국가 발전으로 본다면 나라란 필요악일지는 몰라도 결코 목숨 걸고 지킬 만큼 가치 있는 선일 수는 없는 것이다.

아름다운 작은 나라들

가야 멸망의 원인의 하나로 '소국 간의 비교적 고른 문화 축적'이 거론된다. 가야 소국들은 비슷한 입지조건에서 비슷한 발전양상을 보이면서 어느 한 나라가 결정적으로 앞서 나가는 것을 서로 견제함으로써 모두 약소국이 되어 멸망을 자초했다는 뜻이다. 그러나 가야연맹끼리의 대내적 평등이 고대국가로의 성장을 막아 결과적으로 대외적 국가세력 관계에서 약육강식의 피해자가 되도록 했다 해도, 그 가야를 멸망시킨 신라·백제 등 중앙집권적 국가가 악일지언정 가야연맹국들끼리의 평등 자체가 악일 수는 없지 않은가?

가야국들에 대한 내 복합감정도 가야연맹 여러 나라가 다른 나라보다 먼저 중앙집권적으로 통일되어 신라와 백제를 합병하지 못한 아쉬움에 있는 것이 아니다. 그들 나라들과도 소국연맹 관계가 맺어져 영원히 공존공영 하지 못하고 7백 년 만에 가야 소국들만 모두 합병당한 데 대한 안타까움이다.

역사에서의 가정은 난센스이지만, 설사 가야연맹 맹주국 중 하나가 신라나 백제보다 한발 앞서 중앙집권적 고대국가를 이루고 이들을 반대로 합병해갔다고 한들 오늘의 우리 역사와 내 개인 삶의 무엇이 달라졌겠는가? 그러나 만일 백제와 신라, 고구려도 가야처럼 소국연맹 체제를 계속 유지하여 그 모든 소국연맹들이 공존공영 해왔다면 우리 민족사는 지금과 전혀 다른 방향으로 펼쳐졌을 것이고, 내 개인의 삶도 전혀 달라졌을 것이다. 그런 소국연맹이 세계적 보편 현상으로 지속되었다면 세계사 역시 지금과는 판이한 유토피아사로 씌어졌을 것이고, 모든 인간의 삶 또한 오늘 이 꼴의 갈등과 반목, 죽임과 파괴로 얼룩지지는 않았을 것이다.

하지만 이 무슨 백일몽 속의 잠꼬대인가? 꿈에서 깨고 보면, 가야연맹을 몰락시킨 연맹소국끼리의 힘의 균형이 반드시 소국

내부 사회의 평등을 반영하는 것이 아님을 보게 된다. 가야 고분의 출토 유물로 보아 가야에도 금동관을 쓴 왕들이 있었고, 구슬·귀걸이 등의 귀금속을 독점한 귀족도 있었다. 심지어 순장(殉葬)의 흔적까지 보여 가야 사회를 노예제 사회로 보는 견해도 있을 법하다.

하지만 불교 등 고등종교나 사상을 도입한 고대국가에서 순장제도가 사라지고 대신 토우나 기마인상 등의 순장 대행 부장품들이 나타나는 것으로 볼 때 순장제도는 고대 군장사회 단계에서 나타난 토착신앙의 내세관에 따른 현상이지 그것 자체가 노예제 사회의 반영은 아니라고 한다. 불교, 기독교 등 이른바 고등종교는 사람이 죽으면 저승에서 다시 태어난다는 믿음을 확고하게 갖고 있긴 해도 이승과 내세는 일단 단절된 다른 세계로 인식하고 있다. 이에 견주어 원시적 토착신앙은 저승도 이승과 다름없는 이승의 연장과 연속이라고 보는 내세관을 갖고 있다. 그래서 순장제는 지배자나 가부장 한 사람이 죽으면 그가 살았을 때 그에 따른 권속들—아내나 심지어 자식들까지—을 함께 보내는 원시적 장제이지 그 피순장자가 반드시 노예만으로 국한된 것이 아니라는 것이다.

오늘의 관점에서 보면 어떤 경우에라도 순장은 미화될 수 없다. 소수 지배자만의 죽음에 자기의 노예나 가족만을 함께 보내는 순장제라 해도 그 죽음 또한 백성에게 공포가 아닐 수 없다. 하지만 국가로서의 존립과 영토 확장을 위한 주변국에 대한 침략전쟁으로 쌍방 나라에서 일어나는 대량 살상과 순장 중에서 어느 것이 백성에게 더 큰 공포일까? 고대국가든 현대국가든 국가라는 권력은 군장사회의 순장 정도의 희생과는 비교할 수 없는 백성들의 희생과 피로 유지되고 확장되는 것이 그 본질이고 실체가 아닌가?

물론 순장제나 노예제가 없었다 해도 왕권과 귀족이 있던 가야사회가 이상적인 평등사회는 결코 될 수 없다. 힘과 능력의 우열이 큰 인간사회에서 절대 평등은 있어본 적이 없고 있을 수도 없을 것이다. 우리가 그리는 원시 농촌공동체도 관념 속의 이상사회이지 실재는 아닐지 모른다.

그러나 이상적인 민주주의 형태가 자치적인 직접민주제라 할 때, 힘의 균형으로 어느 일방의 중앙집권을 서로 견제했던 가야 소국들은 실존 가능한 이상사회에 가장 가까웠던 세계가 아닐까? 내가 사는 영산 지역에 있었던 탁기탄국 같은 규모의 소국에 중앙집권적인 대국에서와 같은 지배계급과 관료주의가 필요할 리 없을 것이다. 두레 시절의 마을회의처럼 모든 공동체 구성원들이 다 모여 문제가 하나로 합의될 때까지 며칠이고 계속되는 지역 공동체의회를 통한 자치 직접민주주의는 가야 이하의 소국이 아니고서는 불가능할 것이다. 노자에서 그리고 있는 소국과민도 이 같은 소국연맹체제를 그린 것이 아니었을까?

큰 나라는 존재 자체만으로도 작은 나라에 대한 위협과 공포인데, 그냥 가만히 있는 큰 나라는 없다. 작은 나라를 침략 통합하거나, 식민지로 삼거나, 최소한 자기 영향권에 묶어두는 차이가 있을 뿐 작은 나라를 가만히 두는 큰 나라는 없다. 하지만 큰 나라라고 망하지 않는 나라도 없다. 소련연방이 해체되어 민족 단위의 소국으로 분리 독립해간 것이 최근의 예다.

내 작은 조국 탁기탄국, 그리고 가야연맹의 여러 작은 나라들은 어차피 망할 큰 나라를 만들기 위한 침략전쟁을 일으키는 대신 큰 나라의 침략으로 망해간 작은 나라이기에 더 그립고 아름답다.

극복해야 할 발전 · 진보사관

현대나 미래사회의 가장 큰 과제가 지역 안에서의 자급자족과 자치를 통한 생태적 지속 가능성의 확보라고 할 때, 가야 소국들은 그런 면에서도 가장 이상적인 지역 소국을 이루고 있다. 서른 개의 전 · 후기 가야연맹국 또는 관련국들이 그려진 지도를 보면 누가 책상에 앉아 계획적으로 짜 맞추기라도 한 듯 낙동강변 전역과 남해안, 그리고 섬진강변의 산과 들의 생태계 단위에 따라 작은 나라들이 지역화되어 있다. 주산업 또한 초기의 어로 중심에서 점차 농업 중심으로 이동하며 생태적 균형을 유지하고 있다. 어로, 농경에 필요한 기구와 식생활 도구나 장식용구를 생산하는 광공업 기술도 당대 기술이 다 그렇듯이 생태적 기술 수준을 넘지 않고 있다.

인구 증가와 그로 인한 식량 부족을 해결하기 위한 관개시설 건설 등의 거대한 토목공사와 그 기술력이 중앙집권적 고대국가 체제를 강화시켜왔다고 한다. 그 현상은 지금도 계속되고 있다. 지금 지역자치를 말하고 제도로서의 지방자치를 시행하고 있지만, 진정한 자치 직접민주주의와는 오히려 멀어져가는 것이 오늘의 현실이다. 자동차와 원자력과 생명공학 등의 거대 기술이 이 사회를 지배하는 한 사람들은 중앙집권적 통제로부터 벗어날 수 없을 것이다. 컴퓨터처럼 이미 기술이라기보다 마술화한 상품들이 인간을 각자의 사이버 공간이란 촘촘한 그물 속에 속박시켜가는 한 인간의 자주성과 자치성의 회복은 점점 어려워질 것이다. 생태적 원칙에 준거하여 기술을 사회적으로 통제함 없이 지속 가능한 지역 자치사회 회복은 불가능할 것이다.

미래사회가 이제까지의 발전사관 또는 진보사관의 패러다임으로는 생태적 한계로 인해 그 지탱이 불가능하다고 한다면, 새로운 패러다임의 사회는 새로운 기술발전에서 결코 찾을 수는 없을 것이다. 지속 가능한 사회의 새로운 패러다임이 생태적 지역사회의 회복밖에 없다면, 전형적으로 생태적인 지역 소국이었던 가야 제국들을 역사발전 도상에 잠시 나타났다 사라져간 과거사로 볼 것이 아니라 새로운 미래사회를 위한 하나의 새로운 모형으로 되살려내야 할 것이다.

그 규모 면에서는 비교할 수 없이 크지만, 미완의 문명이란 점에서는 우리의 가야문명과 상통하는 점이 있는, 중앙아메리카의 신비 속에 묻힌 마야문명이 있다. 그토록 거대하고 찬란했던 마야문명이 어째서 스페인 등 외세의 침략 이전에도 이미 몇 차례 스스로 흥망을 거듭하며 원시림 속에 묻혀버렸는지 그 수수께끼는 아직 완전히 풀리지 않고 있다.

보통사람보다 튀지 않고서는 한순간도 못 견뎌 하는 괴짜 김용옥이 좀 오래전에 마야 유적지를 둘러보고 『신동아』에 쓴 마야견문기가 생각난다. 그는 마야문명의 멸망 원인이 정치발전

없이 종교—그것도 미신에 지나지 않는 토착종교—만 성행했던 데 있다고 단정했다. 정치적 · 군사적 동원 대신 수많은 민중을 거대 신전 짓기에나 동원하고 그 신전 앞에서 자기 생식기를 짓이겨 피를 바치는 희생의식이나 심지어 산 사람을 제물로 바치는 정치 없는 종교사회가 어찌 안 망하겠느냐고 길길이 흥분했다. 틀린 얘기는 아니다. 그러나 백성의 에너지를 신전이나 예술작품 등의 제작 대신 전쟁을 위한 축성이나 군사훈련에 동원하여 침략전쟁을 계속한다고 망하지 않는 나라가 어디 있는가? 로마제국이 그랬고 칭기즈칸의 유목제국이 그랬듯이 아무리 강대한 정치국가라도 나라는 망한다. 어차피 망해야 할 나라인데 침략전쟁으로 피아국의 백성들을 무차별적으로 대량살상하며 망해가는 것보다 종교적 자기희생이나 제물 공양 등으로 민중의 생명을 가능한 적게 희생하며 망해주는 것이 자기 나라 백성이나 다른 나라 백성을 위해서도 얼마나 고맙고 다행한 일인가?

그런 마야문명에 갈채와 외경까지야 보낼 필요가 없을지라도 길길이 흥분할 일은 아니지 않는가? 김용옥의 지적대로 정치 없는 미신 때문이든 일부 학자들의 조심스런 견해처럼 생태계의 파괴 때문이든, 어떤 이유에서 마야 문명이 자멸했다 해도 스페인을 선두로 하는 외세의 침입만 없었다면 그 문화는 다른 형태로 부활했을 것이다. 마야는 망한 것이 아니라 일종의 생태적 흥망성쇠의 큰 순환을 돌고 있을 뿐인데, 무력을 앞세운 서구 제국주의가 그 문화전통을 침탈 · 파괴 · 단절시켜갔을 뿐이다.

보통사람도 아니고 자타가 공인하는 철학자라면 무너진 신전만 보고 길길이 흥분할 것이 아니라 나라라는 것과 문명이라는 것의 본질과 원천에 대한 깊은 통찰에 다가가야 할 것이다. 인기에 연연하는 TV 탤런트도 아니고 사물의 본질을 묻는 철학자로서 제대로 튀고 싶다면, 그 튀는 방법도 철학적이어야 할 것이다.

김용옥 식이라면 가야의 멸망 원인 또한 순장 따위의 내부 희생이나 강요하는 원시종교와 중앙집권화 되지 못한 정치와 군사주의의 부재에서 찾아야 할 것이다. 그러나 가야 사회는 마야처럼 제정 일치 사회도 아니고 제사 우위의 종교국가도 아니었다. 이들 소국들 역시 한반도의 다른 소국들처럼 철제무기를 앞세운 대륙의 유목 이주민 세력의 침입으로 중앙집권적 계급국가의 길로 가고 있었다. 가야 제국들도 토착 제정 권력으로부터 정치권력을 뺏은 이주민 권력이 토착 권력과의 직접 마찰을 피하기 위해 그들에게 소도라는 일종의 치외법권 지역과 천군이란 직위를 주고 제사권만을 허용하던, 제정이 완전히 분리된 정치국가였다. 가야는 적어도 마야처럼 정치 부재로 망한 것이 아니고 바로 그 정치 과잉 때문에 망했다. 신라, 백제 등 이웃에 있는 중앙집권적 정치 주체의 정치적 과잉 표현인 침략전쟁으로 망한 것이다.

부국강병은 국가주의적 현실 정치세력에게는 영원불변의 진리이고 이상일지 모른다. 하지만 만민에게 보편타당하고 본질적인 진리와 이상을 묻고 추구하는 사람에게라면 그것은 반드시 극복해야 할 하나의 과제요 모순에 지나지 않는다.

(『녹색평론』 2003년 11 · 12월호)

가야연맹의 정체성을 다시 생각한다

옛 가야 땅 김해는 지금은 3개 면과 1개 읍(명지, 가락, 녹산, 대저)을 부산시에 빼앗기고 나머지 땅도 5천여 개의 중소기업들에게 어지럽게 점령당해 인접한 부산시를 뒤치다꺼리 해주는, 말 그대로의 배후·위성도시가 되었다. 그런데도 내게는 김해라면 먼저 떠오르는 이미지가 김해평야다. 초등학교 사회교과서인가에서 한반도의 몇 대 평야 중의 하나로 김해평야를 배운 탓도 있을 것이다. 그러나 그 이미지가 지금까지 굳어져 있는 더 큰 이유는 지금은 부산 강서구로 편입된 서낙동강 하구 쪽 김해군 가락면 죽림리에 있었던 두 당숙님 댁으로 나들이를 하던 경험 때문이다. 내가 가락 죽림의 두 당숙님 댁을 드나들 때는 1940년대 말에서 1970년대 초반까지였던 것으로 기억된다.

당시 경남 영산에서 김해까지는 부산행 정기버스로 갈 수 있었는데 김해읍에서 가락면 죽림까지는 버스가 없어 주로 걸어서

다녔다. 그때 그 길을 오르내릴 때 내 시야에 들어오는 김해평야는 그야말로 망망대해처럼 넓어 치라리 적막하고 두려운 느낌까지 주었다. 김해 가락 땅을 드나들며 당숙님들로부터 들은 얘기에 의하면 김해평야는 일제가 들어오기 전까지는 갈대 우거진 황무지였는데 일제에 의해 농지로 개간되었다는 것이었다. 그리고 그 뒤에 주워들은 단편적인 역사 · 지리 지식에 따르면 가야시대의 김해읍과 가락 땅 일대는 실제로 망망대해에 잠긴 바다 속이었다고 한다.

그러나 김해에 대한 나의 이미지는 아무래도 갈대밭도, 바다에 잠긴 포구도 아닌 광활한 김해평야로 한동안 고정되어 있었다. 그런 김해평야가 두 당숙님 내외분이 모두 그 땅을 떠나가신 1970년대 초반부터는 내게도 점차 낯선 풍경이 되어갔다. 그때부터는 볼일 보러 부산 가는 버스의 차창 밖을 스쳐가는 먼 풍경으로 한동안 남았었다. 그러던 어느 날 그 풍경이 갑자기 낯설게 확 달라졌다. 물론 한순간에 확 달라진 것은 아닐 것이다.

이 땅의 비닐하우스 농사의 시배지(試培地)답게 1970년대부터 김해평야는 온통 비닐바다로 뒤덮여갔다. 1980년대 초였던가, 한 잡지사의 부탁으로 김해평야의 비닐하우스단지 실태를 취재한 적이 있었다. 그때 온 들판을 덮은 하우스재배로 농약, 비료, 퇴비 등에 오염되어 마실 물이 없다며 진한 갈색으로 변한 우물물을 펴 올려 보여주던 한 농부를 만난 적이 있었다. 그때 이미 김해평야의 운명을 예감하긴 했지만, 그러나 지금처럼 김해평야 자체가 완전히 사라지고 철제건물 도시로 뒤덮인, 이름 그대로 '쇠의 바다(金海)'가 되어갈 줄은 미처 몰랐다.

부산광역시로 김해 땅이 편입되기 시작하던 1970년대 말부터는 비닐하우스마저 사라지고 김해평야는 온통 쇠기둥과 시멘트로 뒤덮인 거대한 공장지대로 바뀌며 파괴되기 시작했다. 사람들은 땅의 이런 파괴로 농토 값이 올라가고 공업생산품의 물량이 풍부해지자 그것을 개발과 발전으로 기꺼이 받아들이고 있었다. 하지만 나에게는 어쩌다 지나며 마주치는 김해평야의 처참하게 파괴된 그 낯선 풍경들이 너무나 아프고 슬프게만 느껴졌다.

이처럼 갈 때까지 다 가버린 옛 가야 땅 김해 사람들이 '가야세계문화축전 2005, 김해'라는 다소 긴 이름의 잔치를 벌이겠다고 한다. 이 축전의 실질적 책임자인 축전집행위원장으로 초빙된 연출가 임진택이 내게 느닷없이 이 행사의 자문위원이 되어달라는 전화를 해왔을 때 나는 약간의 망설임이 없지 않았지만 결국 수락하고 말았다. 아마도 지금은 김해 땅이 낯설어도 앞서 얘기한 대로 가락면에 두 당숙님이 사셨기에 마음속에는 낯익은 땅이었기 때문일 것이다. 또 김해시 진례면은 내 고조부와 증조부 대까지 살다가 그 무덤들을 남긴 선대의 고향이기도 했기 때문에 성묘하러 자주 찾던 곳이기도 했다. 그 밖에도 내 고향 영산에서 45년째 벌이고 있는 '3 · 1 민속문화제'의 창립 주도자들 중에 나도 한 사람으로 끼어 있었는데도 지금은 완전히 밀려난 데서 온 그 소외감을 그보다 규모가 큰 가야세계문화축전에 참여함으로써 달래보고 싶은 마음도 없지 않았을 것이다.

그러나 설사 이런 개인적 인연들이 없었다 해도 내 고향 영산 땅도 탁기탄국이란 옛 가야연맹 중의 한 소국이었기 때문에 그

맹주국의 소재지에서 벌어지는 축전이 결코 남의 일로 느껴지지 않았기에 참여하지 않을 수 없었다.

가야세계문화축전 2005, 김해

그러나 내가 이 축전 자문위원을 맡아달라는 제의를 덥석 받아들인 무엇보다 큰 이유는 이 축전의 테마를 '평화와 생명의 땅'으로, 컨셉을 '오래된 미래—가야'로 기획한 데 있을 것이다. '평화와 생명'은 결코 새롭고 도발적인 화두는 못 되고 아주 평범하지만, 온통 파괴만 자행되는 이 시대를 고민하는 사람들이라면 영속적으로 추구해야 할 보편적 가치다. 지금 내가 하고 있는 한살림운동, 지역자치공동체운동, 유기농운동, 귀농운동 등과 이와 관련된 글쓰기운동의 화두도 바로 이와 같다.

외래어인 '컨셉'이 정확히 무엇을 뜻하고 '테마'와는 어떤 차이가 있는지는 잘 모른다. 그러나 가야축전이 컨셉으로 정한 '오래된 미래'에 대해서는 조금 안다. 『오래된 미래』는 그 책을 쓰던 당시까지는 석기시대 수준의 소박한 생태적 삶을 살았던 히말라야 고원지대의 라다크 인의 삶을 지속 가능한 미래 삶의 대안으로 묘사한 노르베르 호지의 명작이다. 이 책은 또 녹색평론사가 출간하는 생태주의적 인문 관련 책들 중에서 유일하게 베스트셀러의 반열에 오른 책이기도 하다.

전통적인 마을굿이 완전히 파괴된 뒤부터, 특히 지자체가 제도화된 요즘에 와서 지역 홍보 차원의 무슨 문화제, 축제, 축전

등 이른바 문화행사가 거의 모든 지자체 단위에서 유행적으로 그리고 경쟁적으로 벌어지고 있다. 너무나도 뻔한 장삿속이다. 그런데 이런 생태 · 생명주의적 컨셉의 축전이, 시장국가주의 속의 개발지상주의적 지방 관청의 돈으로 진행되며 과연 추진 팀들의 원래 의도대로 마찰 없이 치러질지 걱정스럽다.

이런 기대와 우려를 함께 가지고 2004년 12월 4일 제1차 자문회의에 참석했다. 자문위원으로 위촉된 13명 중에서 참석자는 7명이었다. 필자를 뺀 6명은 모두 인류학, 국문학, 민속학, 고고학, 미학 등을 전공한 전 · 현직 교수들이다. 모두 일가견을 가진 학자들이니만큼 주장들은 지루하도록 장황했고 사람 수만큼 다양했다.

한쪽에서는 '평화와 생명'이라는 축제의 주제가 너무 흔하고 유행적이니 가야의 아이덴티티인 '문화교류'를 강조하는 것으로 바꾸자는 제안이 있었다. 다른 쪽에서는 축제(굿)의 본질은 제의와 놀이라고 할 수 있는데, 주어진 가야축전의 기획안에는 이 두 부분이 강조되지 않고 너무 잡화점식으로 행사들만 많이 늘어놓고 있다는 지적이 있었다. 부산대의 채희완 교수는 제례 · 제의, 영성적인 것, 우주, 자연, 신이 사람과 더불어 어울리는 총체굿으로서의 축제를 주문했다. 이런 관점에서 볼 때 이미 마련된 기획안은 너무 학술과 전시 위주로 치우쳐 있으므로 이들 행사를 연행, 퍼포먼스, 놀이 중심으로 재편해야 한다고 놀이(연행 · 연희) 전공자다운 주장을 내놓기도 했다. 이상의 주장들은 표현상의 차이가 있긴 해도 지역축전을 위해 반드시 필요한 상호보완적인 견해들이었지 결코 상치되거나 양립되는 주장들은 아니었다.

축제기획안의 주제와 필자의 견해와도 완전히 상치되는 주장은, 공식 자문회의에서는 입장 표명을 일단 유보했다가 가야의 주요 유적지 몇 군데를 둘러보고 난 뒤 이미 서너 명의 자문위원들이 떠나고 없는 파장 무렵에 고고학 전공자 쪽에서 제기했다. 현 부산대 박물관장인 신경철 교수는 고고학적 입장에서 볼 때 가야의 아이덴티티는 농업사회가 아니고 철의 생산과 교역으로 번창했던, 매우 역동적일 뿐 아니라 원거리 전쟁을 수행할 무장(武將)을 완비한 전사단(戰士團)의 왕권국가였다는 것이었다. 그러므로 가야축전이 내세운 주제인 '평화와 생명'은 그런 역동적인 가야의 아이덴티티와는 너무 거리가 멀다는 것이었다. 과연 가야의 정체성이 역동적 또는 전사적인 것뿐일까?

종래의 가야사는 고려시대에 편찬된 『삼국사기』와 『삼국유사』나 서기 680년에서 720년 사이에 일본고대사를 기록하는 가운데 가야 관계 기사를 일본의 시각으로 편집한 『일본서기』 등 가야 관계의 단편적 기사를 모아 구성했다. 당대도 아닌 훨씬 후대의 기록인데다, 그것도 각기 자국의 이해관계에서 바라본 그 사료들이 단편적이고 크게 왜곡되었을 것임은 불문가지다. 그러하던 것이 1990년대부터 주로 부산 소재 대학들에 의해 김해의 가야고분들이 본격적으로 발굴되기 시작하고 이제까지 알려지지 않은 많은 새로운 사실들이 밝혀지면서 큰 논란거리로 떠올랐다. 가야사를 새로 써야 할 만큼 많은 새로운 자료들이 나타났다. 당시 김해고분 발굴에 참가한 부산 소재 대학 고고학자들의 주장을 요약하면 다음과 같다.

2세기 초까지는 김해에도 경주와 같은 영남 공통의 좁은 목관묘제에서 김해 양동리와 대성동의 제1기 유물과 진례의 제2기 유물에서와 같은 가야 특유의 토착적 유물이 나타난다. 그러나 후기로 갈수록 유물은 양동리에서 대성동 쪽으로 옮겨져 집중되고, 3세기 말의 대성동 고분군에서는 이전의 무덤과는 완전히 다른 왕급 무덤이 발굴된다.

1990년 6월부터 1992년까지 부산 경성대 박물관에서 세 차례에 걸쳐 발굴 조사한 김해 대성동의 고분 1백36기에서는 1천8백99점의 유물이 발견되었다고 한다. 그중에서 주목을 끈 것은 지금까지 한반도에서 발견된 바 없는, 1천2백 도의 고온실 요에서나 구울 수 있는 도질토기, 북방유목민만이 사용했던 오르도스 지역형 동복(구리솥), 철제갑옷과 투구, 기마용구 등이었다.

발굴단이 특히 주목했던 것은 순장 인골의 출토였다. 4세기 대의 대성동 고분 8기의 목곽묘에서 각기 2~3인의 순장 인골이 발견되었다. 5세기 초 이후의 것인 부산 복천동의 2개 고분에서도 순장 유골 3구가 출토되었다. 여기에만 그치지 않고 다른 가야 맹주권 지역에서도 순장 흔적은 발견된다. 함안 말산리와 도항리의 5세기 대의 세 개 고분에서는 한 명에서 많게는 다섯 명의 순장자가 발견되었다. 5세기 후반에서 6세기 대의 고령 고분에서도 다수의 순장 흔적이 나타났다. 고령 지산동 45호 고분에서는 32기의 순장곽 가운데 22기에서 24구나 되는 순장 인골이 발견되었다.

가야의 순장을 어떻게 볼 것인가?

대성동 고분군의 발굴에 참가한 신경철 교수는 순장은 일손을 많이 필요로 하는 농경사회에는 없고 고대 유목민족들에게만 있었던 장제라고 한다. 고구려와 백제에는 없던 북방 유목민의 순장제가 그들 두 나라를 건너뛰어 남쪽의 신라와 가야계 유적인 김해 대성동 고분군과 부산 복천동 고분군, 함안, 고령 등지의 고분군에서 다량으로 나타나는 것은 고구려와 백제와는 달리 이 두 나라가 기마유목민 또는 그와 깊은 관계에 있는 세력에 의해 세워졌다는 움직일 수 없는 증거라는 것이다. 이 순장제도는 신라에서는 불교 전래 때까지 약 1백50년간, 가야연맹에서는 그 멸망 때까지 약 2백 년 이상 지속되었다는 것이다.

순장이 과연 농업사회에는 없었던 장제일까? 북아메리카 루이지애나의 나체스 원주민 공동체와 이른바 미시시피문화 지역의 비옥한 평원에 위치했던 카호키아 등 북미 원주민 도시국가에서는 농업사회로 진입한 지 한참 지난 12세기 무렵까지 순장이 있었다고 한다. 카호키아의 한 군장의 무덤에서는 군장을 내세에 모시기 위해 희생된 가신일 것으로 짐작되는 네 명의 남자와 1백18명의 여자가 몸이 절단된 채 들어 있었다. 또 이 무덤에는 적어도 여섯 차례에 걸친 추가 매장 흔적과 함께 도합 2백61명의 순장자가 있었다. 중미(멕시코) 치아파스의 시에라 구릉에 위치했던 팔렌케 왕국에서도 순장제가 있었다. 서기 692년에 지어진 팔렌케 왕국의 파칼 왕의 무덤인 피라미드 통로의 석판 아래서 희생제물로 죽은 여섯 구의 유골이 발견되었다고 한다.

올메크, 마야, 아스테카, 안데스 등의 중앙아메리카와 남아메리카의 원주민 문명들은 순장보다 산 사람을 죽여 그 심장과 피를 신전에 바치는 인신공희(人身供犧) 의례로 더 유명하다. 어린아이를 죽이거나 지배자 자신의 성기에서 피를 내 바치는 경우도 있었으나 주된 제물은 죄수나 전쟁포로의 심장과 피였다. 아스테카 제국을 침략한 코르테스에 의하면 스페인의 침략 무렵인 16세기 초반에는 한 해 동안 무려 3~4천 명의 인신공희가 있었다는 주장도 있다. 그러나 이것은 자신의 아스테카 정복에 명분을 부여하기 위한 과장일 뿐 어떤 이들은 인신공양이 전혀 일어나지 않았으며 정복자들의 기록은 전부 인종차별적인 거짓말이라고 주장한다. 설사 그게 사실이라 해도 1530년에서 1630년까지 7만 5천 명을 공개처형 하여 나무에 매달아두던 영국인들의 잔인성에 비하면 인디언들의 인신공희는 훨씬 신사적이라고 말하는 사람도 있다. 프랑스와 스페인은 영국보다 더 피에 굶주린 잔혹성을 보였다. 하긴 이들의 잔인한 공개처형도 종교적 문장을 읽는 일종의 종교의식이었다고 한다.

그렇다면 인디언들은 왜 이런 끔찍한 짓을 했을까? 세계의 종말이 오는 것을 조금이라도 늦추기 위한 그들 나름의 믿음에서였다고 한다. 선행했던 마야 등의 사람들과 마찬가지로 아스텍인들도 태양에는 대주기가 있다고 믿었다. 인간이 창조되고 난 뒤에 바로 그런 태양주기가 네 번이나 되풀이되었는데 그때마다 세상은 대재앙을 겪었고, 사람은 겨우 씨종자만 살아남아 새 세상이 다시 시작되었다고 믿었다.

스페인이 침략한 16세기 무렵은 제5의 태양주기의 태양신 토나티우의 시대인데, 이 태양신은 늙은데다 그 먹이인 인간의 피와 심장에 굶주려 있다고 아스텍 인들은 굳게 믿고 있었다. 이런 신앙을 가진 사람들이 태양신의 수명을 연장시켜 세상의 종말을 조금이라도 뒤로 미루기 위한 유일한 방법으로 선택한 것이 바로 그 피의 제전이었다. 세상의 종말로 씨종자를 말리는 것보다는 포로나 죄인을 희생시켜 그 종말을 연기하는 쪽이 그들로서는 대다수를 살리는 합리적 선택이었던 것이다.

그러나 세계의 종말에 대한 원주민들의 우려와 그것을 늦추기 위한 그 많은 피 흘림의 인신공희 의례에도 불구하고 그들에게 세계의 종말은 너무 빨리 닥치고 말았다. 콜럼버스를 필두로 한 서양제국주의의 남북 아메리카 침략은 원주민들에게는 바로 다름 아닌 세계의 종말이었다. 인신공희가 아무리 많았다 해도, 그리고 그 방법이 아무리 잔인했다고 해도 침략자들이 원주민들에게 자행한 원주민 씨 말리기 도륙 행위와 비교할 수는 없을 것이다. 원주민 세계에 이것보다 더 참혹한 세계의 종말이 또 있을 수는 없었을 것이다.

세상의 이런 종말에 아무런 효력을 나타내지 못한 원주민들의 인신공희를 결코 미화할 수는 없겠지만, 그렇다고 전혀 무의미한 살육 행위로만 치부할 수도 없을 것만 같다. 마야를 비롯한 중남미 고대 원주민사를 꼼꼼하게 살펴보면 인구 증가와 도시화로 인한 생태적 부담으로 도시 중심의 군장국 또는 소왕국들이 계속 망해서 주민들이 인근의 농촌으로 흩어지고 얼마 지나면 다시 이 농촌을 기반으로 한 새로운 소왕조가 일어나는 흥망성쇠를 되풀이했음을 알 수 있다. 기아와 전쟁 말고는 다른 인구

조절 방법이 없었던 그들에게 인구 증가로 인한 생태적 압박을 조금이라도 완화할 수 있는 방법은 죄수나 전쟁포로를 신의 이름으로 바치는 순장이나 인신공희밖에 없었을 것이다.

태양신은 핑계이고 사실은 그런 방식의 인구 조절로 자기 왕국의 쇠퇴와 멸망을 막으려는, 당시로서는 최선인, 일종의 생태적 지속을 위한 고육책이 아니었을까? 생태적 대책은 고사하고 모든 자연생명을 처참하게 난도질해서 온 산야에 피를 뿌리고 오직 사람과 도시와 공장 숫자만 증가시켜 생태계의 절멸을 재촉해가는 오늘의 문명인들이야말로 마야와 아스테카의 영혼들에게는 한 치 앞도 못 보는 참으로 한심한 미련 곰탱이, 진짜 야만인으로 비치지 않을까?

고대사회에서 잉여를 둘러싼 공동체 간 갈등과 사회계급의 분화로 전쟁이 잦아지면 포로나 노예 공급이 많아진다. 이 잉여 인력을 처리하는 방법으로 인신공희가 성행했을 것이라는 주장도 있다. 또 이의 연장선상에서 순장이 행해졌다는 학설도 있다.

순장이 말 그대로 스스로 따라 죽는 자의 장례가 아니고 강제장일 경우 그것은 확실히 두렵고 잔혹한 살인 행위다. 순장은 원시공동체에도 없었고, 중세에도 없던 고대 노예제 사회의 장제라고도 한다. 순장의 주인이 지배자인 한 피순장자 중에는 가신이나 가복도 분명히 있었을 것이다. 그러나 피순장자 중에는 주인공의 부인이나 가신 등이 스스로 따라 죽는 경우가 더 많았고, 그래서 '순장'이었다고 한다. 그것은 저 세상도 이 세상과 똑같은 세상의 연장이라는 내세관에 따른 것으로, 주인공의 사후 봉사를 위한 것이었다고 한다. 순장과 인신공희는 지배자를 천신의 후손으로 보고 그 신권을 인정하여 주민들이 스스로 추대해서 자발적으로 복종하던 제정일치적 군장사회 단계의 민중 세계관의 반영이라고 한다.

관료조직이나 무력을 장악해서 백성을 강제적으로 통제하는, 중앙집권적이고 제정이 완전히 분리된 단계의 왕국에서는 순장제도가 사라진다. 이때는 지배자나 백성의 세계관이 모두 합리적으로, 인간 중심적으로 바뀌고, 그래서 보다 세련되고 합리적인 고등종교가 통치 이데올로기로 등장한다. 신라에 불교가 도입되면서 지배자 매장 시 순장이 다른 물품의 부장으로 대체된 것은 물론 불교사상의 영향 때문이기도 하겠지만, 그것 때문만은 아니다. 불교와 같은 고급 종교의 도입 없이 더는 피지배자들의 복종을 끌어낼 수 없을 만큼 그들의 세계관이 바뀌고, 이를 지배하는 왕권도 보다 합리적으로 강화되었기 때문이다.

유라시아 초원지방의 순장 풍습은 수렵이나 유목 사회의 소산으로 볼 수도 있다. 그러나 백제나 고구려에는 없던 북방의 순장제도가 두 나라를 건너뛰어 한반도 남단인 가야에 나타났던 것은 기마유목민의 이주나 정복 탓만은 아닐 것이다. 농업사회 아닌 철의 왕국이라서거나 노예사회라서도 아니다. 그것은 가야왕국이 아직은 그 지배자에 대한 백성들의 복종이 자발적이거나 반(半)자발적인 제정 미분적 군장사회 단계의 소국연맹이었기 때문이다. 다시 말해 가야의 순장제가 설사 북방 유목민에 의해 도입된 장제라 해도 가야사회의 기층 자체가 그것을 수용할 수 있는 역사적 단계에 있었기 때문이라는 것이다. 한마디로 가야사회가 당시까지 중앙집권화되지 않은 원시적 민주사회였다는 증거다. 가야는 한반도 남쪽 끝자락에 자리잡은 땅이기에 청동기와 철기 문명의 세례가 비교적 늦었고, 따라서 국가 출현이 늦어짐으로써 비교적 오랫동안 원시사회적 민주성을 유지할 수 있었던 것이다.

가야왕국은 북방의 기마유목족이 세웠다

대성동과 양동리 고분에서 나온 세 개의 청동솥을 비롯한 청동제 용구들은 기마유목족들이 의례에 사용하는 제구와 같다고 한다. 또 이런 유적들은 만주로부터 멀리는 이란까지 중앙아시아 지역에 널리 분포되어 있다고도 한다. 순장, 1천2백 도 이상 가열해서 만드는 북방식 도질토기, 오르도스형 청동제 솥 등은 옛 부여의 중심지인 길림성 북부와 흑룡강성 남부에서 주로 발굴되는 유물들이라고 한다.

또 부산 동래 복천동의 11호 무덤에서는 3세기 말의 금동관이 출토되었는데 이는 원래 고구려보다 더 북쪽에 있는 종족들의 제사장이 천신의례 때 쓰던 유물로 신라 왕관의 원조라고 한다. 이 복천동 고분군과 대성동 고분군 간에는 유사점이 많아 두 집단은 가야 초기에 서로 정치연합을 이루었을 것으로 추정한다. 또 5세기 무렵의 신라와 백제 고분에서 출토되는 기마병의 철갑이 김해 대성동에서는 그보다 1세기 앞선 4세기 무렵의 고분에서 발굴된다.

특히 4세기 이후의 대성동 고분군에서는 그 시기보다 앞서 매장된 무덤을 완전 파괴하고 그 위에 다시 새롭게 설치한 김해형 목곽분묘가 발굴된다. 이는 선행 무덤에 묻힌 당신들은 나의 조상도 인척도 아닐 뿐 아니라 나와는 전혀 무관한 다른 계보의 사람이란 뜻을 노골적으로 드러내는 증거라는 것이다. 김해의 이런 고분 발굴을 주도한 부산의 고고학계는 이 모든 정황들로 미루어 가야왕국은 우리 사서에 기록된 기원 1세기(42년)가 아니라 그보다 훨씬 뒤인 3세기말 무렵에 북방 기마유목민의 일단이 들어와 정복적으로 세웠을 것이라고 추정한다.

하기야 이미 1세기 말 2세기 초의 재지세력(在地勢力, 선주토착세력)을 대표하는 가야 유적인 양동리 55호 고분에서도 북방적인 청동, 철제의 칼, 거울, 옥(玉)의 조합을 소유한 제정일치의 북방적 군장의 면모가 나타난다고 한다. 2세기 후반의 것으로 여겨지는 양동리 162호분에서도 북방 문물인 쇠솥이 출토되어 학계의 주목을 받았다. 이 솥은 평양 정백동의 53호 목곽묘에서 나온 것과 그 형태가 유사하고, 같은 정백동 고분에서 나온 청동기, 철기, 토기, 옥 등의 유물 분포상도 김해 양동리 162호분과 유사성을 보인다고 한다. 그러다가 3세기 후반 이후가 되면서 앞에서 얘기한 대로 고분의 축조가 양동리에서 대성동 쪽으로 집중되고 출토유물의 북방계 비중이 압도적으로 높아진 것이다.

이런 이유들로 기존 문헌사학계 쪽은 가야왕국의 출현을 북방 유목민의 정복에 의한 것으로 보는 부산 고고학계의 주장을 수용하지 않는다. 우선 고고학계의 주장처럼 이들의 출현을 민족이동을 포함한 정복적 성격의 것이라 할 때, 고구려나 백제, 신라 등의 육로를 통과함 없이 뱃길로는 대규모 이동이 불가능하다는 점을 문제로 삼는다. 그래서 이들은 가야 고분들에서 북방계 유물이 출토된 것을 '북방문화의 점진적 전파 · 파급론'이나 '교역론'으로 설명한다.

그러나 고고학계 쪽에서는 가야의 전신인 변진(弁辰)의 철을 강원도 동해안에 자리잡은 동예(東濊)에서 취해갔다는 『삼국지』 「동이전」의 문헌기록을 근거로 삼아 동예의 바로 북쪽, 동해안에 자리잡은 옥저(沃沮)도 변진과 철을 교역했거나 최소한 그에 대한 정보를 갖고 있었으리라고 추정한다. 그리고 최근의 고고학 증거로 미루어 이미 신석기시대부터 함경북도에서 경상도 김해에 이르는 해로는 개척되어 있었기에 그것이 얼마든지 가능했다고 단언한다.

신경철은 이 뱃길을 통해 남하한 북방 기마유목계를 부여의 유민으로 추정한다. 서기 285년에 부여는 모용선비족의 공격을 받는다. 이때 부여 왕은 자살했으나 왕족들은 옥저로 피신한다. 왕의 동생은 곧 옛 부여 땅으로 되돌아가 모용선비에 협력했으나 나머지 주력의 행방은 알려진 바 없다.

그런데 최근에 발굴된 포항, 울산, 부산, 김해 등지의 가야 시대 유적들이 이들의 물질문화와 함께 정신문화인 종교 · 장례의례의 흔적까지 나타내고 있다. 그렇다면 이는 그동안 행방이 알려지지 않은 부여 유민의 주력 일부가 그 해로를 통해 남하, 가야 왕국을 세웠다는 움직일 수 없는 확증이 아니냐는 것이다. 그러나 신경철의 이 부여계 남하설에는 이견도 있다.

가야 건국 주체의 부여계 설에 이견 있다

신경철의 이런 주장에 대해 지난 12월 4일 '가야세계문화축전' 자문회의 때 임진택 집행위원장이 "가야 건국 집단이 고구려계와 같은 종족이 아니냐?"고 물었다. 이에 신경철은 "디엔에이 상으로는 같다. 그러나 (문화는) 다르다"고 단언했다.

하긴, 3세기 말 이후 가야의 변화된 유물은 그 이전의 북방계나 고구려계와 전혀 다르며 고구려보다 더 북쪽에 있던 기마유목족의 것이라는 주장이 신경철 자신의 일관된 주장이다. 그런데 그가 가야의 건국 세력으로 보는 부여계는 고구려와 디엔에이가 같을 뿐만 아니라 문화도 같은 뿌리를 갖고 있다.

고구려는 송눈(松嫩) 평원 일대를 원주지로 했던 코리(Khori, 貊) 부족의 남하로 세워진 왕국이라고 한다. 『유라시아 초원제국의 역사와 민속』(민속원, 2001)을 쓴 박원길도 "『논형(論衡)』이나 광개토대왕비에 나오는 탁리국(槖離國)과 북부여는 흑룡강성 일대에서 오랜 옛날에 일시 성립했던 코리 부족 연맹체일 가능성이 높다"고 한다. 『논형』은 서기 27년에서 100년경에 살았던 왕충(王充)이 쓴 중국의 사서다.

『삼국사기』「고구려본기 제1」'시조 동명성왕조'에 의하면 고구려의 시조 주몽은 북부여가 가섭원(迦葉原)으로 천도하여 국명을 '동부여'로 바꾼 나라에서 자칭 천제의 아들인 해모수와 물의 신 하백의 딸 유화부인 사이에서 난생으로 태어난다. 활 잘 쏘고 말 잘 다루는 주몽은 동부여 금와왕의 일곱 아들들의 시기와 모함을 받는다. 이를 피해서 자기 추종자를 이끌고 졸본천(卒

本川)으로 이주하여 도읍하고 건국한 '졸본부여'가 고구려의 전신인 것으로 기록되어 있다. 즉, 고구려는 부여의 내부에서 일어난 권력투쟁과 갈등으로 탈출한 부여의 유민들이 세운, 부여를 계승한 부여계 왕국이라는 것이다. 고구려뿐만 아니라 백제도 주몽의 둘째 부인의 두 아들인 비류와 온조가 왕통 계승을 둘러싼 권력투쟁에서 밀려 남쪽으로 내려와 세운 나라로, 그 이름을 '남부여'라 부르기도 했던 부여계의 왕국이다. 그러므로 신경철이 가야 유물을 고구려와 다른 더 북쪽 기마유목계의 것이라고 주장하면서도 가야의 건국 주체는 고구려와 같은 문화종족인 부여족의 이주민이라고 주장하는 것은 명백한 모순이다.

그렇다면 3세기 말의 가야유물에 일대 변화를 가져오게 한 이주 세력은 누구일까? 재야 사학자 김상은 『삼한사의 재조명』(북스힐, 2004)에서 『삼국사기』「고구려본기 제5」'동천왕조' 중 19년과 20년(서기 245년과 246년도), 「백제본기 제2」'고이왕조'의 13년(서기 246년) 기사 등을 통해 이렇게 주장한다. 이들 기사에는 위(魏)의 유주자사 관구검(毌丘儉)이 낙랑태수 유무(劉茂)와 삭방태수 왕준(王遵)과 연합하여 고구려를 침략한 사실이 나온다. 이 기사를 통해 김상은 가야에 남하한 세력이 고구려군에 쫓긴 위의 패잔병일 것으로 추정한다. 초기 전투에서는 고구려가 크게 패했으나 남옥저에서 위의 추격군을 격파하고 고구려군이 신라 북변을 침범했다는 등의 기사로 미루어 종국에는 위를 크게 무찔러 신라 북변까지 내몰아 변한 땅의 가야로 도망가게 했을 것이라는 추론이다.

김상은 또 고구려를 침범한 위나라의 군사주력이 흉노 · 선비계일 것이라는 증거로 1904년 길림성(吉林省) 집안현(輯安縣)에서 발견된 '관구검의 기공비'를 내세우고 있다. 그 비문에는 고구려 토벌 기사와 그때 공을 세운 장수 명단이 나오는데 그중 가장 먼저 나오는 토구장군(討寇將軍) 오환선우(烏丸單于)는 왕국유(王國維)에 의하면 위나라에 항복한 우북평의 선비계 오환선우 구루돈(寇婁敦)이라는 것이다. 알다시피 '선우'는 흉노족의 추장을 지칭한다.

이 역시 하나의 추론에 불과하지만 신경철의 부여족 이주설에 비하면 훨씬 설득력이 높다. 우선 그 유물이 부여계 아닌 흉노·선비계라는 점에서 그렇고, 유물 매장시기와 침략 이주민의 이동시기의 일치 면에서도 그렇다. 어떤 집단이 타지에 이주하여 유물을 남기려면 최소 한 세대(약 20년) 이상의 세월이 필요하다. 그렇다면 이미 3세기 말인 서기 285년에 모용선비족의 공격을 받고 가야에 온 부여족이 3세기 말의 변화된 가야 유물을 남기기엔 그 이주 시기가 너무 늦다. 이미 3세기 말에 이주해온 이들의 유물은 4세기 초, 즉 320년대 이후에라야 남길 수 있다. 그러나 3세기 중반인 서기 245년에 고구려에 밀려온 위나라 패잔병이라면 그 유물을 3세기 말에 충분히 남길 수 있기 때문이다.

그러나 북방문화 전파·파급론에 대한 신경철의 반대 입장은 충분히 설득력이 있다. 그는 북방 특유의 양이부원저단경호(兩耳附圓底短頸壺)로 나타난 도질토기, 순장 등이 고구려와 백제 등 한반도 중간지역을 뛰어넘어 그 최남단인 김해 지방에 나타난 현상에 대해 설명하라고 요구한다.

북방문화의 가야 유입을 문헌에서 보이는 3세기 말 마한(백제)과 진한(신라)의 대서진(對西晋) 교역의 산물로 보는 견해에 대해서 신경철은 이렇게 말한다. "이것이 정말이라면 어느 곳보다도 서진(西晋)과의 교섭에 먼저 나선 지역, 즉 마한과 진한(경주)에 이러한 북방문화가 가장 먼저 반영되어야 함이 당연한데도 실제로는 교섭에 나서지 않는 지역, 즉 김해에 이런 북방문화가 먼저 나타난다는 점에서 수긍하기 어렵다. 또 단지 교섭에 의해 문물과 함께 순장과 같은 습속이 바로 반영될 수 있는지는 의문이다. 더구나 북방문화의 본격적 수용과 동시에 그동안 영남 공통의 목곽묘가 '김해형목곽묘'와 '경주형목곽묘'로 나뉠 정도의 긴장 관계를 '교역론'으로 설명할 수 있는지도 의문이라 하지 않을 수 없다."[1]

나는 이상의 두 가지 대립되는 주장 중에서 3세기 말에 북방 기마족의 정복적 출현으로 가야왕국이 건국되었다는 부산 고고학계의 주장을 지지한다. 단, 앞에서 이미 말했듯이 그 북방민족이 부여계라고 단정하는 점만 빼고 그렇다. 가야뿐만 아니라 신라왕국 역시 북방이주민의 정복적 출현으로 건국되었다고 나는 믿는다.

『삼국사기』 「신라본기」에는 "이에 앞서 조선의 유민이 산곡 사이에 분거하며 여섯 촌락을 이루었으니"라는 기사가 있는데, 이를 보면 신라의 6부조차 고조선 지역에서 온 유민으로 보는 것 같다. 『삼국유사』 제1권 「진한(辰韓)조」에는 "진(秦)나라의 망인들이 한국으로 가므로 마한의 동쪽 경계 땅을 떼어주자 서

1 신경철, 「금관가야의 성립과 전개」, 『金海의 古墳文化』(김해시, 1998), 30쪽.

로 불러 무리를 이루었는데, 진나라 말과 유사하여 혹 진한(秦韓)이라 한다"고 한 『후한서』가 인용되고 있다. 뒤이어 "진한은 원래 연(燕)나라 사람들이 피해 왔기 때문에 탁수(涿水)의 이름을 취해 살고 있는 읍리(邑里)를 사탁·점탁 등으로 부른다"(신라 사람들의 방언에 '탁(涿)'을 '도(道)'라 발음하기 때문에 지금 혹 '사량(沙梁)'이라고 쓰기도 하니 '양(梁)' 역시 '도'로 읽는다)고 한 최치원의 말이 인용되고 있다. 또 『삼국유사』「신라시조 혁거세왕조」에는 진한 육촌을 모두 소개한 뒤 "이 글을 상고하건대 이 6부(六部)의 시조는 모두 하늘에서 내려온 듯하다"고 한 기사가 있다. 고고학적 자료뿐만 아니라 이 같은 문헌사료도 신라왕국의 출현 역시 북방 유목민에 의한 것임을 강력하게 시사하고 있기 때문이다.

하긴 가야와 신라뿐만 아니라 마한, 변한, 진한, 백제 등 한반도 안에서 명멸했던 모든 고대국가를 세운 주체는 원주민이 아니고 원주민을 정복하고 들어온 고조선인들이거나 더 북쪽의 기마유목민족들이었다.

그러나 가야는 북방 유목민만의 나라는 아니다

고고학은 실증적인 증거에 토대하는 과학이다. 과학성은 물론 존중되어야 하지만, 내가 가야와 신라의 이주민 건국설을 지지하는 것은 그 과학성 때문만은 아니다. 고고학적 증거 말고도 다른 증거가 많기 때문이다.

고고과학은 주로 옛 무덤에 의존한다. 그런데 남아 있는 옛 무덤은 거의 당대의 지배자들의 것뿐이다. 예외가 간혹 있긴 하지만 백성들이 고고학적 흔적을 가진 무덤을 남긴다는 것은 거의 불가능한 일이다. 그래서 고고과학은 지배자의 무덤을 통해 지배자의 입장에서 세상을 보는 일면적 진실에 함몰되기 쉽다. 그 일면에 함몰되는 것으로부터 전면성을 구출해내자면 인류학, 민속학 등 인접한 인문과학의 협력이 필요한 것이다.

인문과학의 대상에는 물질적 실증이나 기록된 역사뿐만 아니라 구전되는 신화나 전설, 설화 등 모든 인문적 영역까지 포함된다. 구전 신화나 전설은 물론, 기록된 역사라고 다 정확할 리 없다. 역사기록도 기록 당시의 시대 분위기와 지배 이데올로기, 기록자의 입장과 이해관계 등 이른바 사관에 따라 굴절 조명된다. 더구나 신화와 전설은 여러 시대를 지나면서 밑바닥 민중의 염원이나 원망이 켜켜이 쌓이고 지배자들의 이데올로기와 관념까지 겹겹으로 덧칠되고 윤색되며 전승을 거듭하기 마련이다. 그래서 그것은 매우 혼탁하고 또 복잡다단한 층으로 구성되어 있다. 그러나 그것의 켜와 겹을 제대로 벗겨낼 수만 있다면 매장된 유물이나 기록된 문헌사보다 더 많은 역사적 진실에 도달하는 것도 얼마든지 가능하다.

『삼국유사』 제2권 「가락국기」에는 금관가야 이야기와 김수로왕의 건국신화가 실려 있다. 이에 의하면 원래 가야(변한의 구야국)에는 구간이라는 아홉 개의 부족장들이 모두 1백 호에 7만 5천 명이나 되는 마을 사람들을 나누어 다스리며 우물 파서 농사지어 먹고살았다고 한다. 그런데 후한 세조 광무제 18년 3월 계욕일에 구간들이 하늘이 시키는 대로 2백~3백 명의 주민들과 함께 구지봉에 올라 〈구지가〉를 부르며 땅을 파자 하늘로부터 금합에 담긴 여섯 개의 알이 내려왔다. 그 알 중에서 가장 먼저 깨어난 수로가 구간들에 의해 금관가야의 왕으로 추대되고 나머지 다섯 알에서 나온 사람들은 각기 다른 5가야의 왕이 되었다는 내용이다.

왕국의 출현에는 외래 종족의 이주 침략에 의한 정복적 출현과 재지세력들의 합의에 의한 추대적 출현의 두 가지 형식이 있다고 한다. 건국 시조나 씨족 시조의 탄생신화에도 두 가지가 있다. 하나는 하늘에서 직행으로 왕(시조)이 내려오는 천손강림신화이고 다른 하나는 무슨 큰 알을 통해 깨어나는 난생신화이다. 시조는 처음 시작이기 때문에 족보가 없다. 시조 자신이 족보의 시작인 것이다. 천손강림이나 난생의 시조 또는 국조신화는 그래서 뿌리와 족보 있는 재지세력이 아니라 뿌리도 족보도 없는(있어도 알 수 없는) 이주 또는 침략세력을 상징한다. 천손강림 신화는 주로 북방 유목민족들의 시조신화이고 난생신화는 주로 벼농사 지역인 남방 정착민들의 신화라고 한다. 단군 신화와 북부여의 해모수 신화가 전자에 속하고, 고구려의 주몽 신화와 신라의 박혁거세 신화, 그리고 가야의 김수로왕 신화는 후자에 속한다.

가락국의 수로왕 건국신화는 부산 고고학계의 주장처럼 이주민과 재지세력의 합의 추대라는 두 가지 형식을 모두 포함하고 있다. 수로왕의 난생신화는 북방적 시조신화는 아니고 남방적이지만 천마를 통해 주어진 알에서 탄생함으로 역시 정복적 출현을 의미하는 신화다. 그렇지만 알에서 나온 수로를 재지세력을 대표하는 구간들이 합의에 따라 왕으로 추대했기 때문에 재지세력의 합의추대와 결합되었다는 것이다.

이 같은 건국신화로 보나 고고학적 물증으로 보나 북방 이주민이 직접 들어왔다거나 북방 유목족과 관계가 깊은 재지세력들이 변한의 부족연맹 공동체를 가야왕국으로 강화했다는 것은 부인할 수 없는 사실인 것 같다. 사실 선주민(先住民) 또는 재지주민의 순수한 추대로 왕국이나 나라가 출현하는 예는 거의 없다. 거의 모든 나라가 이주민 또는 정복민에 의해 정복적으로 출현한다. 그래서 나라란 본질적으로 지배적이고 강압적인 것이다. 그러나 그렇다고 가야를 그들 북방민족만의 나라라고 할 수 있는가? 하긴 이들이 선주민들의 땅과 그 공동체를 빼앗아 지금까지 없었던 나라(왕국)라는 것을 세웠다면 그 나라는 그들의 것이 맞다. 이제까지 없던 나라라는 것을 만들어 원주민들의 땅을 빼앗고 그 공동체를 파괴했다는 점에서 그 나라는 그들만의 것임이 틀림없다.

그러나 이게 진실이라면 오늘의 중국이 고구려뿐만 아니라 고구려의 시조 주몽의 둘째와 셋째 아들인 비류와 온조 일행의 남하로 세워진 백제와, 더 북쪽 중국 변경의 기마유목민의 남하로 세워진 가야와 신라는 물론 고조선 또는 고구려의 유민들이 세운 한반도 내의 모든 고대국가들까지도 그들의 변경사에 편입시켜도 우리에게 할 말은 없을 것이다. 고구려가 중국의 변방사가 아니라면 가야도 그들 기마유목민만의 나라가 아닐 것이다.

정복(국가)주의적 관점에서 보면 고구려의 선주민을 정복하고 건국한 주체가 현재의 중국 영토에 속한 종족이고 그 땅 또한 현재의 중국 영토이기 때문에 고구려사는 중국사일 수도 있다. 그러나 원주민(또는 선주민) 공동체의 입장에서 보면 고구려는 한국사도 중국사도 아닌 고구려 지역의 선주민(원주민) 자신의 역사인 것이다.

가야 땅에도 선주민이 있었다

가야의 국조 김수로왕 신화는 쌀 농경지역인 남방계의 난생신화라고 했다. 이것은 가야 이전의 고조선이나 삼한시대에 이미 쌀 농경지역의 남방인이 쌀농사와 함께 가야 땅에 들어와 살고 있었다는 사실의 신화적 지문(指紋)인지 모른다.

김수로왕의 건국신화에서는 고대 인도의 아유타국에서 온 허황옥과의 혼인설화까지 추가되어 남방민의 한반도 이주설을 보강해준다. 물론 김수로와 허황옥의 결혼설화는 단순히 가야가 낙랑이나 중국, 인도 또는 일본과 가졌던 잦은 교역을 반영하는 설화일 수도 있다. 또 이런 교역에 따라 실제로 일어나는 먼 거리 혼인사례에다 이 설화를 기록한 고려시대 당시의 불교적 관념을 덧칠한 불교 전래의 신화일 것이라는 견해도 있다.

하긴 허황옥이 가져온 지참물 품목에는 자기에게 필요한 비단 옷가지와 패물들만 있었지 벼나 쌀이 있었다는 기록은 없다. 쌀은 오히려 허 황후를 배행해 온 15명의 뱃사공 일행을 본국으로 돌려보낼 때 김수로왕이 포 30필과 함께 10석을 주었다는 기록이 있다. 김해 지역에서는 김수로왕과 허황옥이 가야를 세우기 훨씬 이전, 어쩌면 구석기시대 말이나 신석기시대 초기부터 쌀이 이미 재배되고 있었을지도 모른다. 따라서 이 혼인설화는 쌀 경작 남방인의 이주설과 무관한 진짜 혼인설화이거나 남중국 지역 등과 행했던 잦은 물품교역을 상징하는 설화라는 견해가 맞을지도 모른다.

그러나 쌀 경작지역의 남방인 이주 흔적은 난생신화가 아닌 다른 곳에서도 나타난다. 비주류 쪽의 일부 언어학 관계자들은 한국어와 인도 드라비다어의 어문구조와 일부 단어의 유사성을 들어 한국어가 우랄알타이계가 아닌 남방계라는 가설을 제기하기도 한다. 또 최근의 의학계와 생물학계 일각에서는 한국인의 약 30퍼센트 이상이 벼농사 지역인 동남아시아인과 같은 유전자형을 가지고 있다며 고대 동남아시아인의 한반도 유입설을 과학의 이름으로 부추기고 있다. 이런 사실들을 근거로 지금부터 약 4천~5천 년 전, 아니 신석기시대 초기에 벼의 원산지인 동남아시아에서 직접 또는 양자강 남쪽인 남중국을 거쳐 그쪽 사람들이 볍씨와 재배기술을 가지고 쿠로시오해류를 타고 한반도에 왔다는 가설을 내기도 한다. 일본해류라고도 불리는 쿠로시오해류는 필리핀 동쪽 해상에서 뜨거운 바람에 의해 발생하여 유속 3~5킬로미터로 북상하다 그 일부가 오키나와의 서쪽에서 갈라져 나와 쓰시마해류와 제주해류를 이루며 동해와 황해로 빠진다고 한다.

4천~5천 년 전 한반도에 벼가 도입되었다는 설이 지금까지의 통설이다. 이 통설은 1992년에 김포에서 발견된 탄화왕겨의 탄소 측정 연대인 4721±50년과 거의 일치한다. 그러나 이 통설은 충북 청원군 옥산면 소로리에서 1998년에 약 1만 5천 년 전의 재배용 탄화볍씨가 발굴됨으로써 다시 흔들리고 있다. 소로리의 탄화볍씨는 이미 구석기시대 말에 한반도에서 벼가 자생했거나 아니면 벼의 원산지로 알려진 동남아 또는 남중국으로부터 벼농사가 해상을 통해 한반도로 직접 전래되었다는 설을 뒷받침한다. 그 증거로 한국해양연구소의 윤명철은 쿠로시오해류와 함께 중국 절강성(浙江省) 여조(餘姚)의 하모도(河姆渡)와 산동반도(山東半島)의 대장산도(大長山島), 요동반도(遼東半島)의 대련(大連) 지역과 압록강 하구의 단동(丹東) 지역에서 발굴된 5천~8천 년 전의 선박 유지와 동해안인 함경도 서포항구 유적지에서 발굴된, 6천 년 전의 것으로 보이는 고래 뼈로 만든 노와 같은 항해기구 유물을 든다.

벼농사의 4천~5천 년 전 남방 전래설은 벼농사의 시작이 아니라 우리 수전농의 남방으로부터의 전래를 뜻하는지도 모른다. 종전까지는 우리 수전농의 시작 연대를 신라 흘해이사금 21년(서기 330년) 김제 벽골제 축조 이전 무렵으로 잡고 있었다. 그런데 얼마 전 밀양시 산외면의 김해공항과 대구 간 고속도로 공사현장에서 한반도 청동기시대 초기인 지금부터 약 3천 년 전의 논 터와 물을 대는 보 터가 발굴됨으로써 우리 수전농의 기원의 하한선을 최소 3천 년 전으로 올렸다. 가야연맹의 전신이었던 변한 소국인 미리미동국에서 이미 3천 년 전에 지었던 수전농이 남방으로부터 한발 더 가까운 김해 가야연맹의 본국을 비켜 갔을 리 없다. 수전농은 이미 3천 년 이전, 어쩌면 5천 년도 더 전에 이 땅에 도입되었을지도 모른다. 논의 고고학적 유구가 나타나지 않았다고 그 사실이 반드시 없었다고 말할 수는 없지 않은가? 밀양에서 3천 년 전 청동기시대 논의 유구가 나타났듯이 또 언제 그보다 훨씬 오래된 논 터가 나오지 말란 법은 없다.

난생신화의 연원지가 남방 아닌 한반도의 북방이라는 반대 견해도 있다. 영남대 김화경 교수는 난생신화의 진원지가 쌀농사 원산지인 남방계라는 주장은 일제의 인류학자 미시나 아키히데의 문화권역설에 바탕한 한국기층문화의 이원론적 성격론에 근거한 것이라고 반박한다. 미시나 아키히데는 한국신화 연구를 통해 "한국 북부지방에는 북방대륙 계통의 수조신화(獸祖神話)와 만주와 몽고계통의 감응신화(感應神話)가 분포되어 있고 남부지방에는 남방해양계통의 난생신화와 방주표류신화(方舟漂流神話)가 분포되어 있다"[2]라고 보았다. 이 사실을 근거로 미시나 아키히데는 한국민족의 뿌리를 남퉁구스계인 북쪽의 예맥족과 남쪽의 한족(韓族)으로 양분했다. 김화경에 의하면 이는 한민족이 처음부터 이질적인 두 종족의 갈등과 지배를 내포한 혼합 종족이므로 이민족인 일제에 의한 한민족 분할통치도 정당하다는 식민사관을 합리화하는 논리라는 것이다.

이런 의구심을 품은 김화경은 『삼국유사』와 『삼국사기』에 등장하는 난생신화와 석탈해가 출발한 곳이 왜국의 동북 천리에 있다는 기록에 근거하여 그 진원지를 추적한다. 그 결과 미시나 아키히데가 주장한 난생신화의 가장 원초적인 형태인 조란형(鳥

2 김화경, 『한국 신화의 원류』(지식산업사, 2005), 15쪽에서 재인용.

卵型) 설화가 남방 아닌 캄차카 반도의 코리약 족의 구전설화임을 확인한다. 그래서 그는 우리 한반도 난생신화의 근원이 리만 한류와 북서계절풍을 타고 한국의 동해안을 따라 내려온, 발달된 청동기문화를 가진 시베리아계 어로문화 집단의 것이라는 결론에 도달한다.

물론 이런 주장도 가능하고 설득력도 있다. 그러나 나의 관심사는 석탈해와 같은 지배집단의 한반도 이주 신화가 아니라 그보다 앞서 벼농사를 가지고 이주해 온 선주민들에 있다. 그런데 이런 지배집단의 신화가 아니고 김화경의 「한국의 기층문화 형성의 신화 연구」 결과를 보아도 쌀 농경의 해양을 통한 남방전래설은 부정된다. 인류의 탄생신화(출현신화)와 이 땅의 농경 출현을 암시해주는 곡모신 신화와 시체화생신화도 중국의 서북부 지방에 근원을 두고 있다고 한다. 이런 유형의 신화가 만주의 동북지방이나 산동반도로 들어왔다가 다시 육로로 한반도에 들어왔다는 가설이다. 농경신화를 가진 이주민들이 북쪽에서 육로를 통해 들어왔는가 아니면 해로로 남쪽에서 왔는가를 밝히는 일도 중요하다. 그러나 내게 더 중요한 것은 뒤늦게 나타난 이주민 집단이 나라라는 것을 내세우기 훨씬 이전에 이미 한반도에 들어와 농경으로 정착한 선주민이 있었다는 사실이다.

학문이란 것을 해서 밥 먹고 사는 사람들은 거의 다 그렇지만, 특히 유형의 문화유산으로 밥 먹고 사는 사람들은 그것의 가시적 가치에 대한 해석이나 미화에만 능했지, 그것을 있게 하기까지 들었을 민중의 고통을 생각하는 데는 인색하다. 지배자들의 웅장하고 화려한 무덤이 있다면 그것의 축조에 동원된 고통받는 피지배자들은 엄청나게 많게 마련이다. 지배자의 무덤이 많은 가야 땅이라면 피지배자가 더 많을 것은 불문가지. 지배자의 많은 무덤 자체가 그 증거들이다.

선주민들은 이미 신석기시대부터, 어쩌면 그보다 더 오래전에 이 땅에 살고 있었을지도 모른다. 김해 근방에 산재한 조개무덤들은 일찍부터 이 지역에 사람이 살았다는 증거이면서 이 지역 사람들의 생업이 주로 어로였다는 증거이기도 하다. 기록된 증거가 매우 희귀한 시대인데도 이에 관해서는 기록된 증거까지 있다. 『위지』「동이전」 변 · 진한조의 "왜와 가까운 곳(해안)의 남녀들은 또한 문신을 한다"는 구절과 같은 책 「왜인전」의 "바다에 잠수하여 조개를 잡을 때 큰 물고기와 물짐승을 피하기 위한 위장술로 문신을 했다"는 내용이 그것이다.

그러나 가야왕국은 조개무덤을 남긴 김해 부근 해안지대에만 국한된 나라가 아니다. 진례, 진영, 한림, 이북, 생림, 상북 등의 산간 내륙과 낙동강 연변까지가 가야의 영역이었다. 또 낙동강 수운이 미치는 경상도 내륙 깊숙한 곳과 남해안과 멀리 섬진강 상류까지 최소 6개에서 최대 30여 개 소국이 가야연맹을 이루고 있었다.

앞에서 말한 밀양의 청동기시대 논 터와 밭 터 외에 가야 지역 수전농경의 시작연대를 더 높여줄 증거는 아직 나타나지 않고 있다. 그러나 농경사회의 일정한 단계를 반영해주는 민무늬토기와 지석묘군은 가야연맹 지역 도처에 퍼져 있다. 김해의 금관가야 지역에만도 구 김해읍의 부원동, 봉황동, 동상동, 서상동, 풍유동, 내동, 구산동, 대성동과 대동면의 예안리, 부산의 강동동,

주촌면의 양동리와 망덕리, 장유면의 무계리와 신문리, 진영읍의 신용리 등지에 지석묘군이 퍼져 있다. 이것은 최소한 기원전 7세기 이후로는 이 지역도 상당한 수준의 농업사회에 진입해 있었다는 증거라고 한다.

물론 가야문화의 기반이 어로와 농업에 있었다 해도 그것은 어느 시대 어느 사회에서도 다 그랬던 보편적 현상이다. 때문에 가야라면 먼저 떠오르는 철 생산과 그것의 활발한 교역을 가야의 아이덴티티로 보아야 한다는 주장은 매우 설득력이 있다. 철의 제국까지는 모르겠고 철의 왕국이었음은 사실일 것이다. 철의 극히 일부는 선주민들의 농경에 필요한 농기구 제작에 쓰였을지 모르지만, 유감스럽게도 철제 농기구를 부장한 지배자의 무덤은 극히 일부에서 예외적으로만 나타나고 있다. 철 생산과 교역은 생산과 교역에 종사한 선주민들을 위한 것이 아니고 권력을 가진 일부 지배자들의 교역과 치부를 위한 수단이었다.

철은 철제무기를 앞세운 침략과 정복의 상징이다. 그래서 철제무기를 한발 앞서 가진 북방의 이주 세력이 어떤 경로론가 가야 땅에 들어와 소국과 연맹체를 세울 수 있었는지 모른다. 그래서 철의 생산도 신라나 백제 지역에서보다 한발 앞서 많이 했는지도 모른다. 그러나 그 교역으로 철의 제국을 세운 것은 아니었다. 일찍이 철제무기를 도입한 가야의 위협에 대한 신라와 고구려 연합군의 공격 때문이라고 하지만 철의 가야는 제국은커녕 주변의 신라와 백제에 대해 힘 한번 제대로 못 써보고 그들 나라보다 먼저 망했다. 그래서 철의 왕국도 가야의 정체성이라고 할 수 없다.

신경철은 옛 김해 지역은 농토 아닌 바다였기 때문에, 또 함안, 고령 등 다른 가야연맹 맹주국 지역도 지금과 같은 농토가 아닌 자갈 땅이었기 때문에 철을 일본 등지에 수출해서 일본의 쌀과 소금을 수입해 먹었을 것이라는 과감한 추론을 내놓기도 했다. 그것이 왜 과감한 추론이냐 하면 고고학적 유물만을 금과옥조로 삼는 고고학자가 고고학의 토대인 유적 발굴에 의한 물증 없이 상상에 의한 추론을 했기 때문이다. 철을 수출했다는 증거는 있어도 쌀 수입에 대해서는 기록도 물증도 없기 때문이다. 그리고 앞에서도 말했지만 김해평야가 당시에 바다에 잠겼다고 해서 그 배후지역인 진례, 진영, 한림, 이북, 생림까지 모두가 바다에 잠기지는 않았다는 사실을 외면했기 때문이다. 무엇보다 큰 문제는 김해 가락국이 주도한 전기 가야는 최소 여섯 개 이상의 쌀 농경 소국들을 거느린 맹주국이었다는 사실을 외면하고 일본의 쌀만 본 데 있다. 이미 1만 5천 년 전 석기시대부터 이 땅에재배되어온 벼가 유독 한반도 남쪽 가야연맹 지역을 피해갈 수 있다는 것인가?

가야연맹은 청동기시대 논 터가 발굴된 밀양시 산외면처럼 수원이 좋은 골짜기와 진주시 대평면 어은리의 청동기시대 밭 유구가 증명해주듯이, 강물의 범람으로 비옥한 낙동강변까지 농경지로 경작했던, 농경을 기반으로 한 소국이었다. 그렇다고 가야의 정체성을 어떤 사회에서나 보편적인 어로와 농경에서 찾자는 말은 아니다. 다만 가야뿐만 아니라 그 어떤 사회도 농경이나 어로를 전제하지 않는 그 어떤 정체성이 있을 수 없다는 점을 강조하고 싶었던 것이다.

내가 가야사회의 농경성에 대한 학자들의 외면이나 경시, 그리고 김해평야의 소멸에 대해 안타까움을 거듭 표명하자 이 축전의 자문위원으로 참가한 한 민속학자는 무심중에 이런 말을 흘렸다. "김해평야 시절, 김해가 농촌이었을 때는 가난해서 축전을 못했는데 지금은 개발로 돈이 있으니까 이런 축전을 하지 않겠느냐"라는 말이었다. 이 말이 떨어지자 나는 그 말에 흙먼지라도 묻을세라 즉시 이렇게 되받았다. "김해가 농촌이던 시절에는 마을마다 마을굿(축전)을 했는데 또 무슨 관청의 축전이 필요했겠느냐?" 그러자 그 민속학자는 무심중의 자기 말실수를 그대로 인정한 듯 "하긴 그렇지요"라고 했다.

하긴, 가난했던 농경사회에서도 주민 주도의 각 마을굿과 함께 관민 합동으로 벌인 고을축전인 농경제의가 전혀 없었던 것은 아니다. 조선 후기의 사대부 이학규(李學逵, 1770~1835)가 김해에서 유배생활을 할 때 쓴 다음과 같은 '입춘춘경제(立春春耕祭)'에 관한 글이 그 증거다.

> 그 법은 본래 『예기』 월령 중의 동교(東郊)에서 봄을 맞이한다는 뜻으로부터 비롯된 것이다. 일찍이 김해의 입춘일을 보니, 주사(州司, 고을 관아)에서는 나무로 소를 만들고 호장(戶長)은 공복을 갖추어 입은 다음 징을 울리며 앞에서 인도하여 동쪽 성문 밖으로 나아간다. 그리고 영춘장(迎春場) 내에서 신농씨에게 제사 지내는 것을 끝낸 후 나무소를 밀면서 땅을 경작하는 시늉을 하는 것이다.[3]

3 이태진, 『의술과 인구 그리고 농업기술』(태학사, 2002), 40~41쪽에서 재인용.

향리의 우두머리인 호장이 주관자가 되는 관민 합동의 이런 춘경제의(굿) 말고도 고려조부터 조선시대까지의 공식적인 춘경제의로 지방의 수령이 주관하는 사직제(社稷祭)도 있었다. 물론 사직제는 농민공동체를 위한 굿이 아니고 농경 관리와 농민 지배를 위한 유교식 제사였다.

농경관리권이 씨족이나 부족공동체에 있던 시절에는 축제와 정치가 그 공동체에 통일되어 속해 있었다. 제정이 분리되면서부터는 농경관리권(수조권)의 대부분을 정치권력이 빼앗아갔다. 그럼에도 전통 마을 농촌공동체 사회는 비록 수조권을 지배층에게 빼앗겼지만 농경노동과 함께 풍농을 기원하는 마을굿(축전)만은 그대로 간직하고 있었다.

그런데 농촌의 마을공동체에서 그런 마을굿(축전)마저 완전히 소멸되어간 때는 지금부터 40년 전쯤부터고, 그것을 빼앗아간 주범은 공업화와 그에 따른 농업의 산업화다. 농촌공동체로부터 마을굿을 소멸시켜간 물량주의적 산업사회지만 물량만으로는 무언가 못 채운 허전함이 있었던가? 이제는 각 지방관청들에서 산업화된 도시에다 이미 스스로 소멸 파괴시킨 마을굿까지 자기 것으로 재현하려는 축전의 홍수, 축전의 난장판을 경쟁적으로 벌이고 있다. 그런데도 돈이 있어 관청 주도로라도 축전을 벌이니까 좋기만 한가? 하기야 잘만 하면 안 하는 것보다야 나을지도 모른다.

생태적 수운(水運)에 기초한 소국연맹

가야연맹국들의 진정한 정체성은 주변 삼국이 모두 중앙집권 국가를 형성했다가 망해간 데 비해 이 소국연맹들만이 유독 연맹단계에서 역사무대로부터 사라져준 데 있지 않을까? 왜 가야 소국들만이 중앙집권을 이루지 못하고 사라져갔을까? 그 주된 이유를 『미완의 문명 7백 년 가야사』의 저자 김태식은 서로 간의 견제를 통한 소국들의 고른 발전에서 찾고 있다.

그렇다면 왜 다른 주변지역과는 달리 가야 지역에서만 서로 간의 견제가 가능했고, 고른 발전을 이룰 수 있었을까? 여러 가지 역사적·사회적 이유를 추상해볼 수도 있겠지만 가야의 각 지역 소국들이 큰 산 또는 강 등 지리적 또는 생태적 장애물로 분리되어 있었다는 점을 들 수 있다. 특히 우리가 주목해야 할 것은 가야연맹국들이 마치 해안을 끼고 공존했던 고대 희랍의 도시국가들처럼 낙동강, 남해안, 섬진강 등지의 물을 낀 수변국가들이라는 점이다. 당시의 물은 오늘의 고속도로와 같은 역할을 했다. 육로와 자동차가 없던 당시로서는 가장 빠른 시간 안에 다량의 물자 수송과 문화 교류를 가능하게 해주는 유일한 교통수단이었다. 육로가 없기도 했겠지만 만든다 해도 당시로서는 육로로는 물길에서만큼 빨리 그리고 많이 교류할 수가 없었다. 이렇게 자유로운 물길을 통해 물자와 문화를 물물교환 식으로 교류하고 사는 열린 사회끼리는 경제적·문화적 격차가 크게 날 수 없을 것이다. 자유로운 물길에 의존한 활발한 교역이 서로 간의 감시와 견제를 가능하게 했고, 또 그래서 물질적 수준도 비교적 균등한 상호 공존이 가능했던 것이다.

그러나 교역은 국가사회로 가는 길이다. 수운교역이 활발했음에도 불구하고 가야가 미처 중앙집권적 왕국을 이루지 못한 또 다른 이유는 아마 가야 소국들이 아직도 내부적으로는 권력의 집중을 막는 원시농촌공동체적 혈연이나 씨족에 기초한 부족사회 수준을 지속하고 있었기 때문일 것이다. 어떤 이유에서건 간에 가야연맹의 정체성은 수운교역 지역연맹에 있다. 바람, 물 흐름, 노 등을 이용하는 수운은 가장 원시적인 교통수단인 동시에 생태적 파국이 극에 달한 오늘날을 사는 우리가 전망할 수 있는 가장 첨단적인 미래의 대안 교통수단이기도 하다

사람이 사는 데 교역은 필요악일 수 있다. 그러나 모든 일이 그렇듯이 그것에도 정도와 한계가 있어야 한다. 그 정도와 한계가 가야연맹 소국끼리 실시했던 수운교역이 아닐까 한다.

철의 수출 항구였던 김해가야는 신라에 합병당한 뒤 금관군, 가야군이 되었다가 신라 경덕왕 16년(757년)에 그 이름이 '김해경'으로 바뀐다. 그 뒤 '임해현', '금주안동도호부', '금녕' 등으로 다시 몇 차례 바뀌었다가 고려 충선왕(1309~1313년) 때 다시 '김해'로 환원되었다고 한다. 그로부터 약 7백 년 만에 이름 그대로 쇠바다(金海)가 되었다. 철의 제국을 찬미하는 국수적 제국주의자들은 이것을 발전으로 보고, 지금보다 더 많은 교역을 통해 세계 속의 김해가 되기를 바랄 것이다. 그러나 쇠와 금의 바다는 생명의 바다 아닌 죽음의 바다다. 더 이상의 쇠붙이와 교역은 삶이 아닌 파멸만 앞당길 것이다. 그런 뜻에서 가야가 중앙집권적 철의 왕국이 되기 전 소국연맹으로 끝마친 것은 차라리

다행한 일이다.

설사 가야의 정체성이 철 생산과 그 교역에 있었다 해도, 그것은 주로 그 지배층의 이익에 봉사했지 가야 백성의 것은 아니었다. 그런데도 철의 제국이니 제4제국이니 하며 가야 전체를 지배 이데올로기적으로 포장하는 심리는 어디에 뿌리를 두고 있을까? 그것은 자기 자신을 지금의 이 시장제국주의 경쟁에서 이긴 영원한 승자 계층인 양 착각하고 또 그것을 합리화하는 부국강병식 국가주의, 또는 국수주의적 이데올로기와 맞닿아 있을 것이다.

물론 농업공동체 사회라고 모두 평화로웠던 것은 아니었다. 앞에서 잠시 언급한, 지금부터 약 2천5백 년 전 청동기시대 삼한의 유적인 진주 대평면 어은마을의 밭 유구의 인근에서 40여 기의 무덤이 발굴되었다. 그중에는 머리 없는 인골 무덤, 인골은 삭아 없어지고 석재 화살촉만 남은 무덤 등 전투로 사망한 흔적이 역력한 무덤들이 여럿 발굴되었다고 한다. 또 90여 채의 집터가 있는 인근 마을의 경우, 마을 앞에 깊이가 150센티미터, 길이가 3백 미터나 되는 해자가 있고, 그 해자 안에 다시 2차 방어 시설인 목책까지 있음이 발견되었는데, 이는 그 전쟁의 치열함을 말해준다.

부여군 석성면 송국리에서도 같은 청동기시대의 마을 터와 목책이 불탄 채로 발견되었다고 한다. 마을은 네모난 집터 위에다 석기 제작의 흔적이 있는 둥근 집터를 이중으로 남기고 있다고 하는데, 이는 석기를 제작하던 둥근 집터의 마을 사람들이 네모난 집터의 농경마을을 공격하여 불을 지르고 그 위에 다시 자기

식의 집을 지었다는 증거라고 한다. 한반도뿐 아니라 그런 유적은 세계 어디에나 있다.

그러나 농경공동체 시대의 전쟁은 농경공동체에 대한 비농경공동체(이주민)의 식량 확보를 위한 침략이거나 농경공동체끼리의 우열다툼이었지 공동체 내부에서 발생한 전쟁은 아니었다. 이들 공동체들이 무력 전쟁을 벌이는 대신 가야연맹처럼 평화적 교역으로 부를 비교적 균등하게 나누었다면 폐망하는 대신 모두 공존공영 했을지도 모른다. 그러나 그때는 인신공희나 전쟁만이 인구 조절의 수단이던 야만의 시대였다.

지금은 야만의 시대는 가고 세계화 교역의 시대가 왔다고 한다. 하지만 생태적 정도와 한계를 넘어도 너무 넘어버린 세계화 교역문명은 야만시대의 전쟁보다 더 폭력적이고 무서운 약육강식이다. 야만의 시대에는 인간만이 희생물, 지배자의 제물로 바쳐졌지만, 지금은 인간과 함께 모든 자연생명까지 인간교역의 희생제물로 바쳐지고 있다. 수운교역도 가야연맹 수준의 생태적 교역이라야 지속 가능하지 지금처럼 그 한계를 넘으면 더 무서운 광란의 파괴가 된다.

수많은 문전옥답들이 도시와 공장 터로 이미 파괴돼갔다. 이제는 산까지 맞구멍을 내고 아예 까부숴서 파헤치고 있다. 까부순 산 흙으로 들판에다 다시 산 같은 둑을 무지막지하게 쌓아 공장 터를 닦거나 새 찻길을 낸다. 악마의 신전 같은 시멘트 쇠기둥을 땅의 심장 깊숙이 박아 온 산과 들이 피 흘리게 하며, 이웃 마을과 마을, 사람의 마음과 마음을 갈가리 찢어가는 광란의 찻길 닦기로 도로공화국, 토목공화국이 날로 번창하고 있다.

온 바다 밑을 샅샅이 뒤지는 첨단 조업으로 온 바다 밑이 쓰레기 폐기장이 되어간다. 오대양을 누비는 무역선들이 짐을 부리고 빈 배가 되었을 때 풍랑을 대비해서 배 밑에 채워 넣는 바닷물의 세계적 이동과 뒤섞임으로 온 세계의 바다생태계는 되돌릴 수 없는 파국에 빠져들고 있다고 한다. 누구를 위한 교역인가? 지배자를 위한 교역인가, 교역을 위한 교역인가?

인간에게 이성이나 영성이란 것이 있기나 한 건지, 있다면 그것을 믿어도 되는 것인지. 그것이 무엇인지 모르지만, 우리는 누구나 적어도 오늘의 이 광란이 인류뿐만 아니라 온 지구 생명을 파멸시킬 재앙이라는 것쯤은 부인하지 못한다. 이 위기와 광기의 시대에 우리에게 가장 절박한 화두는 무엇일까?

가야의 정체성을 원거리 교역과 전쟁을 수행할 무장을 갖춘 전사단의 역동성이라고 규정하는 신경철 교수 자신도 3세기 말 기마전사단이 도래하기 이전까지의 구야국은 동아시아 교역의 중심지이자 고도로 발달된 문화를 발전시키면서 평화를 지향한 소국이었다고 했다. 평화의 구야부족 소국이 전사적 역동성을 지닌 가야왕국이 되었다 해도, 그것은 지배자가 그렇게 바뀐 것이지 가야 주민이 전사적으로 바뀐 것은 아니다. 전사적 역동성과 평화 중에 어느 것을 가야의 정체성과 가야축전의 주제로 받아들일 것인가는 오늘의 이 시대를 사는 사람의 역사관과 가치관에 따라 결정할 문제다.

서양식 사고와 서양말을 흉내 내지 않고는 언어 소통이 어려워지는 시대에 우리가 살다 보니 '축제'니 '축전'이니 하고들 있지만 사실은 '굿'이다. '축전'이라 부르건 '굿'이라 부르건 그 행위의 본질은 살림을 기원하는 의례와 의례놀이에 있다. 축전이 곧 기원의례라면, 이 파괴와 전쟁, 죽임의 시대에 옛 가야의 생태적 수운교역과 그에 토대한 지역연맹을 되새기는 '평화와 공생'보다, 그리고 '자치'를 살리는 것보다 더 크고 더 절박한 기원이 또 무엇이 있겠는가?

그런 뜻에서 '평화와 생명', 그리고 '오래된 미래'를 주제와 컨셉으로 잡고 이에 맞는 의례와 놀이를 프로그램화할 '가야세계문화축전 2005, 김해'는 오늘날 자행되는 생명 파괴와 죽임의 공범자인 우리가 그 죄를 조금이라도 사면받을 수 있는 하나의 기회이자 선택이라고 나는 생각한다. 동시에 이 가야축전이 죽임의 쇠바다를 공존 공생이 교역되는 생명의 바다, 살림의 김해 땅으로 되살리는 본연의 살림 기원 굿이 되길 나는 기원한다.

(『녹색평론』 2005년 3 · 4월호)

지역 전통축제와 그 정체성의 계승

요즘 지역축제가 경쟁적으로 경연되고 있다. 그것 자체가 문제되거나 나쁠 것은 없다. 그러나 한편으로 요즘의 축제가 지방자치단체의 상업주의와 정치적 선전·과시주의에 너무 치우쳐 있다는 지적이 많다.

우리 전통축제인 마을굿도 마을마다 경쟁적으로 경연되어왔고 상업성과 정치성이 완전히 배제된 것은 결코 아니었다. 탈춤굿은 전통마을의 해체와 근대시장 형성을 반영하면서 또 그것의 확대에 일정하게 공헌했다. 굿의 본질은 일상으로부터의 한시적 탈출과 정서적 해방공간의 형성에 있다. 전통 마을굿은 요즘처럼 표 관리를 해야 하는 지방 토호들이 직접 개입하는 정치선전장은 아니었다. 그러나 그 또한 지배계급의 암묵적 용인 아래, 지배계급에 의해 억압된 민중정서를 일정 부분 해방(카타르시스)시켜주는 정치적 해방공간의 역할을 한 것을 부인할 수 없다.

그러나 전통축제의 뿌리는 민중생활에 있고, 그 이념 또한 민중의 삶의 질을 드높이는 데 있다. 전통시대의 모든 마을축제의 이념과 정체성은 만백성의 풍농과 마을 주민들의 안녕을 기원하는 데 있었다. 그러나 마을축제의 이념과 정체성(목표와 주제)이 같다고 해서 각 마을에서 전개되는 축제의 형식과 내용이 똑같은 것은 아니었다. 전통마을의 대동굿이 마을 수호신인 서낭을 기리는 당산굿으로 출발하는 것은 같았으나 그것을 무당굿 중심으로 하는 마을도 있고 풍물굿 중심으로 하는 마을도 있었다. 그 마을굿의 내용인 대동놀이를 지신밟기 등 마을 단위의 풍물굿으로 끝내는 마을이 있는가 하면, 정월대보름의 쥐불놀이, 놋다리밟기, 차전놀이, 석전놀이, 나무쇠싸움, 줄굿처럼 여러 마을이 연합하여 할 수 있는 다양한 대동놀이로 크게 연장시켜 끝내는 마을도 있었다.

이와 같이 오늘날의 축제도 이념은 대동적이되 그 이념적 정체성을 드러내는 축제 형식은 지역에 따라 독창적이어야 한다. 그렇지 않고 성공했다는 남의 축제나 천편일률적으로 모방하고 재탕하는 축제는 진정한 축제와 거리가 먼, 소수 지배층의 이익이나 대변하는 정치적 · 상업주의적 대중몰이에 지나지 않을 것이다.

영산줄굿의 대동성과 현재성

내 고향 영산에서는 줄굿을 다른 지역 마을보다 오래 보존해

온 덕택(?)에 그것을 국가의 중요문화재로 지정받아 지금까지 전승해오고 있다. 이 줄긋도 애초에는 마을 단위의 소규모 줄 놀이였을 터이지만, 이 놀이를 하던 인근의 여러 마을들이 연합하여 큰줄을 겨루는 지역연합 대동긋으로 전개시킨 것이다.

현재 영산긋(축제)의 정체성(주제)은 국가에서 지정받은 줄다리기와 쇠머리대기라는 두 대동 민속놀이에 있다. 영산의 문화적 정체성으로 인해 다른 지방에도 있던 이 두 개의 민속놀이가 오랫동안 보존되다 국가로부터 문화재로 지정받아 오늘날까지 전승되었을 것이다. 그러나 그 역도 진실이다. 다시 말해 이 두 민속놀이를 국가 지정 형태로나마 전승시켜감으로써 오늘날의 영산의 문화적 정체성을 유지하고 확대시켜가는 데 크게 이바지할 수도 있다. 영산면이 소속된 창녕군은 잘 몰라도 '영산' 하면 '줄긋의 고장'을 연상할 만큼 그것은 영산의 문화적 정체성과 자존심을 상징하게 된 것이다.

일개 면소재지가 줄과 쇠머리대기라는 국가지정 무형문화재를 두 개나 갖고 있어 그 면이 소속된 군소재지보다 지명도가 더 높은 데 배 아픈 창녕읍 유지들이 한때 '비사벌문화제'라는 별도의 축제를 시도했다. 하지만 아무런 전통이나 정체성도 없이 급조된 이 문화제는 독자적으로 유지하기가 어려워 지금은 창녕군민의 날 행사와 합쳐서 명맥만 겨우 이어가고 있다. 그래 봐야 영산문화제만큼 사람을 모을 수 없게 되자 요즘은 정월대보름 무렵에 창녕읍의 주산인 화왕산의 억새평원에다 불을 지르는 지극히 반생태적이고 상업주의적인 현대판 쥐불놀이인 '화왕산 억새태우기'로 사람들의 이목을 끌고 있다.

영산줄굿의 정체성은 그 만드는 일과 놀이의 대동성에 있다. 처음부터 마지막까지 대동 없이는 불가능한 것이 줄굿이다. 줄 만들기의 시작인 낱줄 드리기만 해도 세 갈래로 나누어 드리는 짚 꼬기에 각기 한 명씩 세 사람이 필요하다. 줄을 드릴 때 당겨오지 않도록 잡고 있다가 줄이 일정한 길이로 드려지면 잡아당겨주는 일을 하는 한 사람을 합해 최소 네 사람이 없으면 줄드리기 자체가 불가능하다. 그러나 제대로 줄을 드리자면 짚을 계속 이어서 꼬아 줄을 드려가는 세 사람 옆에 각각 한 사람씩 붙어 서서 짚을 집어줘야 제 속도로 줄을 드릴 수 있다. 그러니까 한 개의 낱줄을 꼬는 데도 최소 일곱 사람이 한 조를 이루어야 제대로 일이 진행된다.

본디의 줄보다 크게 축소된 요즘에도 한 쌍의 큰줄을 만드는 데 최소 60미터 이상 되는 낱줄이 최소 1백 가닥 이상 있어야 한다. 몇 군데 나누어서 줄을 드린다 해도 한 마을에서 이것을 감당하기는 어렵다. 그래서 줄굿은 여러 마을이 함께 동참해야 하는, 마을 대동을 필요로 한다. 이렇게 만든 낱줄을 몸줄로 만들 장소로 옮겨 가는 일, 그 줄을 나란히 깔아 엮는 일, 엮은 줄을 덕석처럼 똘똘 말아 단단히 꼬는 일, 꼰 몸줄을 꼽친 두 가닥 몸줄을 한데 묶고 줄목을 감는 일 등, 줄굿의 모든 과정은 많은 사람이 호흡을 같이하는 대동의 연속이다.

이렇게 만든 큰줄을 옮기고 당기는 일은 줄굿의 대동성 중에서도 그 절정을 이루는 것임이 물론이다. 이처럼 많은 사람들이 모여서 벌이는 모든 대동판을 옛사람들은 '굿판' 또는 '굿'이라고 했다. 요즘 말로 '문화제' 또는 '축제'인 것이다.

이처럼 전통 대동굿은 요즘의 억새 불지르기나 축구 같은 스포츠가 주는 열광과는 차원을 달리한다. 전자는 각자가 주인공으로 참여함으로써 더 신명이 난다. 그러나 후자는 아무리 많은 사람이 몰려와 열광해도 그것을 주도하고 그것으로 재미를 보는 주체는 다른 사람이니, 구경꾼이 덩달아 흥분하는 덩더개(흘레하는 개 옆에서 덩달아 흥분하여 낑낑대는 개)와 같은 처지이다.

1980년대 대학가의 화두는 당연히 군사독재 타도를 통한 사회민주화와 대동세상의 실현이었다. 당연히 모든 대학 축제의 주제나 정체성도 민주 대동세상이었고, 축제의 이름도 모두 무슨 '대동제'였다. 이름이 '대동굿'이 아니라 '대동제'였던 것에 약간의 아쉬움이 없지는 않았지만, 전통시대도 아니고 민주화를 지향하는 시대에 굳이 전통을 국수적으로 보존하고 정체화하는 것도 이상한 일이다. 어쨌든 그런 분위기 속 대학가의 대동제와 딱 들어맞는 코드는 전통 줄굿이었다. 그래서 1980년대는 이미 농촌 마을공동체와 함께 사라져간 줄굿이 대학공동체에서 부활했던 시대이기도 했다.

대학 구내에서 학생들이 셋 이상 모여 담소를 해도 불법시위 혐의로 연행당하기도 했던 살벌한 시절인 1983년이다. 서울대 운동권 학생들이 당국이 불허하는 대동제에서 영산줄굿을 주된 종목으로 도입 경연하겠다며 한 학생이 영산을 찾아왔다. 그 학생에게 내가 줄굿보다 더 큰 대동굿은 과거에도 없었고, 앞으로도 아마 만들어낼 수 없을 것이라며 줄굿의 대동성을 강조했다. 그러자 그 학생은 자신이 줄굿보다 더 큰 대동놀이를 만들어내어 보여주겠다고 내게 호언했다.

당국이 불허한 축제라 학생회 예산을 못 타 쓰다 보니 학생들이 추렴한 돈과 축제 기간 중 학내에서 했던 막걸리 장사 등의 수입으로 축제를 밀어붙이고 있었다. 그러다 보니 큰줄 재료인 짚도 줄 당기는 날 겨우 사흘 전에야 준비되었다. 그나마 앞에서 말했듯이 내놓고 줄을 만들 수도 없는 살벌한 분위기였다. 대학 캠퍼스의 외진 곳을 골라 숨다시피 해서 줄드리기를 시작했다. 게다가 줄 관계 일을 연락하는 학생도 줄을 실제 만드는 학생도 당국에 얼굴이 노출되는 것을 피하고자 한 번만 잠시 나타난 뒤 다른 학생으로 바뀌는 분위기였다. 이런 최악의 상황에서 도저히 불가능하리라고 생각했던 줄 만들기를 줄을 당기는 전날 밤 자정을 훨씬 넘겨서지만 기적적으로 완료했다. 줄의 본고장인 영산이나 다른 대학에서 줄 만드는 기간은 최소 한 주일 이상, 때로는 한 달이 소요되었다. 그런데 사흘 만의 줄 만들기는 줄 길이 70미터 전후의 60가닥 정도의 작은 줄이었다 해도 분명히 기적이었다. 억압에 대한 반동이 바로 이 기적을 낳은 것이다.

줄 만들기가 끝나자 얼굴을 바꾸어 나타나던 연락책 학생이 줄 만들기를 지도하러 간 우리 일행 셋에게 한 푼의 수고비도 주지 않고 다음날의 줄다리기가 어떤 시위 사태로 변할지 모르기 때문에 우리의 신변안전을 책임질 수 없으니 미리 대학에서 떠나는 것이 좋겠다는 통고를 했다. 수고비를 못 준다는 것은 처음부터 알려준 사실이었지만 그렇다고 신변안전을 책임 못 진다며 어서 떠나라고 통고하는 데에는 두려움과 함께 약간의 섭섭함도 없지 않았다. 미리 받은 통고 때문에 겁도 좀 났지만 그래도 남아서 구경한 1983년 서울대 대동제는 내 기억에서 영원히 지워

지지 않을 무형의 기념물로 각인되었다.

각 단과대학과 동아리 소속의 수많은 풍물패들의 장엄한 연합 길놀이로 열린 서울대 줄굿은 엄청나게 많은 학생들의 동참 속에 대학광장에서 펼쳐진 집단군무로 가열되기 시작했다. 당시는 전두환에 의해 군사파쇼가 절정에 다다랐던 때다. 그에 대항하는 학외 시위가 엄청난 군사폭력에 의해 원천봉쇄 당하던 때다. 그래서 더욱 누적된, 군사폭력에 대한 학생들의 대항정서가 이 대학축제의 줄굿에서 폭발한 것이다.

지금 영산도 그렇지만, 당시 대학가에서 쓰던 줄은 가닥줄 30개를 엮어 꼽친 30~40미터의 줄로, 몸줄 가닥이 60개 이상에 길이가 80미터 이상으로 추정되는 전통줄에 비하면 장난감이다. 그런데도 정작 줄의 본고장에서도 그 몸줄을 멜 사람이 없어 줄머리는 대형트럭에, 줄몸은 수레바퀴에 얹어 줄다리기 장소로 이동한다. 젊은 혈기의 공동체인 대학에서도 줄과 씨름을 거듭하며 겨우겨우 옮겨 가는 형편이었다. 그런데 그날의 서울대에서는 너무 많은 학생들이 몰려들어 모두 하나가 되어 열기를 내뿜은 결과 줄을 어깨에 메는 정도가 아니라 공중으로 던졌다 놓았다 하며 그야말로 장난감처럼 마음대로 가지고 놀고 있었다. 독재 권력에 눌리고 눌린 학생들의 정서가 대동줄을 통한 거대한 학내 시위로 폭발한 것이다. 얼마나 시위 열기가 뜨겁게 달아올랐기에 여러 대학축제에서 줄굿을 지도할 때 겪은 학생시위 경험이 적지 않은데다 원래 겁이 많지 않은 줄 기능보유자 조성국 님이 무서워서 더는 못 보겠다며 같은 날의 늦은 시간에 하는 이화여대 줄다리기에 참가해야 한다는 것을 이유로 먼저 몸을 피하셨을까? 그 무서운 열기의 결과, 다른 대학 줄에 비해 결코 작지 않았던 큰줄이 당기기도 전에 이미 대부분이 풀어지고 일부는 끊어져서 정작 줄다리기는 당기는 신호와 함께 줄이 모두 끊어져서 싱겁게 끝나고 말았다.

그러나 줄드리기로부터 시작되어 보름 이상의 기간 동안 행해지는 줄굿의 대장정에서 가장 마지막인 줄 당기기는 사실상 줄굿의 마감(대단원의 막)을 위한 요식행위이지 그 승부에는 전혀 중요성을 두지 않는다. 중요한 것은 줄굿 전 과정을 통한 집단 신명풀이이지, 당기기에서 어느 쪽이 이기든 상관없이 그해 농사 풍년과 마을의 평안을 줄님에 기원하는 것으로 족했던 것이다.

대학 대동줄굿에서 얻은 교훈

비록 줄이 끊어져 당기기는 싱겁게 끝났지만, 줄굿 중심의 1983년 서울대 대동제가 그렇게 성공한 이유는 어디에 있었을까? 무엇보다 유례없이 난폭했던 전두환 군사폭압정권이 만든 시대적 분위기가 그 첫째 원인일 것이다. 뭣이든 못 하게만 했으니 더 하고 싶었던 것이다.

이런 분위기에서 당국이 금압하는 대동제를 학생들이 억지로 추진하다 보니 예산이 주어질 수 없었다. 예산이 아예 없는 덕택(?)에 학술토론이니, 초청 강연이니, 노래 · 연극 공연이니, 전시 등의 잡다한 행사들을 거의 할 수 없었다. 그러다 보니 최소한의 예산(당시 짚 값으로 70만 원 정도)만으로 가장 많은 학생 대중이 참여할 수 있는 줄굿에 관심과 시선이 모이지 않을 수 없었던 것이다.

그러나 이런 외부 조건만으로 줄굿이 성공을 거둔 것은 아니다. 학생들이 전통문화의 대동성을 의식하지 못하고 대동제를 훌륭하게 연출하지 못했다면 그런 성공이 있을 수 없다. 학생들은 줄굿을 처음 하면서도 그것의 대동성을 이미 잘 알고 있었던 것 같다. 각 단과대학과 수많은 학생 동아리 소속의 풍물패들을 적절하게 배치하여 연합 풍물패를 이루고 그것의 배치와 공연 자체를 하나의 대동시위굿으로 연출해낸 것이다. 그리고 또 이 연합 풍물패들의 시위굿으로 발화된 열기는 곧바로 운집한 학생 대중을 아크로폴리스광장의 집단군무 속으로 흡인시키고 그 여세를 몰아 줄을 중심으로 하는 대동줄굿 시위로 폭발시켜갔던 것이다. 다시 말해 예산이 없어 잡다한 옥내 공연행사로 학생들의 역량과 관심을 분산시키지 않은데다 풍물굿, 집단군무 같은 몇 개의 옥외 공연도 오로지 대동줄굿을 위해 배치되고 공연되었기 때문이다.

그처럼 민주주의에 대한 갈망이 뜨거웠고 그를 위한 조화와 대동을 알며 그것을 연출할 줄 알았던 386이 2000년대에 대거 정치권에 진출하자 왜 대동의 원천인 농업과 그 문화를 외면하고 사회 양극화와 갈등 심화의 선봉장이 되어가는지 알 수 없는 일이다. 독재자를 욕하다 독재자를 닮아간 탓일까? 사실 개발독재를 욕하면서 자신도 그 물적 토대에 근거하여 권력을 잡고 다시 신개발주의자로 변신해간 자들이 오늘날의 얼치기 가짜 진보주의자들이다. 하긴, 자고로 대동과 조화의 정신은 들판으로 밀리고, 투쟁에서 승리한 자만이 살아남는 것이 현실 정치판의 생리가 아닌가?

1980년대 대학들은 대동제에 영산줄긋을 거의 다 경쟁적으로 도입하고 있었다. 그것까지는 좋았는데, 그 중 많은 대학들이 다른 큰 대학에서 하니까 그냥 따라 해보았을 뿐 줄긋의 대동성은 제대로 모르거나 알아도 대동제에서 차지하는 중요성을 낮게 본 것 같았다. 그래서 줄긋을 축제 기간의 여러 잡다한 행사와 동렬에 놓거나 심지어 그 이하로 배치시켰다. 어떤 대학의 대동제에서 영산줄긋을 한다기에 어떻게 하나 구경을 갔더니 줄을 드리고 있는 장소를 쉽게 찾을 수가 없었다. 물어물어 찾아갔더니 큰 건물로 에워싸여 학생들이 거의 지나다니지 않는 뒷마당에서(학생들은 하나도 보이지 않고) 영산에서 돈 주고 데려온 줄꾼들만이 줄을 드리고 있었다. 오늘날의 우리 농민과 농업의 사회적 처지와 그 문화적 위상의 상징을 보는 것 같은 서글픔이 밀려왔다. 줄긋을 책임진 학생을 찾았으나 딱히 그런 책임을 맡은 학생도 없었다. 어렵게 만나본 학생회의 한 간부 학생에게 줄드리기를 이 대학에 드나드는 모든 사람들이 볼 수 있는 정문 쪽의 광장에서 하지 않고 아무에게도 안 보이게 숨겨서(?) 드리게 하는 이유가 무엇이냐고 물었다. 짚이 지저분한 쓰레기를 내놓기 때문이라는 대답이었다. 짚이 지저분한 쓰레기라니?

우리 선대들에게 짚은 초가지붕을 이는 중요한 소재였을 뿐만 아니라 거의 모든 일상 생활용구를 만드는 데 쓰는 가장 깨끗한 소재였다. 그런 생활용구 재료로서의 수명을 다하면 유기물질인 짚은 썩어서 거름이 되어 곡식이나 채소를 길러주는 생명의 원천이 되었다. 농업 관련 산물들은 이처럼 모두 재생 순환하는 생명의 원천이 된다. 겉으로 보기에 지저분하다고 쓰레기라니? 정작 몹쓸 쓰레기는 교정을 뒤덮은 대학의 건축물들과 포장길, 자동차들, 그리고 학생들의 옷과 가방, 책 같은 공산품들이다. 이것들은 쉽게 썩지도 않는, 말 그대로의 '쓰레기'이고, 설사 오랜 기간이 걸려 분해되더라도 환경 호르몬 등을 방출하여 생명 순환을 원천적으로 차단하고 죽이는 진짜 반생명적 쓰레기다.

이렇게 전도된 사고를 가진 학생들이 학생회 간부를 맡고 학생운동을 주도하니까 말 그대로의 대학 대동제도 성공시키지 못했고, 또 그들이 사회에 나가 이른바 지도층으로 편입되었기 때문에 이 세상에 희망이 없는 것이다. 물론 전통문화의 생명성과 대동성을 잘 안다고 해도 1983년 서울대 대동제의 줄굿처럼 당년에 일회성으로 끝내거나 또 설사 그것을 계속해간다 해도 사회토대 변혁의 원동력으로 연결시키지 못한다면 별다른 의미가 없다. 이화여대는 서울대와 같은 1983년에 영산줄굿을 도입한 뒤부터 줄드리기 장소를 정문 바로 안쪽의, 모든 학생들이 드나드는 광장 옆에 배치했다. 그 덕택인지 그로부터 20년이 되는 최근까지 거의 해마다 줄굿을 계속해와서, 이제는 '영산줄굿'이 아닌 '이화여대 줄굿'으로 정착시킬 수 있었다. 그럼에도 그것이 이화여대 한 군데에만 국한되어서인지 사회에 어떤 영향도 끼치지 못하고, 여학생들끼리 아기자기 재미있게 노는 하나의 전통민속놀이 구실만 해왔다.

그럼에도 우리는 위의 두 대학의 줄굿에서 최소 세 가지의 교훈을 배울 수는 있었다. 하나는 줄굿은 벼농사 공동체라는 사회적 토대가 사라져버렸어도 사람들의 뜻만 있다면 얼마든지 부활시켜 재현해갈 수 있다는 것이다. 즉, 마르크스의 지론과는 달리, 벼농사 공동체를 토대로 하는 봉건사회와 자본제적 공업사회는 하부구조는 서로 다르더라도 상부구조인 문화는 어느 정도 동일하게 유지해갈 수 있다는 것이다. 그러나 전통문화를 그렇게 해서라도 꼭 이어가야 할 필요성이 있는지, 있다 해도 또 그것이 원래의 민중 삶의 일부로 공헌하기보다 오늘날에도 그것과 이해관계를 가진 소수 상인 계층이나 문화산업자본의 이익을 위한 이데올로기화에 이바지하고 마는지는 별개의 문제다.

그다음으로 대동굿이 큰 빈부격차 없이 대체로 하나로 통합된 사회를 상징한다고 할 때, 오늘날의 가장 큰 사회모순인 빈부의 양극화 해소는 요란한 분배정책이 아니라 물질적 가난이 저절로 이루어준다는 사실을 확인할 수 있다. 1983년 서울대 축제의 예산 부족이 오히려 더 큰 대동굿을 불러왔듯이 물질적으로 가난해도 평등한 자치사회에서만 대동적 통합이 가능한 것이다.

세번째로 대동축제가 성공하려면 그것을 기획한 주체의 연출력도 필요하지만 축제 기간에 연행되는 잡다한 종목들을 하나로 통일시키는 주된 행사 또는 주된 놀이 종목이 필요하다는 사실을 확인할 수 있다. 처음 우리에게 줄 만들기 지도를 부탁하러 왔던 그 학생의 말대로 서울대 줄굿은 과연 영산줄굿과는 비교할 수 없을 만큼 훨씬 더 큰 시위 대동굿으로 거듭났다. 그러나 그날 서울대 내 시위라는 대동굿의 중심도 역시 줄이었다. 줄이라는 대동놀이의 매체가 있었기에 그를 중심으로 풍물놀이와 집단군무 속으로 개개 학생들이 흡인되고 그 학내 줄굿 시위가 집약되어 대동시위굿으로 폭발할 수 있었다. 그러므로 어떤 축제에도 그 공동체의 정체성을 드러내는 주제와 함께 그에 적합한 중심적인 대동놀이가 있어야만 한다.

정치도 마찬가지다. 개인적으로는 자유가 존중되고 지역적으로는 분권 아닌 자치가 존중되어야 한다. 그러나 사람이 모여 사는 공동체는 개인과 각 지역을 연결시켜 자치적으로 참여하고 대동을 이루게 하는 어떤 상징물이 필요한데, 이것을 만들어내는 것이 정치의 역할이다. 그 상징은 고대 왕국시대라면 신전이었을 것이고, 프랑스 혁명기라면 샹 드 마르스와 같은 구조물이 될 것이고, 요즘 같은 문화권력과 자본의 시대라면 스포츠와 연예 프로 같은 엔터테인먼트와 수탈적 사회복지제도가 결합한 티티테인먼트(tittytainment) 사회가 될 것이다. 우리 같은 경제제일주의 정치사회라면 GDP 등 경제지표가 될 수도 있다. 그렇다면 당면한 경제적 어려움을 극복하고 생태적으로 지속 가능한 미래를 여는 대구의 정체성과 그 상징물은 무엇이 되어야 할까?

대구 축제의 정체성은?

연전까지는 대구에서도 '달구벌 축제'라는 이름의 축제가 열린 줄 아는데, 나는 이 축제의 정체성과 주제가 무엇인지 전혀 알지 못한다. 이곳저곳의 축제에서 이미 하고 있는 놀이종목이나 문화 장르를 도입하여 나열했던 축제라면 이것은 대구의 정체성을 드러내고 확대하는 것이 아니라 오히려 훼손하는 반축제가 되었을 것이다.

몇 해 전 달구벌 축제의 한 종목으로 영산줄다리기를 도입한 적이 있었다. 그때 영산줄 기능보유자인 친구가 대구의 어느 장소로 줄을 당기러 가는 차 안이니 나더러 그리로 구경 나오라는 연락을 해왔다. 그 친구에 대한 예의상 그곳에 나갔다가 그 줄다리기 현장만을 구경한 적이 있었다. 줄다리기 장소는 대봉교 부근이었는데, 이쪽저쪽 교통을 차단한 채 경찰이 저지선을 만들어 줄에 대한 주민 접근을 원천 봉쇄하고 있었다. 줄다리기는 소방대원 등 공무원이나 사회단체의 청년회원들 중에서 차출된 '줄선수'들로 진행 중이었다. 나는 경찰들에 의해 줄에 대한 접근을 저지당한 채 참으로 황당한 기분으로 저지선 안쪽의 줄다리기 광경을 멀리서 바라볼 수밖에 없었다.

거기에는 관제 또는 준 관제 축제 어디에나 공통으로 있는 연단이 만들어져 있고, 그 위에는 대구 시장을 비롯한 대구시의 고위공직자들과 유지들이 올라가 있었다. 자기가 불러서 온 친구는 경찰 저지선 밖 저 멀리에 세워둔 채 당시의 대구 시장 문희갑 옆에 나란히 선 줄기능보유자는 전임 줄기능보유자인 조성국님이 남긴 줄 관련 명언들을 목소리 높여 외치고 있었다. "줄은 민중이다. 줄은 통일이다. 줄은 상대방을 우리 쪽에 끌어들여 하나 되게 하여 모두 이기는 윈윈 게임이다" 등등.

하지만 그 무슨 해프닝인가? 줄에 대한 민중 접근을 경찰 저지선으로 원천 봉쇄해놓고 무슨 줄의 민중론과 통일론인가? 물론 이 경우는 줄굿의 본질을 제대로 모르고 그것을 축제 종목으로 도입한 대구시의 잘못도 있지만 그것을 잘 안다는 줄기능보유자의 잘못이 더 크다. 대구시청의 관료들로서는 군중심리에 따른 인사사고를 예방하기 위해서 그런 발상을 할 수도 있다. 그러나 기능보유자라면 대구시의 줄굿 책임자에게 줄굿의 정신과 줄 당기는 방법 등을 미리 알려주거나 그러지 못했다면 현장에 와서라도 경찰 저지선을 풀고 시민들의 자유로운 접근만이라도 허용하게 했어야 한다.

군중이 모이는 곳에 사소한 사고는 있을 수 있다. 구더기가 정녕 무서우면 장을 담그지 말아야 하듯이 사고가 그렇게 겁나면 일상으로부터 잠시 일탈하는 굿의 전통을 이어가는 모든 축제는 아예 하지 말아야 한다. 옛날의 전통 대동놀이굿(줄굿, 쇠머리대기, 석전놀이, 차전 등)에서도 인사사고는 더러 있었다. 그러나 그것의 사후 처리는 법적으로가 아니라 굿의 화해 차원에서 자치적으로 마무리되었다. 2005년 상주 시민축제의 연예인 초청 공연 사고에서 보이는 것처럼 대중적이지만 민중적이지는 않은 공연 행사에서처럼 어정쩡하게 하는 통제가 오히려 대형 사고를 불러일으키기 쉽다. 처음부터 민중 자신에게 자율적·개방적으로 맡겨두면 개인의 실수에 의한 사소한 사고는 있을지 몰라도 인위적 시스템의 오작동에 의한 대형 사고는 결코 일어나지 않는다.

대구에도 내세울 만한 정체성이 있으며, 그것을 주제로 한 대동축제가 가능한가? 이 지역의 여러 곳에서도 이미 오래전부터 축제가 생겨나 계속되고 있다. 그 중에서 약전골목을 중심으로 하는 약령시 축제와 섬유산업의 융성을 기원하고 되살리려고 하는 섬유패션축제가 아마 이 지역의 대표적 축제일 것이다. 대구의 중심 상가인 동성로의 상권을 활성화하기 위한 젊은이들 중심의 동성로 축제와 비슬산을 관광휴양지로 활성화시키기 위한 비슬산 축제도 있다. 대구시는 아니지만 대구의 문화권인 고령에는 옛 대가야 도읍지의 영화를 재현해보려는 대가야 축제도 있다.

물론 이들 축제는 대구 전체를 열광시키는 광역적인 대동축제는 아니고 골목 상권의 활성화를 기원하는 상업주의적 성격이 짙다. 그러나 골목 상권이 어느 정도 살아 있어야 축제도 살고 대구 전체도 살아난다. 이제까지 대구시는 달구벌 등 규모가 큰 종합축제로 대구 시민을 열광시키고 당국도 자기 낯을 내놓기를 바란 것 같다. 그게 잘 안 되니까 그 이름을 2005년부터 '컬러풀'로 바꾸고 내용도 전통문화 대신 젊은이들의 취향 중심으로 바꾸었다고 한다. 얼마나 대구 축제에 색깔이 없었으면 축제 이름을 '컬러풀'로 바꾸었는지, 그 심정이야 이해가 가지만 그런 개명은 자기 축제의 색깔 없음을 스스로 드러내는 자기고백은 되겠지만 정작 축제에 색깔을 내고 그것을 활성화시키는 데는 전혀 도움이 안 될 것이다.

대구 축제의 정체성을 찾고 그것을 확대해가려면 대구시는 무슨 새로운 축제 종목을 개발하거나 도입하여 또 하나의 그렇고 그런 축제를 만들기 전에 이미 있는 골목축제부터 먼저 지원 육성하여 활성화시킴이 옳다. 그러나 지원할 때 명심할 것은 간섭 없는 무조건의 지원이다. 관제 축제가 성공한 예는 없다. 아니, 축제의 본질이 관이든 뭐든 일상적 삶의 굴레로부터의 해방에 있지 않은가? 관이 개입하고 통제하면 그것은 이미 축제가 아닌 공식행사일 뿐이다. 관이 개입하는 재정 지원은 차라리 안 해주는 것이 그 축제를 그 나름으로 살리는 길이다.

그렇다고 골목마다 따로 노는 작은 축제를 그대로 방치한 채 재정 지원만 하라는 것은 아니다. 인구 2백50만 광역시의 시민들이 하나로 열광하는 대동축제를 만들어내는 것은 물론 쉬운 일일 수 없다. 하지만 대구가 하나의 지역경제와 그에 토대하는 자치를 지향하는 한 그것을 위한 정체성과 대동의 정서 및 이념의 공유는 반드시 필요하다. 이런 큰 그림을 그리는 것은 대구시의 몫이다. 물론 이 큰 그림을 위해서도 재정만 대구시가 맡고 그 속의 구체적이고 세부적인 프로그램은 이 방면의 헌신적인 민간단체나 축제 기획가들에게 맡겨야 한다.

그렇다면 이런 대동축제를 위한 큰 그림의 소재는 어디로부터 잡아와야 기왕의 골목축제도 더 활성화시키면서 동시에 대구 전체를 아우르는 대동성과 우리의 미래도 지속가능하게 하는 대구만의 정체성으로 되살려낼 수 있을까? 아무래도 이미 검증이 된 전통에서 불씨를 끄집어내는 것보다 더 좋은 길은 없을 것 같다. 필자는 대구 · 경북 지역의 전통에서도 자랑스럽게 내세울 만한 정체성이 얼마든지 있을 것이라고 생각한다.

전통 속에서 새로운 대구의 정체성을 찾자

대구 · 경북에는 전통시대에 퇴계 이황을 정점으로 하는 많은 유학자들과 선비들이 배출되었다고 하여 이 지역을 '유학의 고장' 또는 '선비의 고장'으로 내세우는 사람들도 있는 것 같다. 그러나 경북이라면 모르되 대구를 유학 전통의 도시로 그 정체성을 세워가는 데는 무리가 있다. 설사 경북 지역이라 해도 전통시대라면 몰라도 민중 지배 이데올로기로서의 유학 전통을 오늘의 민중 또는 시민적 전통과 정체성으로 계승하는 데도 많은 문제가 있다.

지난 시절 한때 활기에 찼던 섬유산업에 대한 찬란한 기억 때문에 대구를 '섬유의 도시', '패션의 도시', '컬러풀한 도시'로 정체화하려는 시도가 있는 것 같다. 가능하다면 그것도 얼마든지 대구의 정체성이 될 수 있다. 한때 좋았던 시절을 기억하고 기념하는 것은 아름다운 일이다. 그러나 그렇다고 축제의 내용은 독창적으로 달라진 것 없이, 나름대로 고전적 운치라도 풍기는 '달구벌'이란 축제명을 오늘날의 세계시장제국주의 언어인 영어로 개명한다고 국제적 명성이 있는 축제가 되고 산업이 되살아나는 것은 결코 아니다.

좀 막연하긴 했지만 한때 대구는 지역 교육과 문화의 중심 도시로 명성을 얻고, 또 그것으로 정체화되고 있었다. 그런데 그 명성이 지금은 왜 사라지고 없는가? 그것은 대구 주변의 농촌사회가 철저히 해체되고 붕괴된 탓이다. 설사 주변 농촌이 겨우 명맥을 이어가고 있다 해도 이제는 대구를 통하지 않고 온갖 전파매체와 고속도로, 고속철도 등 중앙으로 집중되는 길을 통해 서울의 직할 식민지로 지배를 직접 받거나 서울과 직거래를 하기 때문이다. 대구는 자신의 직속 식민지인 주변 농촌을 서울과 세계시장 등 보다 큰 시장제국과 함께 파괴했기 때문에 그 업보로 이제는 옛날의 그 중심지 역할도 할 수 없게 된 것이다.

대구 사람들은 국채보상운동의 주도자인 서상돈 선생과 「빼앗긴 들에도 봄은 오는가」의 이상화 시인, 그의 형 이상정 독립군 장군 등에 의한 항일 반제국주의, 자주화 운동의 전통을 면면히 이어온 이 고장에서 태어나고 살아온 것에 대해 큰 자부심을 갖고 있다. 때늦게나마 이분들의 고택 보존운동도 전개하고 있다. 그러나 이들 개개인의 업적을 기념하고 기억하는 것도 필요하지만 더 중요한 것은 이들이 몸 바쳐 지키고 되찾으려 했던 시대정신과 그 가치를 계승하는 것이다. 그런 것 없이 그분들의 유물만 보존하려 드는 것은 이 시대를 풍미하는 또 하나의 문화관광 상업주의일 뿐이다. 그들이 지키고 되찾으려 했던 것은 빼앗긴 들이고 잃어버린 민족의 자주다.

지금 우리는 일제와 그 뒤의 이승만 독재 및 군사독재를 벗어나 민주화 시대에 살고 있다고 생각한다. 병장기를 직접 동원하는 물리적 폭압의 독재시대에서 어느 정도 벗어난 것은 사실이다. 그러나 과격시위에 대한 대응 진압 과정에서 나타난 과실이라고는 하지만 최근에는 과거 군사정권 때도 없었던 경찰폭력으로 시위 농민을 둘이나 죽인 폭력이 아직도 온존한다. 공권력이라는 물리력에 의한 폭력적 과잉진압이 없으면 폭력시위도 없다. 그런데도 자신의 마지막 생명줄인 쌀까지 개방됨으로 천길 벼랑 끝으로 내몰린 농민들의 유일한 자기표현과 자위 수단인 가두시위마저 경찰력으로 원천 봉쇄하는 정권이 무슨 민주정권인가?

지역 농업과 이 땅 농민은 집권과 함께 반동화된 이른바 진보적 민주화 정권의 신자본자유주의 정책에 의해 군사독재보다 훨씬 무서운 세계시장제국주의의 폭력에 편입당한 것이다. 농민으로서는 늑대를 물리친 대신 호랑이를 맞은 꼴이다. 마지막으로 남은 농민과 농민 공동체 말살, 그리고 지역 해체 파괴의 주범은 군사독재가 아니라 세계시장제국주의와 복지국가주의를 표방하는 신자유주의 정권이다. 지역 농업과 공동체를 죽인 사회에 자주와 민주는 없다. 세계시장제국주의와 그 공모자인 중앙집권적 국가주의에 대한 투쟁과 극복 없이 지역 경제의 회생과 진정한 의미의 지방분권도 자치도 있을 수 없다.

요즘 이에 대한 대안으로 정권과 지역 유지들은 '지방분권운동', 무슨 '혁신도시 건설', '기업도시', '지식기반도시', '경제자유지구'를 떠들어대며 지자체들까지 '지역특화발전특구' 등 지역 재생을 위한 구호들을 마구 쏟아내고 있다. '혁신도시'니 '지식기반도시'는 무엇이고 '지역특화특구'란 도대체 어떤 것인지 알 수가 없다. 하지만 그래 봐야 서울 흉내를 내다 가랑이만 찢어질 뿐 지역이 되살아날 조짐은 결코 보이지 않는다. 아니, 그러면 그럴수록 대한민국 전 국토를 투기장으로 만들어 가진 자와 건설족들의 배만 터지게 할 뿐 지역과 농촌의 파괴는 가속될 뿐이다. 필요한 것은 서울에 집중된 모든 물량과 권력을 지방도시나 지방토호가 되찾아오는 것이 아니라 서울 자체를 해체하고 지방도시를 농촌화하는 것이 아닐까?

대구도 주변에 이름난 큰 평야는 없지만 불과 20~30년 전까지만 해도 수성들과 경산들 그리고 성서벌과 성주, 고령 같은, 농사에 유리한 배산임수 지역을 거느린 농촌 중심지이다. 조선조 초기인 세종 7년(1425년)에 편찬된 『경상도지리지』와 세종

14년의 『세종실록지리지』의 기록에 의하면 당시까지 만들어진 벼농사용 저수지의 대부분이 대구 · 경북 지역에 있었다. 『경상도지리지』에 기록된 경상도 지역의 일곱 저수지들 중에서 밀양도호부를 뺀 나머지 대구군, 영천군, 하양현, 상주목, 성주목, 선산도호부 등 여섯 곳의 저수지들 모두가 대구 · 경북 지역에 있었다.

특히 주목을 끄는 것은 14세기경 이 땅에 도입된 것으로 추정되는, 인간이 발견한 기술 중 가장 생태적인 이앙농법을 가장 먼저 실현한 곳이 문헌기록상 대구 · 경북지역이라는 사실이다. 『경상도지리지』에 의하면 대구군의 성당못(聖堂堤)과 불상못(佛上堤)이라는 큰 저수지 두 군데와 대구 관내 수성현의 둔동못(屯洞堤)과 해안현의 솥못(釜堤), 하양현에 있는 세 개의 큰 못인 조장못(條長堤)과 큰못(大堤), 토산못(吐山堤) 아래서 이앙농법이 이루어졌다고 기록되어 있다.

어쩌다 오늘날에 와서 농사는 빨리 버리고 가야 할 유산으로 낙인찍은 얼치기 진보주의자들이 판치는 세상이 되었지만 생태적 지속이 한계에 이른 이 시대에 정작 자랑스런 유산은 퇴계류의 유학이 아니라 이런 생태농업기술의 전통이 아닐까? 세계시장의 뒤꽁무니만 따라가다 파멸의 처참함까지 흉내내기보다 차라리 우리 농업사의 이런 전통을 되살려 대구를 생태적 지속이 가능한 미래농업의 중심도시로 정체화시켜가는 것은 어떨까?

이 시대 이 땅의 중요 화두인 탈중심 지역 균등 발전을 위해서도 서울이나 다른 지방도시에서 찾을 수 없는 대구 지역만의 정체성이 필요한 것이다. 부산의 국제영화제나 광주의 비엔날레,

통영의 윤이상음악제처럼 고상한 예술문화 중심의 축제가 국제적 명성을 얻어가고 있다고 해서 그것을 모방한 내용에다 겉옷만 컬러풀하게 갈아입힌다고 결코 그것이 국제화나 세계화일 수는 없다. 대구만의 정체성을, 그리고 그것을 드러내는 주제의 축제를 찾아내자. 찾을 정체성이 정 없다면 만들어내기라도 해야 한다.

생태계 위기 시대에는 앞으로 나가는 것만 진보가 아니라 경우에 따라서는 되돌아가는 것도 진보다. 돌아갈 종착지는 소농공동체 사회다. 그곳으로 돌아가는 길이 너무 멀고 험난해서 곧장 돌아갈 수 없다면 좀 쉬거나 에둘러서라도 돌아갈 수밖에 없다.

앞에서 말한 생태농업과 관련된 전통이 너무 먼 과거의 것이라서 그것을 대구의 정체성으로 곧바로 회복해가는 것이 어렵고 시기상조로 보인다면 그리 머지않은 과거에 대구의 명성이었던 '자전거 도시'를 주제로 하여 축제를 재구성하는 것은 어떨까? 생태계와 환경이 위기에 처한 전 지구화 시대에 자전거는 생태농업과 함께 미래를 기약하는 지속 가능한 양대 기술이다. 이런 자전거를 주제로 축제를 재구성하는 것이 오히려 국제적 관심과 이목을 끌 수 있지 않을까? 자전거로 하는 집단놀이나 경기를 실시하고, 축제기간 중 일정 지역을 자전거만의 전용지역으로 하고 자전거 해방구를 선포하는 식으로, 자전거를 중심 주제로 한 친생태 축제가 대구문화의 정체성과 태양광 발전 등 지속 가능한 새로운 생태산업을 이끌어내는 계기가 되지 말란 법은 없을 것이다.

학교급식—시장의 논리를 넘어서

이 학교급식조례 제정운동이 학부모 단체와 전교조, 농민단체와 시민단체 들에 의해 거의 모든 광역자치단체와 일부 기초자치단체에서까지 벌어지고 있다. 이미 조례 제정이 끝난 곳도 있고, 제정 중인 곳과 시작한 곳 등 진행 정도에 차이는 있어도 이 운동을 하지 않는 지역은 한 군데도 없는 것 같다.

학교급식조례 제정의 의미는 크게 두 가지로 요약할 수 있다. 하나는 다음 세대를 책임질 아이들에게 보다 안전하고 건강한 먹을거리를 제공하기 위함이다. 또 하나는 우리에게 마지막으로 남은 쌀까지 포함해서 농축산물과 수산물의 완전한 수입개방 앞에서 완전히 무너져 내리는 우리 농사와 소농들의 농촌공동체를 지키겠다는 의지의 표명이다.

먼저 이런 조례 제정운동을 하게 된 직접적인 배경을 조금 구체적으로 살펴보자. 현행의 학교급식에는 문제가 너무 많다. 첫째, 급식재료가 농약과 비료 과용, 유전자 조작, 대형 농기계 사용, 비닐하우스 설치 등에 의존하여 공업적 방법과 상업적 목적에 따라 양산됨으로써 그 질이 형편없이 저질화되고 있다. 두번째, 급식 원료의 대부분이 어디서 어떻게 지어져 나온 것인지 그 정체를 알 수 없는 곳에서 수입한 것들이다. 세번째, 화학조미료, 식품첨가물 등이 지나치게 남용되는 무국적 조리법으로 학교급식의 식품 오염과 영양 불균형이 심각하다. 네번째, 이런 저질의 반생명적인 무국적 음식에 따른 아토피성 질환 등으로 아이들의 건강문제가 심각해지고 있다. 다섯번째, 근본과 정체성 없는 먹을거리에 따른 아이들의 정서불안과 정체성 혼란 문제다. 여섯번째, 납품상인이 급식재료를 속이는 문제가 반복되고 있다. 젖소나 수입 소고기를 국산 한우로 둔갑시키는 것을 비롯하여 거의 모든 수입 농축수산물을 국산으로 둔갑시킨다. 일곱번째, 공장식 대량조리와 집단급식에 따르는 비위생 문제와 집단 식중독 문제다. 여덟번째, 학교 당국과 재료 납품업자나 급식업자들 사이에 얽힌 뇌물수수 등 비리 문제다. 아홉번째, 위와 같은 저질, 속임수, 비리 자체가 학생들에게 반인륜적이고 반교육적인 환경으로 작용한다는 문제다.

그런데 학교급식에 따른 위와 같은 문제들이 개선될 조짐이 보이기는커녕 날이 갈수록 악화되고 있다. 그것은 우리의 밥상 자체인 우리 농촌이 농축수산물의 전면 수입개방 앞에서 모두 무너지고 있기 때문이다.

이상의 학교급식 문제들이 시장개방으로 완전히 해체된 우리 농민 · 농사 · 농촌 문제들과 결코 무관하지 않다는 시민사회적 대응이 학교급식조례 제정운동으로 나타난 것이다. 그래서 각 지역의 학교급식조례 제정의 방향도 다음과 같이 크게 두 가지로 압축되는 것 같다. 하나는 지역산 친환경농산물의 구입으로 급식재료의 질을 높임과 동시에 농산물시장 개방 앞에 내몰린 우리 농업도 살린다는 것이다. 또 하나는 급식재료를 친환경농산물로 구입하는 데 따르는 급식비용의 증가분을 해당 지역의 지자체가 부담하도록 조례화하는 것이다. 얼핏 보면 이것만으로도 지금의 질 낮은 학교급식을 획기적으로 개선시키고 무너지는 우리 농촌을 지키는 데 큰 몫을 할 것 같다. 하지만 과연 그럴까?

학교급식조례란 제도가 굳이 필요할 만큼 학교급식이 저질화·속임수화되고, 1만 년 이상 계속된 우리 농촌공동체가 이렇게까지 무너져 내린 원인이 학교급식재료에 친환경농산물을 사용하지 않았고 급식비용이 너무 낮았기 때문일까 반문하면, 곧 그것만은 아니라는 생각이 든다. 물론 급식비를 대폭 올리고 그것으로 음식재료를 친환경농산물로 구입한다면 한시적이지만 학교급식은 상당히 개선될 것이다. 그것이 한시적일 수밖에 없는 것은 그것만으로는 우리의 모든 밥상을 안전하게 지켜줄 우리 농촌공동체를 되살리기에는 역부족이기 때문이다. 우리의 농촌공동체를 해체 파괴하고 아이들의 학교급식뿐 아니라 우리의 밥상 전체를 오염과 불신으로 뒤덮은 주범은 무엇인가? 그것은 모두 잘 알다시피 농산물 수입을 개방한 시장세계화와 그 무한경쟁이다.

시장이 비료와 농약을 만들었고 대형농기계와 비닐을 만들어

판다. 이런 시장상품들이 농민들을 헤어날 수 없는 채무자로 만들고 농촌공동체를 몰락시켰다. 시장의 가격경쟁과 물량경쟁이 소농들을 농촌공동체로부터 추방시킨 뒤 대농과 다국적기업의 농축수산물을 몰고 들어온 것이다. 시장세계화가 우리 소농공동체와 농사는 물론 우리의 전통 지역시장과 골목시장까지 파국으로 내몬 것이다.

세계시장 개방 이전의 우리 밥상은 흉풍에 따른 가격등락의 불안정은 얼마큼 있었지만, 지금과 같이 화학물질 남용에 따른 불안전과 속임수에 의한 불신은 깊지 않았다. 그런데 농산물의 유통은 여전히 시장에 맡겨둔 채 급식재료를 친환경농산물로 바꾼다고 죽어버린 밥상이 되살아나고 떠나버린 농민들이 농촌으로 되돌아올 수 있을까?

시장은 지금의 관행 농산물처럼 친환경농산물도 가격경쟁을 통해 값싸게 구매하여 값비싸게 팔기를 원한다. 그래서 친환경농산물도 값싼 저질화와 속임수의 시장경쟁에 이미 편입당했다. 시장경쟁과 그 개방의 확산이 원래 건강했던 우리 모두의 밥상을 오염 저질화시키고 재생 순환적인 토착농업과 농촌공동체를 초토화시킨 주범이다. 그런데 똑같은 시장을 통해 친환경농산물로 포장만 바꿔서 우리 먹을거리의 안전성을 지키고 농민 · 농사를 다시 살리겠다면 그것은 자가당착이고 자기모순이 아닌가.

학교급식 개선도 학교-농촌 직거래가 대안이다

그래서 나는 이곳 대구 지역의 학교급식조례 제정운동에 학부모 단체가 참여하는 학교 직영, 농촌마을과 각 학교 간의 급식재료의 직거래, 급식재료의 친환경농산물의 사용이란 3대 원칙을 꼭 반영할 것을 제안한다. 이 원칙을 적용한 학교급식조례를 제정해내게 하고 또 그것을 하나의 제도로 연착륙시키기에는 물론 수많은 문제들이 있을 것이다.

그중 가장 앞서는 문제는 그 많은 가짓수의 급식재료를 시장에서 구매하지 않고 어떻게 한 마을에서 모두 생산할 수 있겠느냐는 것이다. 더구나 요즘 아이들이 가장 싫어하는 음식이 밥과 된장, 김치이고, 가장 선호하는 음식이 돈가스와 햄버거 등의 육가공식품인데 이 같은 아이들의 기호식품의 눈높이를 한 농촌마을이 어떻게 맞추어낼 것인가 하는 문제다. 이것은 학교급식조례 제정을 위한 시민공청회의 토론에서 한 대학의 영양학 교수가 제기한 문제이다. 물론 그런 문제가 없는 것은 아니다. 하지만 이것은 직거래 농촌마을에서 생산 가능한 곡식과 채소, 과일 등으로부터 시작해서, 꼭 필요한 품목이 있다면 마을에서 점진적으로 품목을 늘려가는 방식으로, 예컨대 고기가 필요하면 가축들을 사육하게 하고 또 그것을 가공하게 하는 식으로 하면 될 것이다.

여기서 소비자들이 꼭 명심해두어야 할 사실은 진정한 의미의 유기축산식품과 유기가공식품은 세계 어느 시장에도 현존하지 않는다는 사실이다. 다두사육 산업축산 자체가 지속 불가능한

반유기적 생태파괴 행위다. 열 사람 이상이 나눠 먹을 수 있는 곡물 에너지를 산업축산식품을 통해 한 사람이 독식하는 육식 행위 자체가 다른 생명에 대한 죄악이다. 그런데도 거기다 유기 축산품까지 곁들인, 건강하면서도 지속 가능한 농사와 밥상을 한꺼번에 요구한다는 것은 나무에서 열매와 함께 생선도 따 먹겠다는 실현 불가능한 몽상과 다르지 않다.

모순이나 문제를 모두 구조의 잘못에 떠넘기려는 개인적 무책임함은 또 시장상업주의에 그 탓을 돌리겠지만, 사실은 아이들의 잘못된 식습관도 전적으로 개개 어른들의 잘못이다. 그것이 누구 탓이든 아이들에게 잘못 길들여진 식습관이라면 그것을 바르게 고쳐가는 것도 급식 개선이고 참교육이 아닐까? 그래도 그 요구가 현실이고 꼭 필요하다면 마을 농민들이 생산할 때까지는 상대적으로 좀 낫겠다고 생각되는 현재의 직거래 단체에서 취급하는 육류나 가공식품을 구입하면 될 것이다.

그 다음은 그 많은 급식품목을 누가 어떻게 취합해서 학교까지 납품할 것인가 하는 유통문제다. 사실 이것은 간단한 문제가 아니다. 그래서 어떤 지역의 조례에는 이 문제의 해결을 위해 도나 시 단위의 광역자치체와 농민단체와 시민단체가 공동출자 하되 시민단체가 주도하는 '학교급식지원센터'를 설립해 운영을 맡기도록 명문화하기도 했다. 또 어떤 이들은 군 · 시의 기초지자체 단위의 '학교급식물류센터'의 설립이나 현재의 생협과 유사한 학교급식을 위한 새로운 물류 조직의 창설을 주장하기도 한다. 하지만 이것은 운용에 필요한 재정을 추렴하는 문제와 함께 이질적인 민관이 조화로운 합의를 도출하기까지 풀어야 할 문제가 너무 많아 실현성이 거의 없다.

그보다도 이런 새로운 기구 창설은 생산 농민과 도시 학생과 학부모들이 직접 만나 신뢰를 쌓고 더 나아가 하나의 새로운 삶의 공동체를 지향하고자 하는 직거래운동의 이념에도 크게 어긋난다. 말이 부드러워 '학교급식지원센터'나 '학교급식물류센터'이지, 만일 그것이 설립되면 그것 자체가 직거래 마을과 급식재료와 가공식품의 선택, 물류, 재정 등을 관장하는 또 하나의 막강한 권력과 기득권이 될 것이다. 시장을 극복하는 대안으로서의 새로운 기구가 다시 농민 위에 군림하는 또 다른 시장권력이 될 것이다. 새로운 기구가 생기면 생길수록 복잡해지고 전문가란 사람이 많으면 많을수록 불투명과 속임수가 많아진다. 단순해야 투명하고 투명해야 속임수가 발붙이기 어렵다.

이런 문제는 농축수산물의 생산과 가공뿐만 아니라 유통까지도 농촌공동체에 맡기면 오히려 쉽게 풀릴 수 있을 것이다. 자기 마을에서 생산하지 못하지만 당장 꼭 필요한 급식재료는 마을에서 자체 생산할 때까지 다른 곳으로부터 구입하는 것도 그 농촌공동체에 맡기면 된다. 초기에는 어려움이 있을지 몰라도 농민들도 스스로 조직화하고 또 얼마든지 배워서 잘할 수 있다. 오늘날 우리 밥상이 오염화·저질화로 불신을 받고, 이토록 농촌공동체가 처참하게 파괴된 원인이, 바로 농민에게는 부가가치가 전혀 없는 식품원료만 생산시키고 부가가치가 있는 가공은 가공식품업체가 유통은 시장의 상인과 유통업체가 모두 빼앗아갔기 때문이다. 농사와 먹을거리에 관련한 모든 것은 이제 본래의 주인이었던 농민에게 돌려줄 때다. 우리가 농민을 못 믿고 우리 농촌공동체를 어찌 살리겠는가? 정 못 믿겠다면 못 믿는 사람 자신이 농촌에 돌아가 그 모든 일을 스스로 하면 된다. 요즘 대학 출신 청년실업자가 얼마나 많은가? 이들이 농촌에 돌아가 농사지으며 원래는 농촌공동체의 것이었으나 지금은 모두 시장과 기업이 빼앗아간 농산물 유통과 가공 일을 도로 찾아 만들어가면 파괴된 농촌공동체를 되살릴 수 있을 것이고, 동시에 골치 아픈 청년실업 문제도 얼마든지 해결될 것 아닌가?

이렇게 말해도 여전히 농민들을 못 미더워할 사람도 있을 것이다. 사실 스스로 참여하지 않고 세상에 믿을 수 있는 것은 아무것도 없다. 그래서 나는 급식재료의 직거래만 하란 것이 아니라 도시 학부모와 학생과 직거래하는 농촌마을이 하나의 삶의 공동체를 만들어가라고 하는 것이다. 쌀까지 개방되어 생존의 벼랑 끝으로 내몰린 오늘의 우리 농민들이 농촌에서 농사짓고도 큰 걱정 없이 먹고살게 해주는 직거래 도시 식구들이 수시로 마을을 방문해서 격려도 해주고 농사일도 도와준다면, 굳이 친환경농산물을 요구하지 않아도 자기 먹을 것을 농사지을 때처럼 농약을 적게 치거나 안 치고 생산해줄 것이다. 자기 생계를 책임져주는 도시 식구들, 특히 직거래를 통해 이미 낯익은 눈망울이 똘망똘망한 학생들의 밥상에다 설마 사람 못 먹을 오염된 식품재료를 올려줄 농민은 없을 것이다.

또 어떤 사람은 시장에서든 어디에서든 좋은 급식재료만 값싸게 구입해서 급식재료의 질만 향상시키면 되었지, 왜 우리 농업과 농민, 농촌의 문제를 학교급식 개선과 함께 끌고 들어오느냐고도 했다. 실지로 급식조례 제정 대구시민 공청회 때 그런 반대의견을 내놓은 시의원이 있었다. 내 개인적으로는 같은 소리를 녹음기처럼 거듭 반복하다 보니 지겨울 지경이지만, 다시 반복할 수밖에 없다.

자치민주주의의 기본인 소농두레도 학교-농촌 직거래가 살린다

먹을거리의 중요성에 대해 이의를 달 사람은 아무도 없을 것이다. 먹을거리는 생활필수품 중에서도 제일의 생활필수품이기 때문에 먼저 그 수급이 안정적이어야 한다. 그러나 안정된 수급에 못지않게 중요한 것은 그것이 생명과 관계된 것이므로 안전해야 한다는 것이다. 맛있다고, 영양가가 높다고, 기름지다고 다 안전하고 좋은 먹을거리가 아니다. 다 같이 쌀을 주식으로 하는 민족이면서도 우리보다 쌀 소비량이 훨씬 적고 따라서 식생활이 우리보다 한발 더 기름진 서구식화한 일본에서는 지금 아이들의 아토피성 질환으로 난리를 치르고 있다. 쌀 소비의 격감과 함께 우리 땅에도 이미 건너온 그 난리는 식품시장의 완전 개방으로 정도를 더해갈 것이다.

먹을거리는 육체적 생존과 건강만 담보해주는 것이 아니고 우리의 정서와 정체성에도 큰 영향을 끼친다. 우리의 말이나 고향이 우리의 정서와 영혼의 집인 것처럼 먹을거리도 우리의 육체적 건강과 함께 인격과 자기정체성을 규정해주는 중요한 삶의 조건이다.

잘 살려면 잘 먹어야 한다. 그러나 잘 먹는다는 것은 영양가나 기름기가 많은 음식을 먹는 것이 아니고 사랑과 정성, 그리고 믿음이 들어간 음식을 먹는다는 것을 뜻한다. 가장 안전하게 잘 먹을 수 있는 음식은 내 텃밭에서 손수 가꾼 음식재료로 자신이나 자신과 가장 가까운 혈육인 어머니가 만든 음식이다. 그래서 나는 이런 사랑, 정성, 믿음이 들어가지 않은 대형 집단급식을 원칙적으로 반대하지만, 이미 올 때까지 와버린 학교급식제도를 되돌려 보낼 수도 없다.

기왕 하지 않을 수 없게 된 학교급식이라면, 앞에서 말한 가장 안전한 어머니의 밥상과 가장 유사한 급식제도를 도입하자는 것이다. 내 텃밭은 아니지만 내 학교와 가까운 농촌지역에서, 내가 지은 것은 아니지만 내가 잘 아는 사람들이 지은 농산물을 재료로 하여, 그 운영과 조리에 학부모가 참여하는 급식이라면, 집에서 만드는 어머니 밥상은 아닐지 몰라도 그와 가장 유사한 밥상이 아니겠는가?

급식재료의 질도 그렇지만, 수급의 안정성 측면에서도 국내시장도 믿기 어려운데 어찌 얼굴도 국적도 생판 모르는 다국적기업의 세계시장을 믿고 우리의 미래와 희망인 아이들의 밥상을 맡길 수 있겠는가? 지구 기후의 변동, 인구의 증가, 산업화와 세계화와 정보화로 인한 소비와 낭비의 폭증, 고가 에너지시대의 도래와 에너지 위기 등으로 식량 위기는 반드시 온다. 설사 식량생산의 한계는 첨단기술로 한동안 유예할 수 있을지라도 유통독점에 따른 유통위기는 언제 올지 모른다. 중국산 쌀값이 우리 쌀값의 5분의 1밖에 되지 않는다고 해도, 중국의 폭발적인 경제성장과 석유 값 인상, 그에 따라 하루가 다르게 올라가는 인건비로 5년 안에 현재의 우리 쌀값을 능가하지 않을 것이라고 누가 보장해줄 것인가? 지금 자동차, 핸드폰 팔아 돈 좀 할 수 있다고 WTO, FTA 등을 넙죽 받아먹다가는 정말로 큰 코 다칠 날이 반드시 올 것이다.

무엇이건 독점과 예속은 반민주다. 분산과 균형이 민주의 기본이다. 그런데 지금 이 땅에는 과거 어느 시대보다 권력과 경제가 더 중앙독점화되고 있다. 소수정파에서 나왔기 때문인지 스스로 약자라는 피해의식에 젖어 있는 대통령의 말 한마디에도 온 나라의 백성들이 휘청거리는 곳이 이 땅이다. 같은 평수의 아파트인데도 10억 원 하는 서울에 사는 사람과 1억 원도 안 되는 지방의 사람을 같은 땅, 같은 나라의 사람이라고 말할 수는 없다. 중앙독점적 권력은 자본의 중앙독점과 함께 모든 기술을 중앙독점적으로 거대화한다. 가난했지만 아주까리기름의 호롱불로 불 밝히며 자립적이고 자유로웠던 우리는 중앙독점적 거대자본의 거대 기술인 전기 없이는 아무것도 못하는 전기의 노예, 기술의 노예가 된 것이다.

그런데 마지막으로 우리에게 남은 먹을거리의 자급마저 초국적기업의 세계시장에 넘겨주고 나면 우리는 무엇으로 우리의 정체성을 규정해갈 것인가? 먹을거리에 대한 자립 자치권마저 포기하여 우리 목숨이 초국적기업 식품에 예속된다면, 그 기업과 자본이 생산해주는 사료로 사육되는 가축과 다를 것이 없다. 실지로 획일적 세계시장체제 속의 현대인은 먹고살기 위한 피고용 노동을 하고, 그 돈으로 이미 만들어진 인스턴트식품을 사 먹고 사는 한, 기업이 기르는 가축에 지나지 않는다. 다만 그 사료가 기름지다 보니 가축은 가축이되 옛날 논밭에서 사역되던 가축과는 달리 오늘날 잡아먹기 위해 기르는 비육우나 비육돈같이 살찐 가축인 것이다.

지금은 모두가 농사꾼으로 돌아가 사는 것이 거의 불가능한 세상이 되었다. 그러나 지금보다는 좀더 많은 젊은이들을 농촌에 돌아가게 해서 소농공동체를 만들고 우리 먹을거리의 의존을 그들에게 분산시켜야 한다. 소농공동체야말로 인간의 생존권을 초국적 세계시장 권력의 독재로부터 해방시키고 자립자치 민주주의를 지켜주는 마지막 보루다. 소농공동체만이 소농 자신뿐 아니라 고추 한 포기 안 심고도 잘 먹고 잘 사는 도시 사람들도 초국적기업의 살찐 가축으로 전락한 상태에서 해방시켜 자유하게 하리라. 그래서 나는 지금 모든 지역으로 번지는 학교급식조례 제정운동이 단순한 음식재료의 질 향상 운동에 그치지 않고 자치민주주의의 뿌리인 소농공동체 부활운동의 출발점이 되길 기대한다.

지금 수준의 유기농직거래운동만으로는 소농공동체와 농사를 제대로 살릴 수가 없을 것이다. 그러나 그것은 바로 지금 전개되는 학교급식조례 제정운동과 같은 보다 큰 규모의 공동체운동을 위한 일종의 예행연습이었던 것은 분명하다. 이러한 예행연습이 있었기에 학교급식의 직거래운동과 같은 새로운 전망이 가능했던 것이다. 만일 내게 한평생 걸어온 농사 경험과 오랜 세월의 농산물 직거래 경험이 없었다면 학교급식재료의 직거래를 통한 새로운 지역공동체운동을 전망하지 못했을 것이다.

이제 모든 직거래 단체들의 축적된 경험과 지혜와 기득권은 학교급식 직거래를 원하는 농촌마을에 되돌릴 때가 된 것 같다. 그리하여 그것이 학교와 농촌 간의 공동체운동에 그치지 않고 학부모와 농촌 간의 공동체운동, 더 나아가 모든 도시지역과 각 지역 농촌 간의 지역 도농 공동체운동으로 확산되고 우리 소농을 되살리는 커다란 기폭제가 되기를 바라고 기원한다.

(『녹색평론』 2004년 1 · 2월호)

들에서 보는 친환경농업정책

「소농정책의 행방을 묻는다」라는 내 글이 『녹색평론』 제46호(1999년 5 · 6월호)에 실린 지 얼마 뒤에 농림부 환경농업과에서 농정자료를 보내겠다며 주소를 묻는 전화가 왔다. 내가 문제를 제기한 소농정책 관련 자료이려니 짐작했는데, 보내온 자료는 뜻밖에도 『환경농업육성법령및해설』, 『친환경농업육성정책』, 『친환경농업관련자료(Ⅰ)』 등 순전히 환경농과 관련된 책자 세 권이었다.

내가 「소농정책의 행방을 묻는다」에서 제기했던 질문 하나는 친환경농정책으로서의 가족농정책이 곧 소농정책일 수 있는가이고, 다른 하나는 환경농의 원칙과 정의에 관한 것이다. 그리고 가장 비중 있게 제기한 의문이 이들 정책의 구현을 주로 도시의 소비조합과 이에 대응할 농촌의 품목별 생산자협동조합의 설립을 통한 직거래 유통정책에 전적으로 기대려는 조합주의적 환경농정책이 불러올 또 다른 여러 문제들에 관한 것이다. 그런데 아마도 당국은 나를 친환경농정책을 모르거나 오해하고 있는 사람으로 알고 이를 홍보하기 위해 자료를 보낸 것 같았다. 자료들이 다 그렇지만, 이 글을 쓰기 위해 하나도 재미없는 그 두껍고 소상한 책 세 권을 억지로 읽긴 했는데, 그렇다고 이 자료를 보기 전에 정명채의 「가족농의 강화 — 세계화 농업에 맞서는 길」(『녹색평론』 제42호에 수록)만을 보고 쓴 내 글의 논지를 바꾸거나 취소하도록 할 만한 특별한 내용은 발견되지 않았다. 오히려 친환경농업정책의 의문점과 비판거리만 더 보태준 자료였다.

그리고 얼마 뒤, 『녹색평론』 지난 호(제47호)에서는 앞서 말한 내 글에 대한 회답을 겸해 씌어졌다는 김성훈 농림부장관의 「친환경농업으로 새천년을 연다」라는 농정홍보 글을 다시 접했다. 김 장관은 초기 『녹색평론』에 이따금 기고한 필자이긴 했지만, 장관이 된 뒤에도 『녹색평론』을 계속 읽고 해당 정책에 대한 문제제기에 이처럼 자신의 이름으로 직접 회답을 준 것은 좀 뜻밖이었다.

김영삼 정부 시절, 한살림 주최의 농정토론회에서 발제한 원고를 『녹색평론』에 주기로 한 어떤 학자가 청와대 농수산 수석비서관으로 들어가자 갑자기 입장이 달라졌기 때문에 그 원고를 줄 수 없다고 한 적이 있었다. 같은 정권 때 초대 농림부 장관의 이른바 '신농정'을 비판한 내 글이 『녹색평론』에 실렸을 때 이 기사를 크게 다룬 서울의 모 일간지가 있었다. 그런데 그 신문이 자기 신문의 문화면에 소개된 내 글을 며칠 뒤 자기 신문 사설에서 비판하는 해프닝도 있었다. 알아본즉, 농림부 장관실의 압력으로 그랬다는 것이다. 이 같은 권위주의적 관료주의 풍토에서 내가 아는 한 농정 책임자가 해당 정책의 문제제기에 친절하게 손수 회답하고 홍보한 전례는 아마도 한 번도 없었을 것이기에 뜻밖이고, 고맙게 여긴다.

하지만 고마움은 고마움이고 의문은 여전히 의문으로 남는다. 내가 묻고자 했던 것은 거듭 말하지만 김성훈 장관 취임 초 언론에 보도됐던 소농정책의 행방이고, 그와 함께 의문을 제기했던 것은 친환경농정책으로서의 가족농정책이 틀렸다거나 그렇게 해서는 안 된다는 것이 아니라 '친환경농정책'도 '소농정책으로서의 가족농정책'도 그 이념적 지향이 애매하고 불철저하다는 것이다.

환경농정책 자료와 장관의 회답 글을 통해 내가 확인할 수 있었던 것은, 소농정책이 김 장관의 주요 농정과제 속에 들어 있다는 것은 신문 오보(?)였다는 것과 이 농정의 핵심과제인 친환경농정책에 대한 김 장관의 시각과 철학이 필자와는 다르다는 것이었다. 나는 신문보도나 정명채의 글을 통해 접하는 친환경농정책으로서의 가족농정책도 어디까지나 들에서 보고 생각할 수밖에 없었다. 이에 견주어 김 장관은 재야 사회운동가 출신이라지만 서재 속의 학자로서가 아니면 과천 청사의 창문을 통하여 친환경농과 농업·농촌 문제를 볼 수밖에 없었다. 이런 입장의 차이와 한계를 나는 다시금 실감한 것이다.

하긴, WTO 체제에 편입된, 현실 정치 속의 농정으로는 누가 장관이라도 그 이상 어쩔 수 없겠다고 이해는 충분히 한다. 하지만 현실을 이해하고 시각과 입장 차이를 인정한다고 있는 문제들을 그대로 덮고 넘어간다면, 우리 삶을 직접적 · 구체적으로 구속하는 정책의 바람직한 발전은 영원히 기약할 수 없을 것이다. 더구나 다른 문제도 아닌 인류의 미래 생존이 걸린 농업 · 농촌 문제를 방기하는 인간적 무책임에 대한 비난도 면치 못할 것이다.

과연 '새로운 농정 패러다임'인가

「친환경농업으로 새 천년을 연다」에서 제시한 김성훈 농정의 주요 과제를 다시 요약해서 옮기면 이렇다. 첫째, 쌀의 자급, 둘째, 농산물 유통구조 개선, 셋째, 소비자 지향적이고 환경친화적인 농업 육성, 넷째, 국내 부존자원과 전통적인 친자연농을 최대로 활용하는 가족농과 친환경농업 육성, 다섯째, 농업인과 소비자가 농정에 참여할 수 있는 열린 농정, 기타 통일을 대비한 남북협력농업 등이다.

이상의 농정과제 중에서 셋째의 환경친화적 농업의 육성과 특히 네번째의 가족농 육성은 확실히 새로운 농정과제임에 틀림없다. 물론 전(前) 정부의 농정에서도 일부 농민 속에서 자생한, 이른바 유기농업운동과 직거래운동의 요구와 압력에 부응한 유기농업정책이 전혀 없었던 것은 아니다. 그러나 이것을 주요 농정과제로 삼지 못한 채 앞 농정은 끝났던 것인데, 이렇게 시작된 농업의 중요문제를 보다 구체적 · 체계적으로 보완하여 농정의 핵심과제로 삼은 것은 바람직한 일이다.

특히 농업의 가치를 평면적 · 일차적 가치에만 국한시킴으로써 그것을 생산하는 주체의 경쟁력을 경작면적의 크기, 즉 대농이나 기업농에서만 찾고자 했던 지난날의 규모화의 경쟁력 대신 소규모 다품종 생산체제인 전통적 가족농을 우리 농업의 기본 경영 주체로 내세우고 농업의 비시장적 절대가치를 인정한 것은 전에 없던 농정 패러다임이라 할 수도 있다. 그렇다고 이것을 과연 패러다임의 전환이라고까지 할 수 있을까? 이를 확인하기 위해 이 농정의 최대 역점과제로 보이는 친환경농업과 가족농 육성을 정책화한 배경을 다시 짚어보자.

WTO의 완전개방 체제 아래서 국제경쟁력 강화는 피할 수 없는 냉엄한 현실이다. 국제경쟁력에는 가격경쟁력과 비가격경쟁력이 있다. 우리의 역대 농정이 그랬듯이 아무리 대농이나 기업농을 지원 육성한다 해도 우리에게 태생적으로 주어진 부족한 부존자원과 물리적 하부구조로써는 농업선진국의 가격경쟁력을 따라잡을 수가 없다. 남은 길은 품질, 안전성, 유통 여건, 환경생태계 영향 등을 고려한 차별화로 비가격경쟁력을 높이는 길뿐이다. 이 비가격경쟁력을 높이는 길로 선택된 것이 가족농 주체의 친환경농업정책이다.

그러나 비가격경쟁도 또 다른 형태의 경쟁이다. 그렇다면 친환경농정책 역시 국제경쟁력이라는 신화와 우상으로부터 결코 자유롭지 않다. 물론 농정은 완벽하고 영원한 이상을 좇는 사회운동이 아니고 현실 정치의 정책이기 때문에 당장 밀려오는 외국농산물로부터 우리 농업의 황폐화를 막고 농민의 고통을 덜어줄 수 있는 다른 현실적 대안을 이밖에 다른 것에서 찾기도 결코 쉽지 않을 것이다. 그렇다고 해도 완전개방의 세계시장체제 아래서 외국이나 다국적기업들의 친환경농산물도 함께 밀려오지 않는다는 보장은 어디 있는가? 아니, 이미 밀려들어오고 있고 우리가 원하지 않는다 해도 WTO의 무역장벽 해제 재협상에 따라 더 밀려오게 되어 있는 것이 기정사실 아닌가?

전통자급농으로서의 친자연농의 역사는 우리가 더 유구한지 몰라도 산업농, 상업농, 화학기계농의 대안으로서의 친환경농은 그 방면의 농업 선진국에서 먼저 시도되었다. 따라서 농업 선진국이 그 방면의 생산량에서나 가공 · 유통 등 모든 기술 면에서, 그리고 이른바 규모화 면에서 우리의 추종을 이미 불허하고 있지 않은가? 1990년대 들어 이른바 유기농생산자와 그 직거래단체 종사자들이 그것을 견학한답시고 뻔질나게 해외 나들이를 하고 있는 것이 그 증거가 아닌가? 우리가 제아무리 국내산 친환경농산물로 비가격경쟁을 하고자 해도 상대방 역시 친환경농산물로 비가격경쟁과 가격경쟁을 동시에 하겠다는 것이 바로 WTO 체제인데 이에는 어떻게 대응할 것인가?

이런 이유들로 나는, 친환경농을 하지 말자는 것이 아니라, 보다 철저히, 그야말로 패러다임을 바꾼 진짜 환경농을 제대로 해보자는 것이다. 경쟁이라는 세계시장 패러다임 대신 자급자족하는 지역 자립 공동체라는 패러다임으로의 일대 전환으로 생태적으로 지속 가능한 진정한 환경농을 제대로 해야 된다는 것이다.

가족농정책이 곧 소농정책인가

현 정부의 농정이 종래의 기업농·대농 중심에서 친환경농을 하는 가족농을 지원 육성하는 방향으로 바뀐 것은 분명히 전향적이다. 하지만 이것이, 역대 농정의 기업·대농 중심 정책이 경쟁력의 측면에서 실효를 거두기는커녕 오히려 밑 빠진 독에 물 붓기 식으로 농업 재정만 갉아 먹었기 때문에 어쩔 수 없이 선택한 대안이라면, 이 정책의 전망 또한 낙관할 수 없다. 더구나 중소농 규모의 가족농이 현 단계에서 친환경농을 하는 주체로서 대규모 기업대농보다 유리하다는 판단으로 선택한 농정이라면 더욱 그렇다.

친환경농정책 자체도 설사 비가격경쟁일지라도 이미 국제경쟁 패러다임에 근거하고 있다. 그런데 현재의 친환경농산물 생산의 노동집약적 성격을 감안할 때 가족농이 기업농보다 유리할지는 몰라도 그 "성패의 관건은 현대과학 기술과의 접목이며 유통구조 혁신에 의한 안정적 판로 확보에 있다"면 이야기가 달라진다. 친환경농산물 생산의 과학기술 접목이나 유통구조 혁신 등의 외부 의존과 외부 조건의 수용에는 가족 규모 농보다 기업적 대농이 언제나 훨씬 유리하다. 그렇다면 이에 따른 기업대농의 친환경농 진입은 다만 시간문제일 뿐이고, 그 경쟁에서 누가 이기리라는 것은 불을 보듯 뻔하다. 이것이 결코 기우가 아니라는 증거는 이미 나라 안팎에서 나타나고 있다.

경남 하동에서 스스로 고안한 파종기가 부착된 콤바인으로 친환경농(본인의 말로는 '태평농법' 또는 '자연농업'이라 한다)을 하는 이영문이라는 농부가 있다. 그가 소유하여 경작하는 논은 약 4만 평이라고 하는데, 우리 기준으로는 분명히 대농에 속한다. 당국의 지원을 받는 데 역대 농정에서는 개인보다 법인이 유리해서인지 그도 농업법인 영농회사 형태를 갖추고 있지만, 실제의 경영 주체는 개인 가족농이다.

그에 따르면 비료 · 농약을 전혀 쓰지 않음으로써 가장 모범적인 친환경농인 이영문식 자연농업(?)을 하는 데도 그 기계기술의 접목으로 6월의 밀 수확과 벼 파종기의 한두 주일, 10월의 벼 수확과 밀 파종기의 한두 주일, 합해서 1년에 한 달 정도면 이 4만 평 대농장의 중요작업이 끝난다고 한다. 그렇다면 그 파종기를 부착한 콤바인의 소유 대수에 따라 몇십만 평이나 몇천만 평의 자연농법 농사도 가능하겠다고 하니까 그는 그렇다고 했다.

그의 말처럼 연간 한 달 정도의 농사일로써만은 아니겠지만, 아무튼 많은 외부 노동 없이 가족노동으로 그는 논 2백 마지기에서 친환경 쌀을 대략 5백~6백 가마 수확할 것이다. 무농약 쌀 가마니당 값을 20만 원으로 칠 때, 밀과 보리를 제외하고 쌀 수익만도 약 1억 원 이상 된다는 계산이다. 이처럼 친환경농일지라도 규모가 크면 경영에 유리할 수밖에 없다.

그런데 4만 평을 가진 가족농도 친환경농을 한다고 그것을 중소농이라고 할 수 있을까? 3천만 원이 넘는 고가의 콤바인을 소유한 농민을 우리 기준에서 소농이라고 할 수 있을까? 한때의 고도성장에 따른 거품과 높은 인구밀도로 땅값이 세계에서 제일 비싼 우리나라의 경우에 우리의 상식, 아니 필자의 기준으로는,

우리 농가의 평균 경지면적을 약 4천 평이라고 할 때, 그 평균 면적 4천 평 이하를 소농, 평균 이상 1만 평까지를 중농, 그 이상은 아무래도 대농으로 보는 것이 합리적이라고 본다.

WTO 체제하의 쌀 개방에 대비한 당국의 쌀 재배농가에 대한 직접지불제의 액수가 3천 평당 25만 원으로 확정될 경우, 3천 평 이하의 가족소농에서는 그 해택이 고작 25만 원 이하이다. 이에 견주어 3만 평 이상을 경작하는 대농은 같은 가족 경영인데도 2백50만 원 이상의 목돈을 지원받을 수 있다. 물론 김 장관의 말처럼 3천 평 이하의 가족소농이 쌀농사 대신 이른바 노동집약적인 특용작물을 재배할 경우, 3만 평 이상의 쌀농사를 짓는 가족대농보다 그 판매고나 매출액의 기준에서는 소득을 더 높일 수도 있다. 그러나 이것도 해당 작목의 시장개방 이전에나 가능한 일시적 · 투기적 현상이지 특용작목이라고 안정적으로 그 소득이 보장되는 것은 결코 아니다.

그런데도 소유나 경작 규모에 관계없이 같은 가족 경영체라고 해서, 또는 같은 친환경농을 한다고 해서, 소농에 대한 아무런 배려 없이 땅의 면적에 따라 동일한 액수를 지원하는 것을 소농정책이라고 할 수 있을까?

더구나 판매고나 매출액 위주의 가족농 주체의 친환경농정책은 우리 농가의 대다수를 점유하는 중소농들로 하여금 쌀농사보다 소득이 높은 다른 특용작물을 재배하도록 부추길 것이다. 그렇게 되면 이 농정의 첫번째 과제인 쌀 자급정책에 오히려 모순되는 정책이 아닌가?

무엇이 친환경농인가

농림부에서 보내온 『친환경농업관련자료(Ⅰ)』에는 미국의 유기농(친환경농) 쌀 재배 농가의 사례가 하나 실려 있다. 일본에 유기농 쌀을 수출하고 있는 런던버그 가족농장은 경작 규모가 7천5백 에이커(9백18만 1천5백 평)에 이르는데, 그 절반은 유기 재배하고 나머지는 저농약 재배를 하고 있다고 한다. 이 농장은 상근노동자 11명과 계절노동자 7명을 고용하고 있다.

토양 관리는 살갈퀴, 클로버 등의 재배를 통해 마련한 풋거름과 닭똥퇴비로 하고, 지력을 높이기 위해 1~3년간 휴경을 한다. 파종은 미국의 관행농처럼 비행기를 이용하거나 예취기로 살갈퀴, 클로버 등을 15센티미터 높이로 자른 후 땅에 드릴로 구멍을 뚫어 파종기로 직파한다. 잡초 제거는 물을 대어 잡초를 발아시킨 뒤 물을 빼 말려 죽이고서 종자를 파종하는 방법과, 잡초보다 벼가 건조에 강한 성질을 이용, 파종 뒤 잡초가 자라면 물을 빼서 잡초를 고사시킨 뒤 물을 다시 대주는 물 관리 방법이 있다. 파종기로 직렬 파종했을 경우에는 파종기와 한 세트로 개발된 제초기를 이용하여 벼와 벼 사이 표토 2~3센티미터 아래 잡초의 뿌리를 절단하는 기계적 관리 방법을 쓴다. 병충해 방제도 물 관리를 통해 하거나 물새 등 천적에 의존한다.

이런 방법으로 생산하는 런던버그 가족농장의 유기농 쌀 생산비는 일반재배 경우보다 약 두 배 정도 높다고 한다. 이 유기농 쌀은 95퍼센트가 미국 내에서 소비되고 지금은 5퍼센트만이 일본에 수출된다고 한다.

워낙 국토가 넓은 나라이고 보니 9백18만 평이 넘는 광활한 농지를 경작하는데도 경영 주체가 주식회사 등의 법인기업이 아닌 가족이기 때문에 가족농이 되나 보다. 하지만 우리의 상식에서 가족농은 주로 가족의 노동력에 의존해서 자급자족적으로 경작할 수 있는 경영 규모로 이해한다. 그런데 미국이라고 해서 상근 노동자 11명과 계절노동자 7명을 고용하는, 노동력을 주로 외부에 의존하는 고용농 규모인데도 그 경영 주체가 대규모 법인 아닌 가족이라 하여 가족농으로 부르는 것이 아무래도 납득되지 않는다.

이보다 더 납득할 수 없는 것은 이처럼 에너지 고투입과 집약에 의존하는 수출 지향 농업을 친환경농이라 하는 것이다. 토양관리에 닭똥에너지를 독점적으로 쓰고, 씨앗을 파종하는 데도 최고로 에너지를 많이 쓰는 비행기를 이용하거나 파종기를 이용한다. 잡초 관리와 병충 방제에는 어마어마한 수자원을 이용하고, 수확하는 데는 보나마나 대형 수확기와 트랙터 등을 그 면적에 비례하는 대수만큼 굴릴 것이다.

게다가 지금은 비록 5퍼센트라고 하지만 잠재적으로는 그 생산물 대부분을 지구를 반 바퀴 이상 도는 장거리 수송으로 세계시장에 수출할 것이므로, 농사에 투입된 에너지량보다 더 많은 부존자원을 또다시 낭비 투입할 것이다. 그러고도 이것이 일본 같은 수입국에서보다 더 값싸게 생산되어 이른바 수출경쟁력이 있다면 거기에는 아무래도 무슨 음모가 있을 것이다.

자국 국민의 세금을 통한 직접지원을 받았거나 자국적의 세계금융자본의 저금리 금융 지원을 받았거나, 아니면 제3세계의 노동력과 자연환경의 착취에 따른 보이지 않는 간접지원도 있을 것이다. 물론 쌀값이 싼 가장 큰 요인은 농가소득의 절반 이상을 당국이 지원해주는 직접지불제를 시행한다는 것과, 땅이 넓고 값싸서 경작을 규모화할 수 있고, 그 규모화에 따라 대형기계화가 가능하다는 데 있을 것이다.

이처럼 대형기계화에 따른 에너지의 대량 투입으로 부존자원의 고갈을 재촉하고 그것으로 공기와 물을 오염시키고 수자원을 남용하고 결국에는 땅까지 오염된 수자원과 대형기계로 질식시키는 이런 농업이 어째서 친환경농이 되는가? 단지 농사지을 때에 비료와 농약 등의 화학물질을 안 써서 사람의 건강에만 상대적으로 안전한 먹을거리를 생산하기만 하면 친환경농이 되는가?

소유와 경작 규모를 무시한 친환경농정책은 이같이 대농에게 유리하게 적용될 가능성이 높아 본의는 아닐지라도 결과적으로 규모화 경쟁을 부추기는 대농 또는 기업농정책으로 되돌아갈 것이다. 비단 농업뿐 아니라 모든 규모화는 친환경이나 생태 지속과 결코 양립할 수 없다. 오늘의 이 지구적인 환경 위기를 넘어 우주적이라 할 생태 위기의 원천이 바로 그 규모화의 낭비 생산과 세계 규모화의 시장 소비에 있음을 누가 부인할 것인가?

거듭 말하지만 진정한 환경농은 화학물질만 안 쓰는 것이 아니다. 농사에 들어가는 부존 에너지의 투입 총량을 최소화하는 것, 궁극적으로는 전혀 안 쓰는 것이다. 그 대신 생태적으로 지속 가능하고 재생 가능한 에너지나 소규모 기계를 쓰는 농업이다. 현 단계에서 농업에 이용할 수 있는 지속 가능한 에너지는 인력과 축력뿐이다. 따라서 그 규모는 작아질 수밖에 없다.

화학에너지 대신에 쓰는 유기물에너지도 외부에 의존해서는 안 되고 지역적으로 자급자족해야 한다. 좀더 확실히 말하면 그 땅에서 나온 유기물만 그 땅에 돌려야 한다. 남의 땅 유기물을 돈 주고 사거나 제 땅의 것이라 할지라도 그것을 어느 특정 작목의 유기 재배를 위해 특정한 땅에 몰아넣고 말면 그 땅을 살찌우려고 나머지 땅의 생명을 착취하는 반환경·반생태·반공생 농업이 되고 만다. 설사 농사는 위와 같은 지속 가능한 순환원칙으로 지었다 해도, 그것의 유통 소비가 일정한 지역을 넘어 광역화되거나 세계화될 때 그에 따르는 에너지 낭비는 농사에서 지킨 지속 가능한 친환경농 원칙들을 스스로 배반하는 반환경·반공생이 되고 만다.

왜 친환경농정책인가

『친환경농업육성정책』이란 자료집 제일 앞에는 그 정책의 추진배경과 필요성을 밝히고 있는데, 그것을 요약하면 이렇다.

국내적으로는 농약과 비료의 과다사용으로, 또 축산분뇨의 마구잡이 유출로 우리 농업환경의 파괴가 심각하다. 국제적으로는 지구 온난화, 열대림 감소, 산성비와 토양 사막화 등으로 지구환경이 심각하게 위협받고 있다. 이에 대응하는 환경 관련 각종 국제회의가 열리고 거기서 환경선언이 채택되고 여러 계획들이 추진되고 있다. 이 같은 전 지구적 농업환경 파괴에 대응하는 농산물의 지속 생산을 위해서, 안전한 농산물을 요구하는 국민 요구에 부응하기 위해서, 또 국제적인 환경농업의 동향과 그 압력에 능동적으로 대응하기 위해서 친환경농 육성정책은 불가피한 선택이란 것이다.

하나도 틀린 말은 없다. 그런데도 거의 한평생을 농사를 생업으로 삼고서 그것을 통해 사람답게 사는 세상을 만들어가는 데 내 나름대로 일조한다고 믿고 친환경농운동을 하며 살아온 나로서는 그 필요성이 이것뿐이라면 너무나 허망하고 서글프다. 과연 환경농의 궁극적 의미가 이것뿐일까? 이 얘기는 잠시 뒤로 미루고 그 같은 배경과 필요에 따라 채택된 친환경농정책은 현 단계까지 어떻게 추진되었고, 앞으로는 어떻게 전개될 것인지를 먼저 살펴보자.

1994년부터 민간의 환경농업 관련 단체로부터 논의되기 시작한 환경농 육성 및 지원을 위한 법은 많은 우여곡절 끝에 1997년 11월 18일에 제정되고 친환경농업육성법 시행령 및 시행규칙 등 하위법령도 1998년 9월 28일 확정되었다고 한다. 그 결과 1998년 12월 14일부터 이 법이 시행되고 있다고 한다.

그러나 나는 이번에 관련 자료를 받기 전에는 그런 법령이 언제 제정되었는지도 모르고 있었다. 모든 법령은 그것과 이해관계가 있는 추진 주체에 의해 제정된다. 환경농 육성법을 최초로 논의 추진한 민간의 환경농업 관련 단체도 그것이 서울에 있는 한, 환경농업인만의 단체는 아닐 것이다. 설사 형식은 그렇게 갖추고 있다 해도 내용은 환경농사보다 그 농산물 유통에 더 많은 이해관계를 갖고 있는 단체일 것이다. 추진 주체의 이해가 먼저 반영될 수밖에 없는 모든 법령은 따라서 주체가 아닌 대다수 사람들에게는 또 하나의 규제와 제약이 되기 쉽다.

환경농 정책 관련 자료를 받기 얼마 전에 농산물검사소(지금은 '농산물품질관리원'으로 개명)로부터 납득하기 어려운 내용의 전화를 받은 적이 있다. "한살림은 유기농산물을 취급하는 데 아니냐?" "그렇다." "거기서 취급하는 농산물은 환경농 품질인증을 받은 것이냐?" "표시는 안 되어 있지만 우리 생산자 회원이 그 방면의 선구자이기 때문에 거의 받은 줄로 안다." "앞으로는 품질인증을 받아 환경농산물 표시를 하지 않으면 환경농산물로 유통할 수 없다." "알았다." "그 단체에서 생산자나 소비자 교육을 하지 않느냐?" "가끔 한다." "그런데 왜 우리(농산물검사소)에게 강의 요청을 안 하느냐? 앞으로 그런 모임 있을 때는 연락해달라." "그러겠다."

관청의 권위를 앞세운 일방적 질문과 지시에 그러겠다고 얼떨결에 대답은 했지만 과연 그럴 수 있는지, 이 글을 읽는 독자들에게 묻고 싶다. 정책용어로 '친환경농'이라고 하는 분야의 농사에 나는 한평생을 걸고 살다 죽어갈 나이에 이르렀다. 정부로부터 무슨 대접까지야 바랄 처지는 아니지만 정부의 관료들이 언제부터 환경농에 관심이 있었다고, 단지 그 법령이 제정되고 그에 따른 정책의 지침이 내려왔다고 우리에게 교육을 하겠다니? 누가 누구에게 교육을 받아야 되는지 길을 막고 물어볼 일이다. 아니, 이참에 이 문제를 농정당국으로부터 직접 확인받고 싶다.

우리 단체는 친환경농산물(우리는 '공생농산물' 또는 '유기농산물'이라고 한다)의 회원 내부 직거래를 통해 생태적으로 지속 가능한 지역 자립자치두레를 지향한다. 이를 위한 사업의 하나로 일찍부터 우리 단체의 자율 자치적 규제를 받는 농민회원이 생산한 공생적 농산물을 '유기농산물' 또는 '환경농산물' 등의 표시 없이도 그것을 생산한 농민과 농산물을 전적으로 신뢰하는 소비자 회원들에게 직거래하고 있다. 시판 아닌 이런 두레(조합) 내부의 직거래에도, 농산물검사소 직원의 말대로 우리의 환경농업 생산회원은 신고를 해야 하고 품질인증을 받아야 하고 친환경농산물 표시를 의무적으로 해야 하는가?

환경농업육성법 제18조(시판품의 조사 등)에는, 농림부장관이 필요시 관계 공무원으로 하여금 생산과정을 조사하게 할 수 있고, 판매되는 환경농산물을 수거하여 품질 적합성을 조사하거나 관계 기관에 시험을 의뢰할 수 있다고 되어 있다. 법 제17조에 규정된 친환경농산물 생산신고, 표시 등을 안 한 유기농산물을 내부에서 직거래하는 단체에도 이 조항이 적용되는지 확인하고 싶다.

만일 이 법령들이 기존의 직거래 단체에도 똑같이 해당된다면, 우리의 오랜 유기농직거래운동은 현 정부의 주요 농정과제의 하나(친환경농 육성정책)로 편입되는 것으로 그 막을 내려야 할지 모른다. 우리 같은 직거래운동단체가 할 일은 당국이 인정해준 친환경농산물을 갖다 파는 슈퍼마켓 역할밖에 없기 때문이다.

거듭 말하지만, 우리의 친환경농, 공생농직거래 운동은 그 자체가 목적인 동시에 한 가지 수단이기도 하다. 우리가 이 운동을 통해 전망하는 것은 생태적으로 지속적인 지역 자급자족과 자립자치의 두레세상이다. 진정으로 지속 가능한 친환경농의 목적 실현도 바로 이 생태적 지역 자립자치두레에 근거하지 않고는 불가능하다고 우리는 믿는다.

그런데 이런 자치공동체운동의 이상이 배제된 친환경농정책의 미래의 그림은 구체적으로 어떤 모습으로 그려질까? 친환경농업이 정책화된 이상 그것의 생산과 유통, 소비를 촉진할 주체가 필요한데, 이 역할이 그 말 많은 농협에 주어진 것 같다. 농협의 각 지역본부는 늦어도 내년부터 시작해야 할 친환경농업 생산물 판매를 위한 물류창고를 짓고 있다고 한다. 생산은 농촌지역 농협의 기존 작목반이 맡고, 유통은 도시지역 농협의 하나로마트가 나선다는 것이다.

이것이 제1 주체에 의한 제1단계 친환경농정책 실현이라면, 제2 주체는 이미 제정, 발효되었다는 소비자협동조합법에 따라 도시의 소비자협동조합이 맡게 될 것 같다. 이에 대응하는 친환경농산물 생산은 기존의 농협 작목반 외에 농촌의 품목별 생산자협동조합이 맡게 된다는 것이다.

하지만 기존 농협의 작목반이 관행농사를 하는 대신 농약과 비료를 적게 쓰거나 안 쓰는 정도의 농산물을 생산하고, 이제까지 일반 농산물을 취급하던 농협 하나로마트가 친환경농산물을 대신 취급한다고 무엇이 달라지겠는가? 수많은 도시 소비자 단체가 농촌의 수많은 품목별 친환경농 생산단체를 상대로 품질 좋은 농산물의 생산과 소비 촉진 경쟁을 벌인다고 이 나라 환경과 지구환경이 얼마나 좋아지겠는가?

분야별 조합주의에서 지역별 도농 통합 두레로

환경농을 하는 것은 농민이든 여러 농업 관련 단체든 '농(農)' 자와 관계된 사람들의 소득을 보장하고 시장경쟁력을 높이기 위해서만은 아니다. 또 시장유통 대신 직거래라는 다른 유통방식을 취하는 것도 단순히 물류비용을 줄이고 식품안전성에 대한 신뢰를 높이기 위해서만은 아니다. 거기에는 환경 면에서나 생태 지속 면에서 이미 한계에 달한 시장경쟁의 대안으로 생산자와 소비자가 지역적으로 하나의 공동체를 이루고, 그 지역 단위에서 자급자족함으로써 자립자치 하는 삶의 공간을 확대하여 자주적인 인간 삶이 평화적으로 영속되기를 기원하는 꿈이 실려 있다. 적어도 우리는 그런 꿈을 안고 이 운동을 해가고 있다.

그런데 단지 몸에 안전하다는 농산물의 소비 확대라는 목적을 가진 도시 소비자 생협에다 소비자들을 한 줄로 엮어 세운다. 이에 대응해서 단지 소득 보장을 위해 농민 각자가 주로 생산하는 농산물의 품목에 따라 한 마을공동체의 사람을 갈라 세우는 생산자협동조합을 따로따로 만든다. 이렇게 이해가 상충하는 분야별 조합주의에 토대한 환경농정책과 전략은 문제를 줄이기보다 오히려 또 다른 경쟁을 일으켜 도농 간, 계층 간 갈등을 증폭시킬지 모른다. 시장경쟁의 패러다임에서는 각자의 목적과 이해관계가 서로 다르면 그것이 같은 사람들끼리 따로 모여 단체를 조직하여 자기 이익을 관철하는 것이 합리적으로 보인다. 그렇다면 지금까지 생산자조합인 농협의 작목반과 그 산하 특수 생산자조합(염소조합, 능금조합, 양돈조합 등), 그리고 유통 소비 창구인 하나로마트나 직거래 단체가 모자라서 오늘의 우리 농업 생산과 유통 문제가 개혁의 대상이 되고 있는가? 서로의 이해관계에 따라 수많은 전문가들끼리 모인 조직이 모자라서 이 사회의 갈등이 증폭되고 있는가?

환경농으로 농정의 패러다임을 바꿀 참이면 확실하게 바꾸고 볼 일이다. 같은 이해관계를 가진 전문분야별로 사람을 조직하는 대신 오히려 상충하는 이해관계 속에 있는 사람들을 일정한 환경·생태문화지역별로 같이 조직하는 것이다. 이해(利害)관계 대신 서로 이해(理解)하는 하나의 삶이 되게 하는 것이다. 모든 것의 분야별 전문화가 경쟁의 원천인데, 경쟁이 무슨 살 수라고 또다시 사람을 분야별 기능별로 쪼개어 저마다 무한경쟁을 외치며 파멸로 가게 할 것인가? 지역적 의존과 통합 없이 생태환경의 지속 없고, 생태적 지속 없이 인간 삶의 지속도 있을 수 없다.

생산자 회원과 소비자 회원을 함께 포용하고 있는 한살림이 아직은 애초에 내세운 생태적으로 지속 가능한 도농공동체의 꿈을 제대로 실현한 것은 아니다. 하지만 그래도 다른 직거래 단체들에 견주면 선구적이고 모범적인 것이 사실 아닌가? 그렇다면 소비조합과 생산조합을 따로 만들지 않고 지역적으로 도농 통합조합을 만드는 것이 진정한 패러다임의 전환이 아닐까?

상호의존 없는 생명은 없다. 그 의존은 물론 공생적 의존관계를 뜻하지만, 지금의 인간관계와 인간의 생태관계는 기생적 의존과 지배적 의존관계 속에 있다. 만일 소비조합과 생산조합을 따로 만들어 서로 대응시키면 소비자를 왕으로 알고 있는 도시의 소비자들이 친환경농산물 생산과정이나 원칙과 이념을 이해하려고 노력하는 대신 소비자의 이익 중심과 지향으로 생산조합을 예속시킬 것이다. 이미 그렇게 되고 있다.

농민의 생산물은 생명을 가진 농산물이다. 오래 두고 고쳐서 쓸 수 있는 내구성 소비재가 아니라 주어진 시간이 지나면 죽어서 썩는 생명이다. 농산물의 상품으로서의 그런 약점 때문에 농민은 언제나 소비자에 대해 약자가 될 수밖에 없다.

말 그대로의 환경농, 지속 가능농과 직거래를 원한다면 도농이 같이하는 지역조합이되, 농민 중심, 생태 중심이 되지 않으면 안 된다. 소비자 중심의 물량주의적 소비 지향이 되면 지속적인 환경농은커녕 농업 자체의 붕괴를 오히려 앞당길지 모른다. 오늘날의 환경·생태·식량 위기 등의 총체적 생명 위기가 바로 이 도시 소비자 중심의 물량시장 확대경쟁에서 비롯되지 않았는가?

소농두레 지역자치 없이 지속 가능한 미래 없다

또다시 강조하는데, 농작물 재배에만 화학물질을 안 쓰거나 적정량을 쓴다고 친환경농이 되는 게 아니다. 진정한 환경농은 농사 과정에서 에너지 투입을 최소화함은 물론이고, 그것을 유통·소비하는 데도 에너지 투입을 최소화해 환경적·생태적이지 않으면 안 된다.

농산물 생산에서 소비까지 외부에너지 의존을 없애거나 최소화하자면 일정한 생태지역 단위에서 모든 것을 자급자족해야 한다. '단일품목 다량생산'의 반생명성에 대응하는 '다품목 소량생산'의 진정한 현재적 의미도 시장경쟁에 효과적으로 대응하는 데 있는 것이 아니고 바로 그 지역적 자급자족에 있다. 지속 가능한 농업, 지속 가능한 사회의 토대는 이런 지역 자급자족 요건들을 모두 충족시킬 수 있어야 한다. 현재의 우리로서는 소농 중심의 지역 자립자치 도농두레 외에는 그것을 달리 구할 길이 없다.

경영 주체가 설사 기업농 아닌 가족농일지라도 그 규모가 지역적 자급자족을 넘는 대농일 경우에는 노동력, 농자재, 부존에너지, 기계 등을 외부에 의존해야 하고 유통과 소비 또한 미국의 런던버그 농장처럼 시장과 수출 지향, 곧 외부 의존적이 되지 않으면 안 된다. 친환경농은 가족농 주체이되 그 의존관계를 외부 아닌 생태문화적 동일지역 안에서 협동 두레화할 수밖에 없는 소농이 되어야 한다.

김성훈 장관은 농업의 공익적 기능을 홍보하는 글에서 '농업의 영원불멸한 절대적 가치'를 도시민에게 교육시켜 농업의 중요성을 인식하고 이해하는 우군으로 만들어가야 한다고 했다. 백번 옳은 말이다. 그러나 도시인에게 농업을 이해시키기 위한 교육 장치를 어떻게 도입할 것인지에 관한 언급은 없다. 원하지도 않는 불특정 다수의 도시인에게 농업의 중요성을 제대로 인식시킬 통로는 현재로서는 열려 있지 않고 앞으로도 쉽지 않을 것이다.

도시인을 농업과 농민의 확실한 우군으로 만들 수 있는 유일한 길도, 생명공학을 비롯한 미래의 온갖 첨단기술들이 난마처럼 얽어갈 가공할 생명농업 파괴 위기와 식량 위기 등으로부터 안전한 농산물의 소비를 보장받는 길도, 도시 소비자들을 농민이 짓는 농사에 부분적으로도 동참시키는 길도 소농 중심의 도농두레밖에 없다. 소농 중심의 도농두레 지역자치의 당위성은 이런 것에만 국한되지 않는다. 인류사의 영원한 꿈이요 화두인 자립자치의 해방구로 가는 제3의 길도 바로 여기에 토대를 두어야 한다.

인간에 의한 인간 지배와 물질적 독점은 인간의 자연 지배와 자연 독점에 의한 잉여로부터 시작되었다. 자연 채취 대신 토지 경작에 따른 생산물의 잉여가 권력의 독점, 토지 독점, 생태 독점, 생명유전자 특허 독점을 차례로 불러오고 그것이 인간에 의한 인간 지배를 더욱 완고하게 조건 지은 것이다. 역사상의 모든 인간해방운동이 한 번도 제대로 성공하지 못한 큰 이유가 이러한 인간의 자연 독점이라는 인간 지배의 전제조건을 무시했기 때문이 아닐까?

어떤 사람은 인간에 의한 인간의 지배와 착취가 끝나야 인간에 의한 자연 지배와 착취, 파괴가 끝난다는 사회생태론을 주장하기도 한다. 그러나 나는 반대로 인간에 의한 자연생태계의 지배와 착취, 파괴를 먼저 끝내지 않는 한 인간에 의한 인간의 지배 착취 구조도 결코 끝낼 수 없다고 믿는다. 인간이 자연을 지배하거나 착취하지 않고 자연과 생태적으로 공생함으로써 마침내 인간의 진정한 해방도 성취할 수 있는 최선 유일의 체제가 '소농두레에 의한 지역 자립자치'라고 나는 믿는다. 인간에 의한 토지 독점, 곧 생태 독점은 토지에 대한 개인의 소유상한제 등의 제도를 도입하는 것으로 얼마든지 막을 수 있을 것이다. 그러나 독점과 집약을 본질로 하는 자본과 기술의 끊임없는 도전으로부터 이 제도를 지켜가기란 쉬운 일이 아니다. 이 제도를 계속 지켜나가기 위해서는 지역적으로 자급자족 · 자치했던 전통 마을두레와 같은 새로운 이념의 지역공동체를 통한 자본과 기술에 대한 지속적 감시와 견제와 압력이 반드시 필요하다.

노동 집약적인 전통 생태농업의 자급 소농에 필요한 것은 넓은 토지가 아니라 협동과 두레다. 상호의존적 자급자족과 협동의 소농두레에서 토지 독점은 불필요하고 또 불가능하다. 토지의 독점 없는 곳에 생태 독점은 있을 수 없고, 따라서 인간에 의한 인간 지배도 불가능할 것이다. 그러므로 생태적 평형과 인간의 생태계화, 생태계 일원으로서의 생태인간 공동체 실현을 내용으로 하는 생태근본주의가 실천적으로 지향할 제3의 길도 소농두레 자치일 수밖에 없다.

김성훈 농정도 제3의 길을 제시한다. "결론은 하나다. 다가오는 21세기는 지속 가능한 사회를 요구한다. 지속 가능한 사회의 기본철학은 무조건적 개발론이 아니라, 무조건적 환경론이 아니라, 환경과 경제론자들의 충돌과 갈등이 아니라, 상생(相生)을 뜻하며, 나아가서 단순한 상생만이 아니라 '공존과 공영'과 함께 '번영'을 의미한다고 할 수 있다. 여태까지 개발이냐 환경이냐의 싸움만을 해왔는데 이제는 경제개발을 하여 소득과 부가가치와 경제수준을 높이면서 다른 한편으로 환경도 살려가는 '제3의 길'을 추구해야 한다."[4)]

하지만 이 길 또한 우리와는 출발점이 다른 길인 것 같다. 소득과 부가가치와 경제수준을 높이면서 환경도 살려가는 그런 길이 있다면 이를 누가 트집 잡을 수 있겠는가? 하지만 그런 길이 가능할까? 진정한 공존공영으로 가는 제3의 길은 이해관계에 따라 이합집산하는 개인이나 집단끼리 각기 딴살림을 차려나가는 원심력의 길이 아니라 오히려 이해관계로 분리된 사람과 가치들을 본질로 환원 통합시키는 구심력의 길이 아닐까? '생태학(ecology)'과 같은 어원의 '경제학(economics)'이 지금처럼 오로지 시장의 재화와 용역만을 추구하는 원심적 분리와 파괴를 중지하고 비시장적 재화와 용역 등 본래의 '내 집 관리'(우주 관리)로서의 오이코스(oikos)로 미학적 · 철학적으로 귀환 통합하는 그 길이 아닐까? 이 길이 소농 중심의 농촌지역 자립자치두레로부터 시작하여 지금의 도시적 삶의 양식을 언젠가는 농업 · 농촌적인 삶의 양식으로 바꿔가는 지역 도농 통합 자치두레의 길이라고 우리는 확신한다.

김성훈 장관도 "지속 가능한 농업은 환경보전적 기술측면만이 아니다. 사회적 · 경제적 측면의 농촌 · 농민 문제의 중요성을 동시에 강조하고 있다. 즉, 지역 자립을 위한 행정권력의 분산, 지역 중심의 환경 관리, 농촌 지역사회의 활성화, 그리고 가족농의 보호 육성 등이 그 예이다"[5]라고 하여 우리와 같이 지역 자립에 동의하고 있다. 그렇다면 이것을 구현할 대안정책은 무엇일까? 가족농 중심의 친환경농정책과 그것의 법제화인가? 이것만으로

4 김성훈, 「친환경농업으로 새천년을 연다」, 『녹색평론』 1999년 7 · 8월호, 87쪽.
5 김성훈, 같은 글, 88쪽.

농업이 자본과 기술에 예속 독점되는 것과 권력의 중앙 독점을 막아 가족소농들을 육성 보호할 수 있을 것이며, '지역 자립을 위한 행정력의 분산'이 가능할까?

물론 이런 자립자치의 실현은 단기적이고 전시효과적인 정권 차원의 현실정책이 감당할 몫이라기보다 영원히 거듭나야 할 사회운동의 몫으로 넘겨질 것이다. 그렇다면 이런 이념이 배제된 환경농 육성정책과 그 법제화가 오히려 이 운동을 체제내화하지 않을까 우려스럽다. 사회운동에 정책이 개입하면, 그리고 그 무슨 프로젝트로 재정 지원을 받게 되면 그것은 이미 제도권화이지 자율자치가 생명인 운동일 수가 없다.

본디 들에서 갔다가 언젠가 다시 들로 돌아올 김성훈 장관이 이것을 모를 리 없을 것이다. 그래서 우리는 진정한 친환경농, 공생농을 통한 우리의 지역 도농 통합 자립자치 두레운동에 어떤 정책적 지원을 기대하지는 않는다.

그 대신 당국의 친환경농정책과 이를 받쳐주는 법령들이, 지금은 비록 소수이지만 언젠가는 우리 모두 가지 않으면 안 되는 그 '제3의 길'에 어떤 제약과 걸림돌만은 안 되게 운용되었으면 한다. 되돌아보면 한평생인 그 멀고 긴 세월 동안 수많은 좌절과 희망을 넘어 찾아가는 그 자율자치 공간과 그 작은 숨통을 친환경농정책이 오히려 다시 틀어막는 또 하나의 체제로 작동되는 일은 제발 없기를 바란다.

(『녹색평론』 1999년 9 · 10월호)

추기 새로운 노농공동체운동이 요구된다

앞의 글을 쓴 지 6년이 지났다. 1980년대 이후 한살림 등이 선도했던 유기농과 그 직거래운동은 도농공동체 실현이라는 나름의 사회적 연대의 구축에 부분적으로 기여한 공로가 전혀 없지는 않았다. 그러나 그 운동이 지향했던 처음의 이상, 즉 지역적인 순환농업을 살리고 그 농업을 중심으로 자급자족함으로써 지속 가능한 공생자치공동체를 실현하겠다던 우리의 궁극적 이상은 유기농과 그 직거래의 제도화 이후 우려했던 대로 운동의 이상과는 오히려 멀어져가는 느낌이다.

정부 공인 유기농산물 또는 친환경농산물은 그런 이상사회의 실현과는 반대로 또 하나의 시장물량주의 속의 웰빙주의에 편입된 지 오래다. 이 농산물들을 직거래하는 단체들도 역시 시장물량주의에 편승해서, 양적으로는 크게 팽창했지만 그런 만큼 원래의 이념 실현과는 점점 멀어져서 시장의 일부로 살아남기 위해 시장경쟁에 편입되고 있다.

시장개방에 대응하여 우리 농업을 지켜갈 선구자로 자부했던 초기의 유기농 생산 농민들도 유기농의 제도권화로 다시 유기농 시장경쟁에 편입당해 판로와 생산비를 보장받기 어렵게 됐다. 게다가 수입개방에 의한 값싼 외국쌀의 유입으로 유기농 생산 농민은 상승하는 생산비와는 반대로 유기농 쌀값을 도로 내려야 하는 궁지로 내몰리고 있다. 앞으로 중국 등지에서 유기농 쌀까지 도입되면 생산 농민의 처지는 더욱 어려워질 것이다.

쌀까지의 수입개방은 유기농이 아니라 어떻게 하면 우리 농업, 아니 쌀농사 하나만이라도 지켜갈 것인가로 우리 농업·농민운동의 의제와 방법의 변경을 요구한다. 이제까지 유기농 직거래운동은 주로 전국의 개별 생산농민과 도시 지역 소비자들을 모두 포괄함으로써 지역 순환을 등한시한 추상적 도농공동체운동을 의제화했다. 이런 직거래운동의 경험과 한계를 바탕으로 이제는 지역 중심의, 보다 구체적인 사회적 연대를 구축하는 것으로 그 지평을 확대해갈 필요가 있다. 그 중 하나가 지역 중심 노농연대, 즉 노농공동체일 것이다.

노농연대는 근대 이후 사회변혁 지도자들이 그때마다 수없이 되풀이해 써먹었던 구호로, 결코 새로운 화두는 아니다. 그런데 이런 노농연대를 통해 사회변혁이 되풀이되었는데도, 아니 변혁기가 올 때마다, 농민들의 숫자는 계속 줄어들고 노동자들의 수만 늘어갔다.

농민들이 농사로부터 벗어나 자신의 신분을 바꾸는 것이 농민해방이라면 농민 해방은 이 땅의 경우 거의 완성 단계로 접어들었다. 그러나 이것은 노농연대의 성과라기보다 농업의 화학화·기계화, 즉 농업의 공업시장 예속화의 결과였다. 게다가 지금은 농산물의 세계시장개방화와 우리 농업을 포기한 이 땅의 농업정책이 이것의 완결을 재촉해가고 있다.

이것이 농민 해방이라면 그다음 단계는 노동자 해방일 것이다. 공업의 생산량은 엄청나게 늘어가는데도 생산수단의 자동화와 첨단화로 노동자 수는 오히려 줄어드는 것이 세계적 추세다.

이런 추세가 계속된다면 생산노동자의 수보다 실업자 수가 압도적으로 많아지는 저 불길한 20 : 80의 사회, 더 나아가 5 : 95 사회로 진입하는 것도 그렇게 먼 미래의 일이 아닐 것이다.

우리 공산품도 세계시장에서 우리 농산물처럼 경쟁력이 떨어질 날이 반드시 온다. 앞으로 도래할 고유가 시대가 그것을 더욱 앞당길 것이다.

농업의 화학화 · 기계화와 시장개방화란 타의에 의한 농민의 노동자화나 실업자화가 진정한 농민 해방이 아니라면 생산수단의 첨단 자동화와 시장개방으로 노동자가 농민의 전철을 따라가는 것 역시 진정한 노동 해방은 아닐 것이다. 지속 불가능한 공업사회에의 예속, 세계시장제국주의에의 예속, 육체노동으로부터의 해방 대신 실업과 사회보장제도에의 예속, 유민화되는 실업자군을 달래고 마취시키기 위한 티티테인먼트로의 예속이 진정한 인간 해방은 결코 아닐 것이다.

노동자도 농민과 같은 잘못된 해방의 전철을 그대로 되밟지 않기 위해서는 과거와 같은 거짓 노동연대가 아닌 진정한 노동연대를 새로 모색해야 할 것이다. 지난날의 노동연대는 특정 정치집단이 정치권력의 획득을 위한 임시방편적 연대였다. 그런데도, 아니 바로 그래서 농민의 몰락은 가속화되어갔다. 이제 우리 사회에서 노동운동 지도자가 정치적 목적을 위해 노동자와 농민이 연대하기에는 농민의 절대수가 거의 의미가 없을 만큼 소수화했다. 이제는 노동 해방과 경제적 · 정치적 권력의 획득을 위한 노동연대가 아니라 노동의 신성성을 되찾고 만민을 노동자화하여 지속 가능한 지역자치사회를 만들기 위한 새로운 차원의 노동연대가 필요한 것이다.

노동집약적인 전통 소농은 물론 농산물의 가공과 유통 등은 본래 농업과 농촌에 속했던 생명 생산 활동이다. 이것을 도시와 기업이 하나 둘 빼앗아감으로써 농촌공동체와 그에 토대한 지역 민주주의는 붕괴되고 본래의 생명농업은 위기에 빠진 것이다. 본래 농업과 농촌공동체에 속했던 모든 생명 생산 활동을 본래의 주인에게 제 위치로 되돌려주는 새로운 노동연대운동을 시작하지 않으면 지금 남아 있는 우리 도시의 일자리도 다른 세계의 도시인에게 모두 빼앗기는 최악의 사태가 곧 도래할 것이다.

이 땅의 수도권 현상이 웅변하듯 날로 중앙집권적으로 강화되는 국가권력과 국민 포획장치인 세금과 보험, 그리고 시장권력으로부터 한 발짝이라도 벗어나는 길은 새로운 노동연대를 통해 지역자치공동체와 노농마을공동체를 만들어가는 길밖에 다른 대안은 없다. 구체적으로 그것은 노동자 단체가 전농 등 농민 관련 단체나 농촌마을과 연대하여 생산 가능한 우리 농산물들을 직거래로 구입하여 사업장의 급식재료로 쓰는 운동으로부터 시작될 것이다. 우리 쌀농사의 기반 붕괴를 막기 위해 하루빨리 쌀부터 먼저 시작하는 것이 좋겠다.

농민과 노동자가 스스로 자기 목을 조이는 화학화, 기계화, 자동화, 첨단화에 협력하여 자본에 예속당할 것이 아니라, 자기 몫을 스스로 지키고 자기 일자리를 자기가 만들어 삶의 모든 문제들을 스스로 해결하는 자치의 주인공으로 거듭나야 할 것이다.

주는 대로 받아먹고 잡아먹히기 위한 우리 속의 편한 돼지보다 다소 고달파도 스스로 주인 되는 사람다운 사람으로 살기 위해서는 마을과 농민농업(소농)을 되살리는 것 말고 다른 대안은 없다. 농민들이 생산한 농산물을 노농직거래로 함으로써 시장과 국가권력의 예속으로부터 부분적으로라도 해방되는 길밖에 다른 대안이 없다.

이 땅의 민주노동당도 노농연대의 정당인 줄 안다. 그 노농연대가 집권이라는 목표의 달성을 위한 수단이 아니고 진정으로 이 땅의 농업과 농민을 살리고 지키기 위한 것이라면, 집권 안 하고도 얼마든지 가능한, 아니 집권하지 않아야 오히려 가능한 이 소농 살리기와 그 농산물의 직거래운동부터 먼저 시작해야 할 것이다.

지역갈등의 원흉은 중앙집권적 국가권력이다

우리 전라도와 경상도의 지역갈등과 통합 문제가 우리 정치권의 쟁점이자 화두가 된 지 오래다. 정치권뿐만 아니라 말깨나 한다는 지식인치고 지역통합을 위한 정치개혁론에 한마디 끼어들지 않는 사람이 없다. 하지만 지금까지의 결과로 볼 때 이들의 정치개혁론은 속 알맹이는 없이 겉만 화려한 빈말잔치에 지나지 않았다.

지역갈등의 진정한 치유는 지역 분할과 갈등의 원인을 정확히 인식하고 그 현실을 솔직하고 과감하게 받아들이는 데서부터 출발해야 한다. 전라도와 경상도는 한반도 역사의 시작 때부터 "나라를 달리했던 다른 지역"임을 모르는 사람은 없지만 굳이 이 사실을 외면하려고 한다. 두 지역은 신라 · 백제 · 고구려의 삼국시대 이전에도 마한과 변진 소국연맹의 원시국가가 탄생할 때부터 나라를 달리했던 곳이다.

원시국가이긴 하지만 나라를 달리한 지역은 다른 지역에 의존하지 않고도 자급자족할 만한 조건을 가진 지역이란 뜻이다. 스스로 자급하고 자치할 만한 지역공동체가 남의 나라에 합병당하기를 원할 리 없다. 백제에 의한 마한소국들의 병합과 신라에 의한 변진소국들의 병합통일부터가 지역갈등의 시작이다.

지금의 경상남도와 경상북도 지역의 변한과 진한은 일찍부터 비슷한 말과 풍속을 가졌다고 한다. 그런데도 두 지역은 일찍부터 변한과 진한 연맹으로, 다시 가야연맹과 중앙집권적 고대국가인 신라로 갈라진 역사가 있다. 그래서 지금도 옛 진한 지역인 경북 · 대구와 옛 변한 지역의 경남 · 부산 간에는 갈등이 크다. 지난 1997년 대선 때는 마한 지역 출신의 대통령 후보에 대해 "우리가 남이가" 어쩌고 하며 초기에는 변한 · 진한 지역이 함께 대응하는 듯했다. 그러나 경북 · 대구 지역은 지금까지의 자기 지역 정권이 가까운 부산으로 넘어가는 것도 아까워서 대선 때 김영삼 전 대통령에게 부산 · 경남만큼 적극적 지지를 보내지도 않았고, 실정이 쌓인 정권 후기에는 호남 지역 못지않은 비난으로 등을 돌렸다. 그 이유는 아마 지금은 같은 경상도지만 각기 나라를 달리해서 살아온 세월이 같은 경상도로 산 세월보다 더 길기 때문일지 모른다.

그런데 하물며 마한과 변진, 백제와 신라로 오랜 세월 동안 갈라져서 살던 나라들이 당나라의 외세를 업은 신라의 무력통일로 한 나라를 이루었다 해도, 그 지역갈등은 내면적으로는 오히려 증폭되었으면 증폭됐지 해소될 리 있겠는가? 피점령국가 지역이 점령국가와 진정한 한 나라를 이루기란 거의 불가능할 것이다.

누가 그걸 모르느냐고, 모두 잊기 위해 외면하는 역사 속의 분열과 상처를 새삼 들추어내는 일이 도대체 지역갈등 해소에 무슨 도움이 되느냐고 나무랄지 모르겠다. 하기야 상처를 가만히 덮어둘 수만 있다면 그 상처는 자연치유 될 수도 있다. 하지만 절대왕권보다 더 막강한 중앙집권적 근대국가의 대통령을 오랫동안 경상도 지역 출신이 독식하는 등의 역사적 변수들이, 덮어둔 역사적 상처를 자연치유 될 수 없게 한다. 와신상담 권토중래로 잡은 호남 중심 당의 집권도 이 뿌리 깊은 지역갈등을 해소할 수 없었다. 같은 당을 계승한 노무현 정권까지 해서 강산이 변한다는 10년 세월이 거의 다 되어가는 장기집권(?)에도 그 갈등을 해소시킬 어떤 조짐이 전혀 보이지 않는다.

국민이 선택했던 내각제를 5 · 16 쿠데타로 박살낸 장본인의 한 사람이 한때 내각제만이 지역갈등 해소의 유일한 대안이라고 강변한 적이 있었다. 대통령 권력을 국무총리와 국회의원이 나누어 가진다고 지역정당 구도가 저절로 바뀌고, 중앙집권적 서울제국이 권력분권적인 지역자치국가로 변할 리 없다. 지역 정당의 공천 여부나 뿌리는 돈을 보고 표를 찍는 주민의식을 바탕에 깔고, 부동산 투기와 권력유착으로 부를 축척한 지역토호들이나 전직 고급관료들이 단체장과 의회를 독점 · 세습하다시피 하는 제도인 지금의 지자제가 제대로 된 지자제일 리 없다.

한번 갈라진 지역은 정치적 · 군사적 강제통합에도 불구하고 역사적 계기마다 그 갈등이 재현되는 것이 현실이다. 그렇다면 실현 가능성 없는 지역통합론보다는 솔직히 지역 분리를 존중하고 그 지역에 속한 모든 것을 그 지역에 되돌려주는 완전한 지역

분권과 자치로 지역 균형과 공존을 도모함이 역사의 정도일 것이다. 이를테면 지금의 시 · 군 단위의 기초자치지역을 전통문화적 · 지역생태적 단위로 확대 또는 축소 재편하여 독립국가에 준하는 자치권을 주는 대신 전라남도, 경상북도 등 지역감정이나 촉발하는 단위의 광역자치체는 없애버리는 정치 행정제도의 대개혁이 그 한 가지 방법일 것이다. 이 같은 각 지역 자치정부들이 대등한 지분을 가지고 국방과 외교권 정도만 위임해준 지역연맹정부만이 지역갈등을 조정할 수 있고, 생태적으로 지속 가능한 미래사회를 전망할 수 있을 것이다.

유권자 꿔주기 선거법 개정 시비

현행 국회의원 선거법은 가능한 행정구역과 선거구를 일치시키기 위해 시 · 군 · 구를 하나의 선거구로 나눈다. 다만 그 인구가 상하한선을 넘길 경우에만 하나의 행정구역을 두 개 이상의 선거구로 나누거나, 두 개 이상의 행정구역을 합쳐 하나의 선거구로 만들도록 되어 있다. 이 법에 따라 많은 농촌지역의 자치행정구역이 두 개 이상 합쳐져서 하나의 선거구를 이루고 있고, 농촌공동화의 가속력에 따라 앞으로는 세 개 또는 네 개의 자치행정구역이 하나의 선거구를 이루게 될 것이다. 이것을 정상 또는 당연지사로 받아들일 수 있을까?

이런 현상으로 자기 선거구를 잃게 될 국회의원들이 현행 선거법에 대해 이의를 제기하고 나온 적이 있다. "여야 의원 27명이 인구 하한선 미달로 선거구가 없어지는 것을 막기 위해 '유권자 주고받기'식 선거구 획정을 가능하게 하는 선거법 개정안을 국회에 제출, 논란을 빚고 있다"는 것이었다. 내가 구독하는 한 지역신문은 위와 같은 내용이 담긴 연합통신 기사를 그대로 받아 적은 박스기사와 함께 내리 사흘간이나 논평과 사설기사까지 동원하여 "주민 대출로" 선거구를 사수하려는 국회의원들의 게리맨더링을 비난했다. 이 비난은 과연 온당한가?

서울 소재의 이른바 중앙지들은 물론이고 지역신문들도 역시 그 물질적 기반은 농촌 아닌 중소도시다. 서울발 연합통신 기사를 받아 적고 그 논조로 사설과 박스기사를 뻥튀기하는 지역신문들도 이런 점에서는 같은 도시적 시각을 취한다. 현행의 선거법에서 선거구가 없어지는 쪽은 농촌이고 도시는 반대로 선거구가 늘어난다. 이번 선거법 개정 발의에 대한 한결같은 비난도 이 같은 도시 중심의 편파적 시각에 기인한다. 선거구가 사라지는 농촌 쪽에서 사태를 냉정하게 한번 바라보라.

국회의원은 물론 헌법기관인 국회의 구성원이다. 그러나 국회의원도 국가 의회의 구성원이기 이전에 지역주민이고 중앙정부에 파견한 지역의 대표자다. 더구나 지금은 지나친 중앙집권적 국가주의와 세계화주의가 여러 가지 모순을 드러냄으로써 지방분권과 자치를 그 대안으로 삼고 있는 때다. 이런 시점에서 국회의원의 역할은 그 무게중심을 국가 의회의 구성원보다 오히려 지역의 이해관계를 조정하는 지역 대표자 쪽으로 옮겨가야 하지 않을까?

진정한 지역자치와 아직은 너무 멀리 떨어져 있긴 해도 우리의 기초 지방자치 단위는 시 · 군 · 구다. 제대로 자치가 실현되면 이 같은 시 · 군 · 구가 하나의 독립된 지역 공동체, 즉 하나의 작은 정부가 될 것이다. 이 독립 정부에 사람 수가 적다고 중앙정부에 파견할 대표자를 독자적으로 뽑지 못하게 하고, 인근의 큰 지역 자치정부에 통합시켜 뽑게 한다면 이게 말이 되는가? 자치를 한다면서 자치정부의 인구가 적다고 그 대표자의 선출을 막는 것은 모순 아닌가? 이야말로 반(反)지역, 반(反)자치적 국가주의와 중앙집권적 발상이 아닌가?

인구가 적다고 여러 자치구를 합친 통합선거구에서는 소지역주의 때문에 언제나 인구가 많은 자치구 쪽의 사람만 대표자로 뽑힐 뿐 적은 쪽에서는 절대로 뽑힐 수가 없다. 내가 사는 인구 7만 3천 명의 창녕군이 인구 12만 4천여 명으로 창녕보다 5만 명 이상 많은 밀양시와 통합선거구가 된 뒤에는 창녕 쪽에서 국회의원을 당선시켜 본 적이 없고 앞으로도 그럴 가망은 전혀 없다.

지금과 같은 중앙집권 국가주의체제 아래의 국회의원은 아예 없거나 있어도 안 보이는 먼 곳에 있는 것이 차라리 좋겠다는 생각도 든다. 하지만 그건 한때의 감정이고 인간 삶이 있는 한 삶의 공동체를 꾸려야 하고, 각 공동체의 이해를 조정하는 지역 대표는 싫어도 그 존재를 인정하지 않을 수 없다.

그렇다면 인근의 큰 자치구에서 남은 인구를 구차하게 꾸어다 선거구를 유지시키는 방법보다, 차라리 인구하한선을 철폐하고 각 자치행정구(시 · 군 · 구) 단위마다 반드시 한 사람의 대표자를 뽑아 지역분권과 지역공동화에 대처하게 하는 선거법 개정이 훨씬 합리적이고 떳떳하지 않을까? 자치지역의 대표성과 함께 인구의 등가성도 존중되어야 한다면, 그것은 지금처럼 한 자치구가 30만~40만 명 이상의 인구면 분구하여 국회의원을 늘려 뽑거나 아니면 분구 없이 인구비례로 지역대표를 복수로 뽑는 것으로 충분하지 않을까?

현대판 매관매직 이대로 둘 것인가

나는 육십 평생 동안 무슨 선거운동에 깊이 관여한 적이 한 번도 없다. 그렇지만 나뿐만 아니라 내 나이쯤 되는 사람이라면, 선거판이란 게 다름 아닌 돈판, 돈잔치라는 걸 경험으로 다 안다.

최근 우리 정치의 강한 지역정서 때문에 특정 지역에는 특정 정당의 막대기만 꽂아도 자동당선으로 연결되는데 왜 돈을 쓰느냐고 반문할 사람이 있을지 모른다. 하지만 그런 자동당선 지역일수록 그 지역 정당과 정치맹주에게 정치자금을 헌납하지 않고는 공천 받기가 불가능한 것도 다 아는 사실이다.

1990년대 초에는 지금 성수기를 누리는 시민단체들의 출발과 함께 모든 사회운동단체들이 지방자치 열병을 치른 적이 있다. 지방자치만 실행되면 그토록 우리가 목마르게 기다렸던 민주주의가 자동으로 완성된다는 듯이 입만 열면 온통 지방자치 타령이었다. 나야말로 근본적인 지역자치주의자다. 하지만 나는 위로부터 내려온 선거제도로서의 지방자치가 결코 진정한 자치로 정착할 수 없을 것임을 진작부터 예감했다.

4·19혁명으로 출발했으나 5·16쿠데타로 단절된 우리의 지방자치제가 재시행된 지도 어느덧 10년의 세월을 넘긴다. 하나의 제도가 정착하기에는 10년이 짧은 세월일지 모르나 그것을 평가하고 문제를 제기하기에는 충분히 긴 세월이다. 그동안의 우리 지방자치 실험결과를 한마디로 규정한다면, 지난 30년간의 군사 개발독재의 물량주의에 세뇌된 주민들의 개발·성장 기대에 영합하여 자손 대대로 거듭 물려주어야 할 자연환경과 전통공동체 문화유산을 철저하게 파괴, 경쟁적으로 관광상품화해온 물량 지상주의 자치였다.

이런 자치는 내 자식을 위한다며 내 자식들의 미래 삶을 미리 파괴해버리는 맹목적 물량주의일 뿐, 결코 자손만대로 지속 가능한 삶의 자치는 아니다. 이런 자치는 지역의 특성을 강조하고 지역 특산물을 개발하여 모든 지역 단체장들이 세일즈맨으로 나서는 '주식회사 대한민국' 기업의 지사·대리점 영업활동에는 충실했는지 몰라도 지역자치의 기본인 자급자족과 문화적 정체성과 주민들의 자율성을 존중하고 확장해가는 진정한 자치와는 거리가 멀다.

이 제도로 이익을 보는 소수의 지방토호들은 갖가지 변설로 제도의 존속을 옹호하고 있지만, 근본적인 자치주의자인 내가 보기에는 이런 자치 아닌 지역과 생명의 파괴 경쟁을 할 바엔 차라리 솔직한 '타치(他治)'가 낫겠다. 현행의 지방자치 제도에 따르는 수많은 문제들 중에서도 가장 보아 넘기기 어려운 문제는 지방선거 역시 지역토호나 전직관료 등 돈푼깨나 있는 지역 기득권자들의 돈잔치화한 것이다. 선거판은 누가 돈을 많이 쓰느냐 하는 시합장이 되었다.

'매관매직(賣官賣職)'이란 말이 있다. 이 말은 돈으로 권력과 명예를 동시에 사는 오늘의 선거판을 위해 준비된 말이고, 또 우리 선거판에서 유감없이 실현되는 말이다. 세상에 돈과 권력과 명예의 집중과 독점보다 더 반민주적인 부정이 또 어디 있겠는가? 이런 반민주와 부정을 제도적으로 합리화시켜주는 돈잔치 선거는 당연히 없애야 옳다. 하지만 현재로서는 다른 대안이 없다. 돈잔치는 명목만은 무보수 명예직인 지방의원 선거에서보다 많은 보수와 막대한 판공비와 예산을 쓰는 단체장을 뽑는 선거에서 당연히 더 풍성하다. 그렇다면 단체장도 지방의회 의원들처럼 무보수 명예직으로 제도화하는 것도 돈잔치를 축소하는 한 가지 방법일 것이다.

그런데 이런 우리의 기대와는 반대로 지금까지 회의참가 수당을 지급하는 것 외에 무보수가 원칙이던 지방의원직도 그들의 끈질긴 요구로 유보수화로 법률이 개정되었다니, 정말 어처구니가 없다. 차라리 그럴 바엔 지방의회는 해산하고 군수, 시장은 옛날식 임명제로 하는 것이 주민들의 부담을 줄이는 동시에 이 사회의 정의와 평등 실현에 오히려 도움이 될 것 같다. 임명제 시절엔 돈과 배경이 없어도 성실한 사람들이 고시를 통해 드물게나마 지방단체장이 될 수 있는, 비록 완벽하지는 못해도 그 나름의 균등한 기회라도 있지 않았던가.

혹자는 뇌물공여 등에 의해 권력핵심에 독점되는 매관매직보다 많은 주민들로부터 표를 돈 주고 사게 하는, 선거를 통한 매관매직이 부의 재분배에 일조한다고 강변할지 모른다. 그러나 그렇더라도 주민 절대 다수의 자발적 합의 추대 아닌, 매표 액수에 따라 당락이 결정되는 현행 선거는 주민들 간의 갈등만 키우고 무엇보다 주민들의 자존심과 아직 그들 속에 남아 있는 자치성을 돈과 권력에 철저하게 예속, 타락시키는 원천적 부정이다.

지역 졸부들의 돈잔치 선거를 지금 심각하게 재고할 이유는 그 밖에도 충분히 많다. 민주주의 의사결정의 기본과 원칙은 과반수 이상 참여와 과반수 이상의 찬성에 있다고 한다. 이런 과반수 다수결의 의사결정이 문제인 것처럼 한 표만 더 많이 받아도 당선이 되는 선거제도도 문제다. 이런 선거제도는 주민들의 투표 참여율이 매우 낮을 경우 설사 투표 참가자들의 90퍼센트 이상의 싹쓸이 지지를 받는다 해도 전체 주민의 과반수 지지에는 훨씬 모자라기 때문에 주민 대표성을 인정받을 수 없다.

현행 지방자치에 대해 사람들이 문제제기하는 바는 한결같이 권력과 재정을 중앙정부로부터 지방으로 이전해야 한다는 것이다. 돈 받는 사람과 돈 쓰는 사람 모두를 타락시키는 이 같은 선거를 그대로 두면서, 중앙정부로부터 지방에 권력과 돈이 온다고 진정한 의미의 지역발전과 자치가 자동으로 부활할 것인가? 진정한 지방자치는 중앙으로부터 무엇을 경쟁적으로 돌려받거나 따 오는 것이 아니라, 처음부터 아니면 지금부터라도 지방의 돈과 권력을 중앙에 뺏기지 않는 자급자족, 자주성 위에서 자랄 것이다. 그 단체장과 의원직도 돈과 권력으로부터 완전히 배제시켜 순수하게 봉사하는 명예직으로 하고서, 지금의 돈 선거 대신 주민들의 완전한 합의에 의해 추대하거나 제비로 뽑을 때 비로소 진정한 지역자치의 지평은 열릴 것이다.

제비로 대통령을 뽑자

내게 최초의 투표권이 주어진 선거는 4·19혁명의 도화선이 된 1960년 3월 15일 제4대 정·부통령 '부정선거' 때다. 1948년 정부수립 뒤 초대부터 대통령을 역임한 사람은 이승만 한 사람뿐인데, 또다시 제4대 대통령 선거에까지 그가 출마한 것부터가 부정이다. 이같이 원천적으로 부정이었던 이 선거는, 지금 젊은이들에게는 믿기지 않겠지만, 대학 학적을 가졌다는 이유로 아예 투표통지서 교부조차 거부했던 너무나도 노골적인 부정선거였다. 투표통지서를 교부받지 못한 나는 그래서 내게 최초로 주어진 투표권 행사를 선거 당일 부정선거 규탄시위를 몇몇 친구들과 함께 하다가 경찰에 연행되는 것으로 대신하는 수밖에 없었다.

4·19 뒤의 민주당 정권 때부터 지금까지 내가 행사한 투표권이 몇 번인지는 헤아릴 수 없다. 대통령 선거부터 국회의원 선거, 그리고 근래에 와서는 지자체의 여러 선거까지 아마도 여러 번 투표권이 내게 주어졌을 것이다. 하지만 그때마다 나는 어떤 후보가 좋아서 표를 찍은 적은 한 번도 없다.

아무리 비밀·평등·공명 투표라 해도, 따지고 보면 모든 선거 자체가 원천적으로 부정이다. 돈이든, 명예든, 관직이든 이미 가진 것이 가장 많은 기득권자 중에서 당선자가 나오기 때문이다. 그렇지만 내가 아무리 투표를 거부해도 다른 선거인들에 의해 누군가는 그 직위에 당선될 것이다. 그러니 출마자 중에 내가 가장 싫어하는 사람의 당선을 막자면 상대적으로 나은 차선이나 차차선이라도 선택할 수밖에 없다는 것이 나의 투표 참여 이유였다.

『녹색평론』이란, 작지만 아름다운 격월간 잡지가 있다. 대구에서 10년을 넘겨 버티며 나오고 있는 생태 · 인문잡지다. 이 잡지의 2002년 9 · 10월호(통권 66호)에 재일 미국인 정치학자 더글러스 러미스의 「무력감을 느끼면 민주주의는 아니다」라는 재미있는 글이 실려 있다. 이 글에 따르면 '데모크라시'의 어원인 희랍어 '데모스크라티아'는 아래로부터 나오는 '민중의 힘'을 뜻한다는 것이다. 그래서 오늘날의 선거에 의한 대의민주주의는 민주주의가 아니라 귀족주의다. 선거 자체가 기득권자들 중의 어느 한 사람을 뽑기 위한 비민주적 요식제도이므로, 굳이 대표를 뽑아야 한다면 선거보다는 제비뽑기로 하는 게 훨씬 민주적이라는 것이다. 실지로 고대 그리스에서는 제비뽑기로 대표를 뽑았다고 한다. 제비뽑기로 하면, "눈에 뜨이는 사람, 돈이 많은 사람, 유명한 사람이 선출되는 게 아니라 시민이라면 누구라도 선출될 가능성이 있습니다. 어째서 그것이 민주적인가? 몇 가지 측면이 있지만 하나는 시민 전원이 대표가 될지 모른다는 마음의 준비를 하고 있지 않으면 안 되고, 그래서 누구라도 시민이라면 대표를 맡아야 하기 때문에 그것만으로도 공동체에 대한 책임감이 늘 있어야 한다는 전제가 있습니다. 언제든 자기 차례가 될지 모르니까 마음의 준비가 필요한 것입니다. 또 하나는, 그런 식의 제비뽑기로 뽑힌 사람은 그 뽑혔다는 것에 대하여 뻐길 이유가 없습니다. (중략) 그리고 임기가 끝나면 곧바로 제비뽑기로 결정되기 때문에 같은 사람이 계속해서 뽑히는 일은 있을 수 없습니다."[6]

투표에 의한 대의제 선거, 특히 이 땅의 선거는 기득권자들의 기득권을 더 확장해주는 요식행위다. 5억 원의 현행 대통령 선거 출마 기탁금이 적다고 20억 원으로 올리자는 발상이야말로 가난한 사람의 출마조차 원천적으로 봉쇄하고 대통령 선거 판을 기득권자들만의 잔치판으로 고수하겠다는 단적인 증거다.

기득권자들의 권력에 또 하나의 큰 권력을 보태주는 이런 투표에 의한 선거보다는 대통령을 원하는 모든 국민들이 다 모여 제비뽑기를 하자. 하긴, 대통령을 제비로 뽑기 이전에 대통령에게는 지금과 같은 막강한 권력 대신 옛 원시사회의 추장처럼 봉사와 관용의 의무만 지우는 제도 개정이 먼저 있어야겠다. 지금과 같은 무소불위의 권력도 없고 대신 그야말로 봉사의 의무밖에 없는 대통령을 제비뽑기로 한다면 거기에 나서는 사람도 우려할 만큼 많지 않을 것이다. 권력도 돈도 없이 봉사만 하는 대통령 직위를 지금처럼 사생결단으로 누가 쟁취하려 하겠는가?

대통령의 통제가 아니라 국민의 통제를 받아야

노무현 대통령의 취임 얼마 뒤에 주로 검사들의 정치적 독립과 인사권 문제를 놓고 평검사들과 대통령이 토론하는 것을 전 국민에게 생중계하는 해프닝이 있었다.

6 더글러스 러미스, 「무력감을 느끼면 민주주의는 아니다」, 『녹색평론』 2002년 9 · 10월호, 65쪽.

나는 검찰에 대한 관심과 이해가 거의 없던 사람이다. 우리 세대(60대) 대학 시절의 사법시험은 1년에 많아야 네댓 명을 뽑았기 때문에 운 좋은 천재가 아니면 애초부터 올라가지 못할 아득한 나무였다. 그래서인지는 몰라도 나는 사법시험 같은 데 한 번도 마음을 둔 적이 없이, 법이란 것은 양심적인 사람들이 사는 데는 아무 필요가 없고 오히려 질곡일 뿐이라고 믿는 인문적 자치주의자가 되었다. 그래서 나는 검사나 판사는 물론 변호사 중에 단 한 사람의 친구도 둬본 적 없이 평생을 들판에서 농부로 산다. 그런 내가 검사에 대해 특별한 호감을 가졌을 리 없다. 그런데도 나는 검사와 대통령의 토론 장면을 지켜보면서 토론 뒤 모든 언론들과 특히 네티즌들이 검사를 혹평하고 대통령 손을 들어준 것과는 반대로 검찰 쪽으로 마음이 기울고 있었다. 이는 아마도 검사들이 토론을 잘해서가 아니고 대통령을 의식한 각본 토론으로 오히려 토론에서 실패했기 때문일 것이다.

토론과정에서 검사들이 "대통령은 토론의 달인"이라 하며 대통령의 친형 관련 문제 등을 새삼 거론한 것은 물론 잘한 일은 아니다. 그러나 대통령 친형과 관련된 발언들만 해도 사실 유무를 떠나 이미 신문과 방송을 통해 다 알려진 일이므로 새삼 대통령의 낯이 깎일 말은 아니었다. 그런데 이 말들에 대한 대통령의 반응은 "이러면 막 가자는 식인데"라며 감정적이었다. 그때부터 이미 나는 대통령 권력으로 밀어붙이는 설교와 명령이라면 몰라도 공정한 토론은 실패로 끝날 것임을 예감했다.

"검찰은 그 자체가 막강한 권력기관이기에 때문에 법무장관의 인사권 제청을 통한 문민 통제가 필요하다. 그래서 이번만은 전임자의 관례대로 인사하고 다음부터는 새로 인사위원회를 구성해서 제대로 하겠다"고 한 대통령의 일관된 주장은 설득력이 거의 없는 주장이다. 그런데 이에 대한 검사의 대응은 '지금이 군사독재 시절도 아닌데 무슨 문민 통제냐'가 고작이었다. 대통령의 그 주장에 대해서는 '검찰만 권력기관이고 청와대나 대통령은 아니냐'로 대응해야 옳지 않았을까? 검찰권이 아무리 세다 해도 대통령 권력에 비하면 검사 권력은 권력도 아니라는 것을 삼척동자도 다 안다.

검사 인사를 두고 두 권력이 벌인 기 싸움의 명분은 검찰개혁, 곧 검찰의 정치권력으로부터의 중립인 줄 안다. 그런데 힘이 더 센 대통령이 인사권을 통해 검찰 권력을 문민 통제하겠다면 이야말로 정치권력의 검찰 지배를 공언한 주장이 아니고 무엇인가? 그 말은 대통령이 군인 출신일 때의 검찰 통제만 검찰의 정치적 예속이고 민간인 출신 대통령의 검찰 통제는 정치적 중립이라는 뉘앙스를 풍긴다. 아마 민간 대통령 권력은 군인 출신 대통령이나 검찰 권력과는 달리 선거를 통한 국민의 지지를 받은 정통성 있는 권력이라고 그렇게 말한 것 같다. 그러나 어떤 문민 대통령의 권력도 당선되는 순간부터 국민으로부터 멀어지지 않은 권력은 일찍이 있어본 적이 없다. 그래서 검찰에 대한 '문민 통제'라는 말은 '국민 통제'나 '주민 통제'로 바꾸는 것이 더 설득적이다. 모든 권력은 원천적으로 비중립적이다. 국민이 뽑은 대통령도 그 점에서 예외일 수 없다.

대통령은 또 검찰 인사에 대한 검찰총장의 인사제청권 요구도 세계에 그런 예가 없다고 일축했는데, 국민과 검찰이 원한다면 새로운 예를 못 만들 이유도 없다. 나는 총장의 인사제청권 정도가 아니라 총장 자신 외의 모든 검찰 인사권을 총장에게 맡기는 쪽을 제안하고 싶다. 안 그래도 막강한 검찰 권력인데 인사권마저 줘버리면 무엇으로 통제를 하느냐는 반론은 검찰총수의 인사권을 대통령이 갖고 있는 한 기우가 아닐까?

민주주의는 자율과 자치다. 최고의 지성과 자존심을 스스로 자랑하는 검찰이니만큼 검찰을 믿고 국민의 여론 통제 속에 검찰에게도 자치권을 맡겨볼 수 있다. 자율과 자치보다 더 무거운 책임을 지울 방법은 없다. 만약 이런 기대를 검찰이 배반한다면, 그때 가서 문민이든 국민의 이름으로든 통제해도 늦지 않을 것이다.

이제까지 정권 퇴진을 위한 국민저항은 많았지만 검찰 퇴진을 위한 저항은 없었던 줄 안다. 검찰의 잘못은 검찰 자신의 잘못도 있겠지만 궁극적으로는 정권의 잘못이라는 단적인 증거가 아니겠는가? 자율과 자치권을 주고 그 다음에 책임도 엄중하게 묻자. 그것이 자치민주주의의 기본이 아닌가?

분권운동을 넘어 기권(棄權) 자치로

우리나라의 대통령을 제왕적 대통령이라고 한다. 동서고금의 역사에서 오늘날의 우리 대통령만큼 무소불위한 권력을 행사한 제왕이 얼마나 있었을까?

옛 제왕권력을 압도하는 우리 대통령 권력을 분산하기 위한 대안으로 흔히 내각책임제가 거론된다. 우리도 이승만의 독재를 물리친 4 · 19혁명으로 어부지리를 얻은 민주당 정권에 의해 내각제를 경험한 적이 있다. 그러나 이 내각제는 그 장단점을 실험해볼 겨를도 없이 4 · 19 다음 해에 일어난 5 · 16군사쿠데타에 의해 그야말로 순간적인 경험으로 단절되었다.

그런데 그 내각제를 가로채간 5 · 16쿠데타의 장본인 중의 한 사람인 김종필이 20년간의 무소불위의 유신독재 권력을 10 · 26으로 빼앗기자마자 아이러니하게도 내각제를 주장하기 시작했던 것이다. 자신이 대통령 주변에서 권력을 누릴 때는 대통령중심제가 옳고, 권력으로부터 밀려나 소수 정파의 보스로 전락하자 내각책임제가 옳다는 것이다. 어디서 많이 듣고 속은 말인데 어떤 국민이 그 말을 믿고 따르겠는가? 그래서 10년이 넘게 읊조리는 그의 내각제 풍월에 귀 기울이는 사람은 아무도 없고, 앞으로도 마찬가지일 것이다. 그것은 김종필 개인에 대한 불신도 불신이지만, 어차피 국가권력이란 게 대통령 한 사람이 독점하건, 내각과 국회의원들이 갈라 먹건, 그것으로 중앙집권이 해소될 리 없고 또 국민생활에 달라질 것은 아무것도 없기 때문이다.

이 같은 제도 정치권 내 권력 배분 논쟁과는 좀 다른 지점에서 최근에는 지방분권운동이 일어나고 있다. 우리의 경우 남북 분단이란 특수 상황과 이 상황에 기생한 군부독재자들의 장기집권으로 중앙집권력의 강화와 이에 토대한 수도권 비대가 사실 도를 넘어서고 있다. 전 국토의 11퍼센트에 지나지 않는 수도권에 인구는 전체의 거의 절반인 46퍼센트, 공공기관의 75퍼센트, 그리고 대기업 본사의 90퍼센트가 몰려 있다고 한다. 사회 각 분야의 핵심 엘리트의 80퍼센트와 전국 박사의 50퍼센트가 서울에 있고, 사법 · 행정 · 외무 · 기술고시의 합격자의 90퍼센트 이상이 수도권 대학 출신이다. 심지어 최근 아파트 투기 억제책으로 국세청이 보유기간 3년 이상이라는 기준과 상관없이 양도소득세 과세 하한선으로 잡은 기준시가 6억 원 이상 아파트 6만 5천6백81채 중 단 두 가구만 부산에 있을 뿐 나머지는 모두 서울에 있다고 한다.

이 같은 서울제국주의의 지방 점령과 압살을 견디다 못한 지방의 시민단체들과 지식인들이 한때 '지방분권운동'을 주창한

적이 있다.

지방분권운동은 물론 필요하다. 하지만 중앙집권화 반세기를 넘기며 하는 분권운동인데 이왕이면 진정한 지방자치를 위해 좀 더 근본적인 이념이 뒷받침되는 분권운동이었으면 하는 아쉬움을 떨치지 못한다.

그동안의 우리 지자체의 공과 중에도 긍정적 측면이 전혀 없지는 않겠지만, 각 지자체가 서로 지역개발 경쟁을 벌여 국토를 경쟁적으로 파괴한 것은 짧은 우리 지방자치제 역사에서 돌이킬 수 없는 과오일 것이다. 지금의 지자체의 권한만으로도 단체장들과 지방의회 의원들이 각종 부정, 난개발의 비리 등에 연루되어 줄줄이 구속되는 사태를 빚고 있는데, 그 위에 또 무슨 권한의 위임인가?

대통령 중심 권력이 내각과 국회로 분산되는 내각제 개헌으로 국민 삶이 달라질 수 없듯이, 중앙 집권력이 지방에 분산된다고 지방 주민의 삶이 달라질 수 없을 것이다. 중앙의 권력이 지방정부와 엘리트라는 지방의 기득권자들에게 이전·재분배된다고 지역 주민들의 삶에 구체적으로 무슨 도움을 줄 수 있을까? 지방분권운동이 잡고 있는 10대 의제를 살펴봐도 서울에 있는 기득권제도를 그대로 지방에 옮겨오자는 것일 뿐, 그것을 없애거나 바꾸자는 내용은 아닌 것 같다.

진정 분권이 지방의 기득권자 아닌 지역주민 모두에게 도움이 되자면, 예컨대 국세를 지방세로 재조정할 것이 아니라 그것을 폐지하거나, 아니면 축소라도 해야 할 것 아닌가? 주민 억압기구에 지나지 않는 중앙행정부서를 지방으로 옮겨오는 것보다 그것을 가능한 없애거나 하다못해 축소라도 하는 것이 주민 부담을 줄여주고 지방의 자치력을 확대해줄 것이다. 진정한 민주주의는 있는 권력을 나눠주고 다시 확대 재생산하는 분권주의가 아니라 모든 권력을 없애거나 버리는, 기권을 통한 주민자치인 것이다.

마을로 돌아가야 한다

'지구촌'이란 말을 쓰는 사람들이 있다. 첨단기술시대에는 지구가 옛날의 촌마을과 같이 하나의 생활권이란 뜻인 것 같은데, 그러나 이 말에는 결코 가볍게 스쳐 지나갈 수 없는 명암이 엇갈린다. 먼저 이 말에는 한 동네 마실 가듯이 온 지구를 싸다니며 무슨 짓을 해도 이의를 달지 말라는 세계시장제국주의의 냄새가 난다. 또 하나는 왜 지구가 그들에게 '지구시(地球市)'나 '지구나라'가 아니고 하필 '지구촌(地球村)'으로 비치느냐다. 하기는 아무리 첨단과학이 우주시대를 뻥 튀기고 있다 해도 지구 전체를 지구시로 승격(?)시킬 수 있도록 우주에다 지구의 식민지인 농촌 지구를 개척해갈 조짐이 아직은 전혀 보이지 않는다.

지구가 유일한 대안이라면, 지구 전체를 시장으로 만들어서는 안 될 것이다. 유통과 소비뿐인 시장은 자급자족하며 생명을 생산하는 마을에 의존하지 않고서는 지속 자체가 불가능하다. 그러므로 '지구촌'이란 말에는 마을이 인간 삶의 근본 터전이라는 생각이 무의식적으로 투영된 것인지도 모른다.

마을은 삶에 필요한 모든 것을 순환재생을 통해 자급자족함으로써 지속이 가능했던 인간 모듬살이의 원형이고 이념이었다. 경제, 정치, 교육, 문화, 예술 등의 여러 가치들은 오늘날에 와서는 각각 분리된 가치들로 작동되는 듯하지만 두레공동체 속에서는 하나의 문화로 통일되어 있었다.

현대는 문화의 시대라고 한다. 과거에 없던 문화가 오늘날 갑자기 융성·발흥했다는 것인가? 자연에 대한 인간의 파괴 행위를 모두 문화라 한다면 오늘날처럼 찬란한 문화시대가 일찍이 없었을 것이다. 그러나 진정한 문화를 지속적인 재생순환으로 자급자족하는 마을공동체의 생명생산 활동으로 볼 때, 지금과 같은 문화의 불모지도 일찍이 있어본 적이 없을 것이다.

지금은 유구한 세월 동안 마을에 축적된 공동체적 문화를 파괴 가공해서 상품화하는 문화상업주의 시대일 뿐이다. 지구촌, 세계화, 시장경제, 신자유주의 등 오늘을 지배하는 이데올로기와 체제들은 옛 제국주의의 현대적 재포장과 확장에 다름 아니다. 오늘날은 이렇게 탈바꿈에 능한 제국주의가 지구 구석구석의 토착 마을문화와 심지어 토착 생물의 유전자까지 전방위적으로 독점 상품화하는 생명문화 총파괴의 시대다. 두레문화와 그 마을의 회복과 재창조 없이 이대로의 반생명문화 행위가 계속된다면 지구촌 전체의 파산은 시간문제다.

지구 전체를 영원한 농촌으로 지키고 되살릴 길은 없는가? 지금에 와서 전통마을을 복원하는 일은 물론 불가능하다. 그러나 고향에 대한 향수, 근원에 대한 그리움 등 아직 마음속에 마을성을 잃지 않은 사람들이 있는 한 마을성의 회복과 재창조가 불가능하지는 않을 것이다. 마을 회복은 그렇게 먼 거리에 있는 것이 아니다.

대형 할인매장과 쇼핑몰로 향하는 자동차 행진을 끝내고 동네 구멍가게로 발길을 돌리는 것으로부터 마을 회복은 시작된다. 코카콜라, 햄버거, 피자 등 식품제국주의에 점령된 우리 밥상을 우리 땅에서 나는 먹을거리로 차리는 것으로부터 마을의 재창조는 구체화된다.

그런데 지금은 농민단체들의 수입 농산물에 대한 저항도 날이 갈수록 무력해지고 있다. 마늘과 밀, 옥수수, 쇠고기 등 모든 농축수산물을 수입하지 않으면 전화기와 자동차를 팔 수 없는 세계시장 신자유주의 앞에서 모든 운동은 무기력해진 것이다. 도시의 시민운동은 대풍을 이루고 있지만 우리 밥상은 거덜 나고 있는 것이다. 본질적으로 파괴적인 도시에서 그 기득권 분배 다툼에 지나지 않는 지금의 시민운동이 풍년이 들수록 우리 농업의 풍년기근을 가속화할지도 모른다.

그러고 보면 제국주의도 다른 곳 아닌 우리 마음속에 자라고 있다. 사실 오늘의 신제국주의는 우리에게 총칼로 무엇을 강요하지는 않는다. 자기 시장이 더 편리하고 값싸다는 환상과 신화만을 퍼뜨리고 있을 뿐이다. 우리가 속지 않으면 된다. 안 사면 된다. 제국주의자도 뿔 달린 악마는 아니다. 우리가 세계시장에 가지 않고 사지 않으면 그들도 마을주민으로, 선량한 이웃으로 돌아올 수밖에 없다.

수도 분할 대신 행정부를 축소 분산하라

대선 때 노무현 대통령의 수도 이전 공약과 당선 뒤의 그 강행이 반대여론과 헌법재판소의 위헌 판결로 좌절되자 정부와 여당은 편법을 써서라도 기어이 그것을 실행하려는 듯하다. 청와대, 국회, 대법원 등은 서울에 그대로 남기고 중앙정부기관 18부 4처 17청의 대부분을 수도 이전 예정지였던 공주 · 연기 지역으로 옮겨 행정 중심 복합기능 도시를 기어이 만들겠다는 것이다. 이런 우여곡절 속의 수도 이전 계획은 마침내 수도 분할로 결말날 것 같다. 정부 여당은 또다시 국민여론의 충분한 검정도 없이, 대다수 야당의원들의 불참과 반대에도 불구하고 12부 4처 2청의 행정관청 이전을 확정 짓는 행정도시건설특별법을 국회에서 통과시켰다.

전체 민심이 반대쪽으로 기울고 심지어 헌법 위반으로 판단한 수도 이전에 노무현 대통령과 그 정부가 왜 그토록 집착하고 있을까? 행정수도 대신 행정도시 건설이라는 편법을 동원해서까지 그 꿈의 절반이라도 이루려 하는 진정한 이유는 어디에 있을까?

이 정부가 수도 이전에 내걸었던 표면적인 이유는 지역 균형 발전과 분권과 자치이다. 하지만 그것을 액면 그대로 믿는 순진한 사람은 아무도 없다. 동서고금의 모든 천도는 전쟁에 져서 밀리거나 다른 나라를 공격하기 위한 경우가 아니면 흩어진 민심을 수습해서 권력기반을 다지고 뭔가 떳떳하지 못한 자기 정통성을 새롭게 확립하기 위해서 이루어졌다.

그런데 수도이전특별법을 만들고 수도 이전 예정지까지 확정

고시하고서도 재판부의 위헌 판결로 그것을 취소할 경우 한때 확실히 장악했던 충청권 민심이 분노로 바뀔 것은 물론이고 통치자의 권위와 리더십도 큰 상처를 입을 것이다. 무엇보다 건설족들의 이해와 신개발주의에 경제적으로 발목 잡힌 현 정권의 정치적 한계가 더 큰 이유일 것이다. 그 같은 대통령과 여당의 속사정을 이해할 수는 있지만, 수도 이전은 물론 행정 중심 복합 신도시 건설은 다음을 대안으로 삼고 반드시 중단해야 한다.

만일 정부가 서울 집중과 서울특별시제국의 모순을 극복하고 지역균형발전과 지역자치를 이루기를 진정으로 원한다면 수도를 이전하거나 신행정도시를 건설할 것이 아니라 행정부 모두를 해체하고 주민의 삶에 없어서는 안 될 기능만 주민 자치기구에 되돌려줘야 할 것이다. 학벌사회와 그로 인한 입시지옥은 다름 아닌 교육부가 만든 교육제도 탓이다. 학부모들의 기대를 언제나 실망과 비난으로 악순환시키는 교육부는 스스로 사라지고 교육 문제를 지역주민 공동체에 돌려주는 것만이 진정한 교육자치일 것이다. 농촌을 해체하고 농민의 씨종자를 말려가는 농산물수입 개방 앞에 경쟁력 있는 기업농 육성이라는 약육강식의 밀림법칙 말고 다른 대책이 없는 농림부는 차라리 사라져주는 것이 국민세금이라도 줄여줄 것이다. '내무부'를 '행정자치부'로 개명한다고 주민자치의 걸림돌인 중앙집권이 자동 폐기되는 것은 아니다.

물론 중앙집권적 국가가 있는 한 지역자치를 위한 모든 중앙 부처의 해체라는 자기 부정을 실천하기는 아마 불가능할 것이다. 그러나 정부 기구를 대폭 줄여 관련 부처끼리 과감하게 통폐합하고 그 기능을 축소 폐기함으로써 주민생활에 대한 국가권력의 개입을 최소화하는 것은 얼마든지 가능한 일이다. 축소된 국가기구의 기능을 지방자치기구에 모두 넘겨주면 지방자치기구가 또다시 강력한 국가가 되어 주민자치에 오히려 역행할 것이기 때문에 지자체로 권력을 이전하는 대신 그것을 축소 폐기시켜야 한다. 이에 그치지 않고, 지금 정부가 검토 중이라는 한전, 토공, 주공 등 정부 투자 대형 공공기관의 본사를 지방에 이전할 것이 아니라 본사 자체를 해체하고 그 기능을 지역적으로 분리하여, 축소된 이 정부기구와 함께 수도권을 제외한 모든 시 · 도 지역에 골고루 분산 배치시킬 때 비로소 지역자치는 한 발짝 앞으로 나갈 수 있을 것이다. 신행정도시 건설보다 훨씬 간편하고 예산도 획기적으로 줄이는 이런 방법을 굳이 외면하고 이 정부가 기어이 행정도시 건설을 강행한다면, 정부는 지역자치와 균형발전이란 당의정을 입혀 특정 지역에까지 권력기반을 확대하여 오히려 중앙집권을 강화하기 위한 속임수를 썼다는 비난에 두고두고 시달릴 것이다.

그러나 내가 신행정도시 건설에 반대하는 더 근본적인 이유는 노무현 정부를 이 같은 역사적 비판으로부터 보호해주기 위해서가 아니고, 수많은 생태계와 그 속의 생명을 지키기 위해서다. 지율 스님은 천성산을 관통하는 경부고속철도 터널공사로부터 도롱뇽을 비롯한 수많은 생명과 습지와 생태계를 지키기 위해 목숨을 걸고 1백 일 단식을 치렀다. 새 행정도시 건설을 위해서는 연기 · 공주 지역의 생명의 땅 2천여 만 평을 또 다시 시멘트와 아스팔트로 질식사시킬 것이다.

연기 · 공주지역에 지율 스님 같은 생명지상주의자가 없고 수도 이전으로 땅값 올라 팔자 고치려는 주민들의 요구만 있다고 해서 그 땅이 천성산보다 생태적 가치가 적은 것은 결코 아니다. 우리의 생명터전인 이 땅은 이런저런 핑계의 개발과 국책사업으로 파괴, 질식시켜갈 만큼 넓지 않다. 지금의 값싼 화석연료 에너지가 바닥나서 고비용 고가에너지 시대가 오고, 돈은 있어도 안심하고 사 먹을 식량은 모자라는 식량 위기의 시대가 오면 그때 가서 이 땅의 생명 파괴를 후회해도 때는 이미 너무 늦으리라.

중앙집권의 당연한 결과인 서울 집중 문제 해결과 지방공동화 해소는 수도 이전 아닌 수도 해체, 권력 집중 아닌 권력 해체 말고 다른 대안이 없다. 그러므로 지역 균형 발전을 핑계로 또 다른 지역 집중을 낳고 온 국토를 투기장으로 만들어 땅값만 올리고 수많은 생명 생태계의 고향인 땅을 파괴하는 새 행정도시 건설은 당장 중지되어야 한다. 중앙집권의 결과인 서울의 여러 도시 문제들도 새 행정도시 건설과 이전으로 지방에까지 확대 전가하지 말고 서울 안에서 서울 하나로 끝장을 보아야 한다.

서울 해체하면 서울대 자동 폐교된다

강준만의 『서울대의 나라』가 파동을 일으킨 이후, 이 나라 학벌사회의 정점에 서 있다는 서울대가 안팎으로부터의 공격을 받고 심지어 폐교 압력도 받고 있다. '안팎으로부터'란, 서울대 안 나온 사람의 서울대 폐교 주장에 일부 서울대 출신들이 적극 동조하는 현상을 뜻한다. 서울대가 문제는 문제다. 소가 뒷걸음치다 쥐 잡은 격으로 우연히 서울대를 나온 나도 그것을 인정한다.

내가 서울대를 나온 것은 어디로 보나 우연이었다. 그때가 1960년대 초반이었기에 그런 우연함이 가능했지 지금 같으면 면 소재지 시골 고등학교, 그것도 농고 출신의 가난뱅이가 서울대에 가기란 그야말로 하늘의 별일 뿐이다. 애초부터 잘못 가긴 했어도 어쨌든 그 대학을 나온 나도 그 기득권으로부터 완전히 자유롭다고 할 수는 없다. 졸업과 동시에 귀농해서 농사짓다 돈이 궁한 나머지 잠시 중등학교 교사를 한 것은 서울대 이전의 다른 대학에서 얻은 중등교사 자격증 덕이다. 그 뒤에 농사지으며 지방대학의 강사로 나간 것이 서울대 기득권 덕택이라면 덕택인데 하지만 이것은 교수로 연결시키지 않고 3~4년간의 시간강사로 끝냈으니 기득권이랄 것도 못 된다. 만약 내가 서울대 나온 덕을 본 것이 있다면 대학 입학 때는 농사지을 생각이 전혀 없었는데 재학 중 4 · 19와 6 · 3 등의 학생운동을 통해 농사지을 결심을 하고 실제 귀농하여 한평생을 농촌에서 농사짓고 또 그 뒤 농사 관련 직거래운동으로 사는 것이라고 할까?

동창회 명단에 주소불명이라던 내가 몇 권의 책을 내는 통에 같은 과 후배에게 소재지를 발각당해 받아보는 서울대 동창회보는 내가 서울대 나온 것이 정말 우연이란 사실을 다시금 상기시켜준다. "서울대 동창회보에는 감동이 없더라"는 어느 외부 인사의 지적은 정곡을 찌르는 말이다. 거기에는 기라성처럼 출세한 졸업생들만 등장해서 자화자찬을 늘어놓아 그런 출세 못한 동창의 기나 죽일 뿐 따뜻한 인정가화는 눈을 씻고 봐도 없다. 또 거기에는 형제, 마누라, 아들, 딸, 사위, 조카, 동생, 매부 등의 친인척들이 같은 서울대 출신임을 자랑하는 이른바 '서울대 가족'이란 고정란으로 그렇지 못한 동창들의 기까지 죽이고 있다. 보내준 과 동창의 명부를 대충 훑어봐도 상당수의 동창이 외국에 거주하거나 외국계 기업에 취업해 있고, 국내 거주라 해도 많은 동창이 서울 강남의 유명 건설회사가 지은 유명브랜드의 아파트를 주거지로 하고 있는 것으로 보아 서울대 학벌 기득권이 공연한 트집은 아닌 것 같다.

하지만 서울대 나왔다고 다 출세한 것은 아니다. 능력이 없어 졸업하자 바로 귀농한 나는 예외라 치더라도, 서울에 남아 있던 매우 유능했던 친구들 중에도 출세와 거리가 먼 길을 가는 사람들도 많다. 별 볼일 없는 직장에서 평생 장가도 못 가고 늙어가는 사람도 있고, 정치판 주변을 맴돌다 평생 백수건달로 지내 폐인이 되다시피 한 친구들도 많고, 심지어 세상과 타협할 수 없어 일찍이 스스로 목숨을 끊은 천재들도 더러 있다.

사람들은 서울대 출신들이 대한민국을 다 해먹는 줄로 알고 있지만, 이번 대선 정국에서 불어닥친 '노풍(盧風)'으로 "서울대의 천적은 상고(商高)"라는 말이 나온 것에서 보는 바와 같이 따지고 보면 서울대도 머슴 기르는 대학이지 주인 만드는 대학은 아니다. 세상에서 제일 출세한 사람, 이 나라의 주인이 대통령이라면 50년이 훨씬 넘는 우리 대통령 역사에서 대통령으로 출세한 서울대 출신은 단 한 사람밖에 없다. 초기의 이승만과 윤보선은 해외 유학파고, 그 뒤부터 내리 30년 넘게는 육사가 다 해먹었고, 간고한 민주화투쟁의 결과 서울대 출신 김영삼이 5년 단임 대통령을 거친 뒤로는 목포상고와 부산상고 출신이 대통령을 했다.

대통령 중심의 권력 밑에서 특정 대학 출신이 고위 공직을 독점하다시피 했다 해도 그것은 대통령 권력의 뜻이었지 특정 대학의 잘못이라고만 하기 어렵다. 그렇다면 오늘의 서울대를 그렇게 만든 주인공들을 배출한 외국 대학이나 30년간의 독재자를 낸 육사나 다른 학교의 폐교에 대해서는 한마디 말도 없던 사람들이 왜 서울대 폐교만 주장하고 나오는가?

내가 볼 때는 서울대 출신으로 서울대 폐교에 동조하는 이들은 물론이고 서울대 안 나온 서울대 폐교론자도 서울대보다 더 가기 어려운 해외 대학에서 유학한 사람이거나 그렇지 않다 해도 서울에 있는 일류대 출신으로 서울대 출신의 평균 기득권 이상으로 출세하고 기득권을 누리며 잘 나가는 사람들이다. 그런 그들이 아마 더 많은 기득권을 얻거나 좀 튀고 싶어서 그런 주장을 하는 것 같다. 그렇지 못한 사람들에게는 그 기득권을 서울대가 싹쓸이하든 육사가 싹쓸이하든 마찬가지이기 때문에 서울대 폐교론에 아무 관심이 없다. 그런 뜻에서 서울대 폐교론 역시 서울 안에 살면서 서울제국의 거대한 기득권을 더 차지하려는 기득권자들끼리의 패싸움에 다름 아니다. 서울대를 나왔건 안 나왔건 서울대 출신 이상의 기득권을 다 누리고 서울에 사는 사람들의 서울대 폐지론은 정말 웃기는 코미디다.

서울을 제외한 모든 지방에서 볼 때 서울대뿐만 아니라 서울에 있는 모든 대학이 다 '서울대학'이다. 경제적 형편만 되면 부산의 학부모도 국립 부산대에 그 자녀 안 보내고, 대구 학부모 또한 국립 경북대 마다하고 자녀들을 서울에 있는 3류 대학에라도 기를 쓰고 보내려 한다. 서울제국의 시민으로 편입하는 데 그것이 훨씬 유리하기 때문이란다.

학벌사회 모순의 꼭짓점에 선 서울대가 문제 아닌 것은 결코 아니지만, 바로 이 모순을 포함한 대한민국과 이 세상의 모든 모순은 모든 지역을 식민지화시키는 중앙집권적 '서울제국'과 그 종주국인 '세계시장제국'에 있다. 서울대 아무리 없애도 중앙집권적 서울제국이 있는 한 서울에 있는 모든 대학이 서울대인 것이다. 그러므로 서울제국을 해체하면 서울대뿐 아니라 '서울의 대학' 모두가 자동 해체된다. 만병의 근원인 서울을 먼저 해체하라. 그리고 서울대 해체를 진정 바라거든 그 자신이 먼저 서울을 떠나라. 자기는 서울에 남아 서울 기득권 다 누리면서 서울대 학벌 기득권을 탓할 자격은 없다.

서울대를 지역 균형 공존의 도구로 개혁하자

서울대 개혁 또는 폐교론이 한때 설득력을 얻은 적이 있다. 대한민국 사회 모순의 하나인 학벌주의의 꼭짓점에 서울대가 있고, 그 바탕에는 국가주의가 있다. 그런데 국가주의의 산물인 서울대 학벌이 이제는 거꾸로 국가 위에서 초법적으로 작동하기 때문에 서울대를 폐교하거나 평준화하는 식으로 크게 개혁해야 한다는 주장들이었다. 서울대 출신들이 관료사회나 정계에서 요직을 독식하고 또 그것이 거의 세습적이라 할 만큼 지속되고 있는 것은 사실이다. 그리고 이런 문제의 근본이 국가주의라는 지적도 전적으로 맞는 말이다. 대한민국이란 국가가 없었다면 국립 서울대가 있을 수 없다. 국립대라는 이유로 받을 수 있었던 국가 재정의 선별적 집중지원과 육성이 없었다면 오늘의 서울대 학벌주의가 나타날 수 없었을 것이다.

대학이 없던 건국 초기에는 국가 재정을 통해 국가가 필요로 하는 인재를 속성으로 키우고 또 대학교육의 한 모델을 제공하는 등의, 국가가 맡아 해야 할 일을 서울대 등의 국립대를 통해 효과적으로 해낸 적이 있다는 지적이 있다. 또 가난했던 그 시절에는 가난한 서민 계층의 우수한 자녀들을 선발해서 국비 보조로 사회가 필요로 하는 인재로 육성한다는 일종의 사회보장주의에 서울대 등의 국립대가 일정하게 기여한 측면이 있었던 것도 사실이다.

하긴, 1960년대까지는 농어촌이나 도시 서민 자녀들의 서울대 입학도 드물게나마 있었다. 그러나 1970년대부터 공업화가 본격적으로 진행되면서 대거 이농이 시작되고 도농 간의 소득격차가 크게 벌어지자 사정은 급변한다. 이때부터 과외수업이란 사교육이 대학입시에 결정적 영향을 미치면서 서울대 입학생의 학부모 직업이 기업간부나 경영인, 고급관료나 교수 등이 절대 다수를 이루고 출신 지역도 서울, 그것도 강남 신흥귀족의 거주지로 집중되어갔고, 그 비율도 해마다 높아갔다. 이는 싼 교육비로 가난한 서민 자녀들 중의 우수 인재를 길러 사회의 적재적소에 쓴다는 초기의 복지주의와는 완전히 거꾸로다. 그래서 가난한 국민의 세금까지 모아 부자들의 자녀교육에 보태주는 소득 역재분배의 모순이라는 지적도 전적으로 옳다. 1961년 군사정변 다음 해인 1962년부터는 대학입시에까지 획일적인 국가고시를 도입했다. 그 뒤부터 오늘날까지 계속되는 국가 주도 수능입시제도는 특정 대학들이 사교육비 부담 능력이 있는 부모를 둔 성적 상위자 수험생부터 차례로 독식해가는 대학 서열화와 그에 따른 학벌사회 현상을 고착시킨 것이다.

서울대 학벌주의 문제뿐만 아니라 이 사회문제의 대부분이 지나치게 비대해진 중앙집권적 국가주의의 모순에 기인한다. 그러나 안타깝게도 만악의 원천인 중앙집권적 권력을 획기적으로 축소시켜갈 어떤 전망도 보이지 않는다. 수도 이전이나 새로운 행정도시 건설이 그 대안이 될 수 없음을 나는 다른 지면에서 거듭 지적한 바 있다. 서울대 폐교 또한 그 대안이 되지 못하기는 마찬가지다. 그래서 나는 서울대 폐교 대신 서울대를 중앙집권적 국가주의의 온갖 모순 중 하나인 서울 집중 문제와 입시지옥 문제를 동시에 완화하는 도구로 쓸 것을 제안한 바 있다. 그것은 신입생을 선발할 때 농어촌특별전형과 지역할당제의 비율을 확대하고 추첨제로 선발하는 방법이다.

그런데 『서울대가 없어야 나라가 산다』의 저자 국민대 김동훈 교수는 이를 다음과 같이 비판했다. "근본적으로 대학의 평준화를 꿈꾸는 사고는 이를 주장하는 자들의 표현대로 교육에 있어 국가주의를 강화하자는 철학이 바탕에 있다. 더 이상 대학을 민간영역에 맡기지 말고 국가의 공적 기관으로 전환하자는 발상은 시대의 흐름에 역행하는 것이다."[7)]

그는 이 책에서 서울대 폐교론이나 평준화 방안 대신 다음과

7 김동훈, 『서울대가 없어야 나라가 산다』(The Book, 2002), 247~248쪽.

같은 서울대 개혁을 주장한다. 첫째는 국립대가 초기에 내세웠던 약자에 대한 사회복지적 역할을 회복하라는 것이다. 지금의 서울대는 사회적 약자를 배려하기는커녕 매년 사회 상층부의 자제가 주류를 이루는 성적 상위권 학생들만 싹쓸이해간다. 이는 결과적으로 부자들에게 싼 등록금 혜택을 줌으로써 소득 역재분배 현상에 일조하고, 계층과 계급 세습에도 한몫하는 것이므로 이를 극복할 방안을 찾으라는 것이다.

두번째로 서울대는 국립대 중에서도 특별한 위치에 있는 만큼 오히려 이를 이용하여 고등교육의 지역적 평준화에 기여해야 한다는 것이다. 장회익 전(前) 서울대 교수가 서울대를 지방 국립대학의 연구기관으로 제공함으로써 서울에 집중된 명문 사립대와 견줄 수 있는 체제를 만들자며 서울대 개방론을 주장한 것이 그 구체적 예라고 한다.

세번째, 국립대가 사립대와 구별되는 유일한 특성인 지역 대표성을 살리기 위해서는 '국립'의 간판을 내리고 지방자치단체 소속, 즉 '도립' 또는 '시립' 대학으로 옮겨가는 것이 효율적이고 지방분권의 흐름에도 일치한다는 주장이다.

네번째가 국·공립대를 독립법인화, 혹은 비영리 공익법인화하여 운영을 스스로 책임지게 하는 방법이다.

다섯번째가 국가는 국립대뿐만 아니라 모든 교육기관에서 손을 떼고 시장이란 햇볕 아래 노출시켜 경쟁하게 함으로써 모든 학교가 모두 일류가 되게 하자는 이른바 공정경쟁론이다.

하지만 처음부터 능력과 가진 것이 다른 인간과 집단에게 공정경쟁은 없고 한쪽이 다른 한쪽에 이기고 지는 무한경쟁이 있을 뿐이다. 그래서 김동훈도 단지 시장원리가 해결하지 못하는 영역에 대해서만 비로소 공공의 이름이 들어가야 한다고 했다.

마지막으로 그는 "지역분권 없이 학벌 타파 없다"는 주장을 한다. 서울대로 대표되는 학벌 타파의 궁극적 대안이 지역분권이라면 이 지역분권과 그가 앞에서 말한, 모든 학교 사이의 공정한 시장경쟁을 어떻게 양립시킬 수 있을 것인지 이해하기 어렵다. 시장이야말로 국가권력과 함께 중앙집권의 양대 원천이 아닌가? 김동훈 자신도 "흔히 교육과 시장을 결부시키면 바로 교육의 시장화"를 부추기는 '신자유주의'라는 공격이 떠오른다고 했다. 사실 신자유주의 세계시장이야말로 온 세계 지역 파괴의 주범이 아닌가? 시장은 우리가 지금 보고 있듯이 하나의 일류, 한 사람의 승자를 위해 나머지 모든 지역과 사람을 무참하게 파괴하는 중앙집권적 도시화의 원천이 아닌가?

시장과 국가의 관계는 따로 존재하며 서로 견제하는 경쟁관계가 아니고 사실은 뿌리가 같은 공생관계 또는 한통속 관계다. 국가 성립의 원인이 시장에 있고 특히 자본주의 국가는 시장의 이익을 지켜주기 위해 존재한다 해도 지나치지 않다. 오늘날의 서울중심주의는 물론 중앙집권적 국가주의의 결과물이기도 하지만, 동시에 시장만능주의, 시장중심주의가 서울 중심의 중앙집권적 국가주의를 강화해준다. 서울은 중앙집권적 왕국인 조선의 수도였지만 시장 규모가 작은 그때는 왕국의 중앙집권력도 지금과 비교할 수 없이 작았다. 오늘의 초거대시장인 서울에 비하면 한성은 지금의 농촌보다 더 촌스러운 전원이었다.

서울 집중이 다른 사회모순처럼 국가주의의 산물이면서 동시에 그 국가주의의 뿌리인 시장의 산물이기도 하다면, 국가 대신 공정한 시장경쟁을 통해 서울대 문제를 해결하자는 것은 나무에서 물고기를 구하자는 것만큼이나 황당한 주장이다. 진정한 지역분권도 국가주의와 시장주의를 동시에 극복하고 모든 삶의 문제를 지역주민 자신이 스스로 해결하도록 지역자치공동체를 자생시키는 데 있다. 누가 이 완고한 국가주의와 시장주의를 극복하고 주민자치공동체를 자생시킬 것인가? 물론 스스로 깨어난 주민의식만큼은 그것이 가능하다. 그러나 때로는 소수의 깨어난 주민의 의식이 국가기구를 통해 다수의 주민의식을 깨어나게 할 수도 있다. 서울대 폐교가 현실적으로 어렵다면 서울대를 국가주의 모순의 최대의 과제인 지역분권과 시장 분산의 도구로 쓰는 것이 전혀 불가능하지는 않을 것이다.

김동훈 교수는 대학평준화론을 국가주의적 발상으로 보았고, 정운찬 서울대 총장의 입학생 지역할당제 구상도 서울대 학벌주의에 쏠린 비난으로부터 서울대를 구하려는 꼼수로 보았다. 하지만 나는 서울대를 없앨 수 없다면, 아니 서울 해체라는 근본 대책 없이 서울대만 없애는 것보다는 정운찬 총장의 실험에 얼마쯤의 기대를 걸어볼 만하다는 생각이다.

2005년 2월 25일, 대구 지역에서 나오는 한 신문의 1면에는 「시골 고교가 뜬다」라는 기사가 난 적이 있다. 지금까지 도시 지역 고교로 빠져나가던 경북 농어촌 지역의 우수한 중학생들의 유출현상이 급격히 사라지고 거꾸로 대구, 포항 등의 대도시 지역에서 시골 고교로 진학하는 것에 대해 문의전화가 쇄도하고 있다고 했다. 교육인적자원부가 2008년부터 대학신입생을 고교

내신 성적 위주로 뽑고 2006년도부터 농어촌 출신 학생 특별전형을 현재의 전체 정원 3퍼센트에서 4퍼센트로 높인 데 따른 현상이라고 한다.

이 정도의 제도 변화로도 이 난리인데 만일 지역 간, 각 고등학교 간 차별 없이 내신 성적만으로 대학신입생을 선발하고 거기다 농어촌 특별전형을 4퍼센트에서 50퍼센트로 높이면, 아니 모두 지역할당제로 신입생을 뽑는다면 어떤 현상이 일어날까? 지금의 이농 대열이 귀농 홍수로 바뀔 것이고, 서울, 특히 강남의 현대판 귀족들이 대거 농촌으로 이주하는 국민대이동 현상이 상상된다. 그러나 동시에, 서울에 집중된 서울 기득권 대변지인 모든 언론들의 '서울 역차별' 운운하는 집중포화로 잠시 떠올랐던 이 아름다운 장면은 산산조각 나고 만다.

하기야 아무리 농어촌특별전형과 지역할당제 입학비율을 높여가고 수능 대신 내신 성적 반영비율을 높여가도 또 그만큼 내신 성적 부정과 부풀리기도 높아갈 것이기 때문에 이 제도의 수명도 그리 길지 못할 것이다. 설사 내신부정이 전혀 없다 해도 이 같이 서열화된 대학 학벌주의를 그대로 둔 채 내신만으로 신입생을 선발한다면, 고등학교는 사람을 교육하는 교육공동체가 아니라 같은 학년의 모든 친구를 적으로 돌리고 자신만 이겨야 하는, 세상에서 가장 살벌한 전쟁터가 될 것이다. 궁극적 대안은 국립대에서만이라도 대입 자격고사에 통과한 학생을 대상으로 가장 공정하고, 따라서 시비의 여지가 없는 제비뽑기로 신입생을 선발하여 대학을 평준화시키는 방법 말고 달리 없을 것 같다.

제3부
농업의 포기, 민주주의의 포기

농업의 위기, 생명의 위기

이 우려는 현실로 나타났다. 2004년 12월 쌀의 추가개방 협상의 합의내용이 발표되고 불과 일 주일 만에 국내 쌀값은 5퍼센트까지 곤두박질치고 쌀 소비의 최성기인데도 판매량마저 10퍼센트 정도 뚝 떨어지고 있었다. 지금까지 들어온 쌀의 의무수입 물량만으로도 현재 정부의 쌀 보유량은 적정 보유량인 6백만 섬보다 4백만 섬이 많은 1천만 섬이나 된다고 한다. 수입쌀이 들어오는 만큼 우리 쌀값은 계속 떨어질 것이고, 최악의 경우 현지에서 4만 원 선이라는 중국 쌀의 수입가격 선까지 곤두박질칠지도 모른다.

쌀 하나 남은 게 우리 농업인데, 농민 소득의 50퍼센트 이상의 비중을 차지하고 있는 쌀의 추가개방은 우리 농업과 농민을 위기를 넘어 파국으로 빠뜨릴 것이다. 그런데도 당사자인 농민의 저항 외에 쌀 수입과 개방에 대한 시민들의 반응은 싸늘하기만 하다. 과연 쌀 개방은 우리 농업과 농민들만의 위기인가?

꼭 필요한 것을 자체 생산하고서도 모자라는 것은 수입해다 먹을 수도 있다. 그러나 그것이 다른 것이 아닌 사람이 먹지 않고는 살 수 없는 먹을거리일 때는 그 유통도 다변화되어야겠지만 특히 그 생산자가 더욱 다변화되어 있어야 한다. 그런데 자체 생산과 자급이 얼마든지 가능한데도 단지 가격 경쟁력 때문에 자체 생산을 포기하고 어느 일방의 생산과 수입에 의존할 때는 그것의 안전성(安全性)과 안정성(安定性)을 결코 보장받을 수 없다.

다른 공산품처럼 식량도 돈만 주면 얼마든지 사 먹을 수 있고 또 우리에게 식량을 사 먹을 돈이 언제든지 있을 것이라는 것은 착각이고 희망사항일 뿐이다. 기후에 따른 지역적 대흉작이나 인구의 증가, 소비 성향의 변동, 초국적 곡물 수출입 기업의 농간 등으로 국제시장의 쌀이 모자랄 수도 있고 가격이 폭등할 수도 있다. 그리고 우리의 필요만큼 쌀을 사 먹을 수 있도록 우리 땅에서 만든 자동차와 휴대전화가 언제까지나 잘 팔릴 것이라는 보장을 누구로부터 받은 적도 없다.

생명은 상호의존적 존재이고 사람 또한 그렇지만 지나친 의존, 일방적 의존은 의존 아닌 예속이다. 그래서 농업 개방 특히 쌀 개방이 식량주권 포기와 생명주권 포기라는 농민들의 주장은 전적으로 옳은 말이다. 농업의 위기는 곧 생명의 위기다.

그러나 대부분의 시민들은 농산물이 저토록 흔하게 쏟아져 나오고, 때때로 과잉 파동을 일으킬 만큼 농산물이 남아도는 세상에서 '농업 위기'라는 말을 실감하지 못하고 있다. 농산물 과잉 파동의 원인은 농산물 수출국의 경우는 당국의 전폭적 지원과 생명 파괴적인 화학적 · 기계적 농업생산 방식에 토대한 물량의 과잉 생산 때문이고, 우리의 경우는 이런 수출국의 생산방식에다 수입개방까지 덧붙여져서 일어난 이중의 과잉 상태 때문이다. 이런 현상은 세계 모든 곳에서 일어나고 있는 보편적 현상이다. 그러므로 '농업 위기'라는 말에는 어떤 수식어와 부연설명이 필요할 것 같다. 지금의 농업 위기는 농업생산량의 부족에서 오는 위기가 아니고, 정확히 말해서 농업의 생명성의 위기이고 시장경쟁을 통한 농민농업, 즉 소농의 몰락 위기이다.

농업의 공업시장 예속과 생명농업의 위기

알다시피 전통농업은 천지인(天地人)이 함께하는 전생명적 인간 활동이었다. 어떤 생명론자는 농사는 하늘이 빠지고 사람과 땅만이 함께하는 불완전한 생명활동이라고 오해하기도 하지만, 땅과 사람, 하늘의 태양과 바람과 공기 등을 포함한 삼재(三才)의 완벽한 협력 없이 안 되는 것이 본래의 생명농업이었다.

그러나 지금의 기업적 농업은 위의 삼재 대신 화학물질과 기계를 사용함은 물론 심지어 생명의 신비까지 조작해내는 반생명농업이 된 것이 사실이다. 기업적 화학 · 기계농은 먼저 농업의 생명성을 손상하고 그것을 화학공업과 시장에 예속시킨다. 화학농약과 비료를 통해 농산물의 생산량을 늘리고 시장경제성은 얼마간 높였지만, 그 생명성은 크게 손상되고 게다가 농업 본래의 자급자족 자치성을 잃어버리게 되었다.

그다음으로 화학 · 기계농은 농업으로부터 생명 삼재의 하나인 하늘을 차단시켜가고 있다. 요즘에는 비닐에 의존하지 않는 농업이 거의 없다. 비닐 멀칭을 하고 비닐하우스 속에서 대부분의 농사가 이루어진다. 별도의 인공적 가온 없이 하늘의 태양열과 빛을 효과적으로 이용하는 정도의 비닐 멀칭이나 하우스도 없지 않지만 거의 대부분의 비닐하우스가 태양과 관계없이 석유와 전기, 지하수 등으로 가온을 하고, 심지어 전등 불빛으로 태양의 햇빛을 연장하거나 대체한다. 그리고 인공 관수로 하늘의 눈비를 대체한다. 공기를 제외한 하늘의 생명요소들로부터 완전히 격리된 것이 오늘날의 화학 · 기계 · 시설농이다.

기업적 화학 · 기계농은 농사를 삼재의 또 하나인 땅으로부터도 격리 차단시켜간다. 하우스 등의 재배시설이 아직 인공위성 대신 땅 위에 지어져 있는 한 완전히 땅을 떠났다고 할 수 없지만 인공시설과 용기에 화학 영양물질들을 물에 녹여 잎채소, 과일(열매채소) 등을 재배하는 이른바 수경재배와 짚, 폐기솜, 쌀겨 등을 이용하는 버섯재배가 바로 땅과 격리된 농업이다.

현대의 기업적 화학 · 기계 · 시설농업은 이같이 하늘과 땅뿐만 아니라 농사 삼재의 마지막 하나인 사람마저 그로부터 완전히 격리시켜가고 있다. 농사일에서 가장 사람 손이 많이 가는 풀매기 일은 제초제가 하고 과일의 적과(摘果) 일 등도 화학약품이 하고 파종, 이앙, 수확, 건조 등의 대부분의 일도 기계가 대신한다. 물론 화학농약과 비료도 사람이 만들고 기계도 사람이 만들고 또 그것의 살포와 조작도 사람이 하는 한 사람이 농사로부터 완전히 격리되었다고 할 수는 없다.

하지만 결과적으로 대부분의 소농민들이 기계나 화학약품들에 의해 밀려나고 농업이 소수에게 집중되며 기업화되는 지금의 농업 생산 현실은 바로 농민 농업의 위기로 귀결된다. 가볍게 생각하면 농사를 소농민이 짓건 기업농이 짓건 값싸고 풍부하면 그만이라고 생각할 수도 있겠다. 그러나 소농이 빠진 농업은 그만큼 화학물질과 기계에 예속되는 반생명 농업이 되고, 동시에 인간의 생명과 자치적 주권마저 시장에 더 예속되고 만다. 농사로부터 소농민들을 몰아내면 그것은 기업농의 과정을 거쳐 종국에는 농민이 완전히 사라지고 없는 초국적 기업농으로 귀결된다.

내 먹을 것을 내가 스스로 안 지어 먹어도 그 농사가 다수의 소농민들에게 분산되어 있던 전통시대에는 농민보다 소수인 도시인들이 오히려 농민에게 큰소리치고 살 수 있었다. 또 자연재해로 인한 흉작이나 분배에 따른 문제가 많았던 것은 사실이나 그 농산물의 안전성(생명성) 문제나 독점적 생산에 따른 문제는 거의 없었다. 그러나 농업이 힘없는 농민의 손을 떠나 힘센 기업농, 특히 국가권력보다 더 힘센 초국적기업에 생산과 가공과 유통이 모두 독점될 때 시민의 식생활은 소농시대와는 거꾸로 이들 소수 생산자에게 완전히 예속된다.

다른 사람은 다 있는데 나만 없으면 좀 불편하긴 하지만 사는 데는 지장 없는 것이 공산품이다. 이와는 달리 없으면 사람의 생존 자체가 불가능한 농산물, 특히 주식인 식량이 소수의 기업에 독점·장악당하면 그 삶은 결코 자유로운 영혼을 가진 인간의 삶이라 할 수 없다. 그런 삶은 사람이 자신의 이익을 위해 던져

주는 사료만 먹고 자라는 우리 안의 가축의 삶과 전혀 다를 바가 없다.

소농 위기는 생태계 위기

농업은 설사 전통농업, 오늘날의 유행어가 된 유기농법이라 해도 어느 정도는 반자연적이고 반생태적이었다. 그래서 고대문명이 발생했던 지역들은 모두는 아니지만 대체로 잦은 왕권 교체와 함께 환경적으로 황폐해갔다. 역사교과서들은 고대와 중세 사회의 왕권 교체에 대해 토지제도의 문란이나 토지 집중, 집권층의 도덕적 해이와 분열 등을 그 명멸의 주원인으로 꼽았다. 틀린 말은 아니지만 그것이 그들 왕국이 명멸해간 원인의 전부는 아니었다.

역사 교과서를 꼼꼼하게 읽어보면, 그 많은 행간들에서, 또는 직접적으로 왕조의 멸망과 쇠퇴에 토지 집중뿐 아니라 사람의 집중, 즉 도시화와 그들을 먹여 살리기 위한 식량 증산, 그리고 그에 따른 토지에 대한 생태적 압박이 근원적 원인으로 작용했음을 알 수 있다. 메소포타미아의 수메르 문명은 유프라테스와 티그리스라는 두 강 사이에 자리잡고 있긴 했으나 두 강의 범람이 불규칙해서 주로 강물을 끌어들이는 인공적인 관개에 의존했다고 한다. 중남미는 큰 강가는 아니지만 산간계곡이나 산을 계단식으로 개간한 관개농업을 했다는 점에서 메소포타미아와 비슷했다. 관개농업은 일시적으로는 생산량을 늘리는 장점이 있지만 장기적으로는 토양의 염분화와 침식을 낳아 머지않아 땅을 황폐화시킨다.

위의 지역에 비해 이집트와 황하문명의 왕조들이 비교적 장수하고 고대문명 전체의 수명도 상대적으로 길었던 것은 나일 강과 황하의 비교적 규칙적인 범람 덕택이라고 한다. 강의 규칙적 범람에 따른 자연 관개는 땅을 염분화시키거나 침식시키는 대신 유기물이 많은 흙을 새로 실어다 주는 복토 역할과 수분 조절 역할을 동시에 해준다.

그러나 이런 문명발상지 외에 대부분의 농경지역은 강변이 아닌 산간지역이나 해안지역에 있다. 이들 지역에서 시작된 농경은 거의가 구릉지에 불을 지른 화경농이었다. 한반도의 경우도 신석기 농업혁명 이후 고려조까지 거의 모든 농경은 화경농이었다. 화경농은 산의 나무를 불태움으로써 제초와 시비 문제를 동시에 해결하는 장점이 있는 대신 비 올 때의 토양 침식과 한발이란 두 가지 피해를 동시에 입는 지속 불가능한 반생태적 농법이었다. 또 이것은 고작 2~3년 농사지으면 나무 태움에 의한 제초효과와 시비효과가 동사에 떨어져서 다시 다른 구릉지로 이동, 불을 질러야 하는 유목적 농경이었다. 고려시대의 주(州) 단위의 광역 농경공동체인 향도는 바로 이런 조방적이고 유목적인 화경농업 특성이 반영된 것이었다.

이 화경농의 생태적 한계를 극복한 농법이 저평지 개간과 제언(댐) 축조에 의한 수전농이었다. 수전농은 화경농에 비해서는 생산량도 훨씬 많고 생태적 지속성도 훨씬 크지만, 농경에서 가장 어려운 문제인 제초를 그 어떤 농법에서보다 가장 큰 문제로 불려왔다. 수전은 주로 마른갈이(乾耕)로 씨앗을 파종하고 물을 대주는 농업이다. 물을 대주면 물론 곡식의 싹도 잘 트고 빨리 잘 자라지만, 그보다는 잡초들이 먼저 극성을 부린다.

이에 대한 대안으로 도입된 농법이 수경이앙농법이다. 이 농법은 처음부터 논에 물을 대서 물갈이(水耕)를 하고 볍씨를 직파하는 대신 모판에다 미리 뿌려 45일 전후 동안 모를 길러 본논에다 옮겨 심는 농사법이다. 이 농법은 밭농사나 수전에 비해 수확량을 거의 배가시켜줄 뿐만 아니라 제초 노동력도 80퍼센트 이상을 절감시켜주는 기적의 농법이다. 이런 물질적 · 시간적 여유가 이 땅의 전통 소농들로 하여금 마을 단위에서도 삶의 거의 모든 부문을 자족적으로 해결할 수 있는 마을자치 두레를 가능하게 했다.

뭐니 뭐니 해도 수경이앙농법의 기적적인 탁월함은 지금까지 인류가 찾아낸 자신들의 영위 방식 중에서 가장 생태적인 영위 방식이라는 데 있다. 자연보다 더 생태적인 것이 인간의 농업 행위이다. 무슨 얘기냐 하면, 같은 면적의 땅에서 자연 상태로 나오는 생명 자원을 이용하는 것보다 몇십 갑절 더 많이 인간 생명이나 동물 생명을 부양해줄 수 있는 것이 농업 생산이라는 것이다. 수경이앙농은 이런 농업 중에서도 최고로 생태적인 농업 행위이다. 흔히 논의 생태적 기능으로 홍수를 조절하는 댐 기능, 지하수 보충 기능, 이산화탄소 흡수 기능, 침수 방지 기능, 수질 정화 기능 등을 들고 있다. 사실이지만, 이런 기능을 아무리 많이 갖고 있다 해도 그 농사 자체가 지속 불가능한 것이라면 그 생태적 가치 또한 지속 불가능한 것으로 끝난다. 그런데 논에다 하는 수경이앙농의 핵심적 생태가치는 그 농법이 얼마든지 지속 가능한 농법이라는 데 있다.

전통적 수경이앙농은 벼의 후기작으로 거의 보리, 밀의 이모작을 겸했다. 논에 깊이 대준 물은 전작(田作)에서 발생했던 병충을 퇴치하는 역할을 한다. 대신 벼 이모작으로 하는 보리와 밀은 물이 없는 밭 재배를 함으로써 벼의 무논에 꾀어든 호습성 병균과 벌레들을 물리침으로써 보리와 벼의 공생적 협력관계를 좋게 한다. 또 수경이앙의 이모작 체계는 벼 재배 때는 밭풀의 씨앗 발아와 성장을 차단하고 대신 보리, 밀을 재배할 때는 물풀의 씨앗과 성장을 억제시킴으로써 생태적 제초 효과까지 상승시킨다. 무엇보다 수경이앙농의 이점은 보리, 밀의 전작 재배에서 남겨진 유기물질을 금방 발효시켜 벼의 거름으로 흡수시켜줄 뿐만 아니라 물 자체도 산속의 부엽토 등의 흙 속에 있는 거름 성분을 녹여 싣고 오는 시비가 된다는 것이다.

밭에서 하는 밀의 단작재배가 땅을 금방 황폐화하고 미국 등에서 하는 직파 수전 농경지도 휴경을 하지 않으면 안 되는 것 것과는 달리, 아시아의 쌀 재배지역이 그토록 오랜 농경사에도 불구하고 아직도 벼의 연작이 지속적으로 가능한 이유는 물을 이용하는 이 기적의 수경이앙농법에 있다. 그러나 아시아적 수경이앙농도 소농들의 전통적 순환농법일 때 지속이 가능하다. 지금과 같은 화학 · 기계농법으로는, 더 나아가 기업농에서 초국적 농기업에 독점된다면 그 또한 지속 불가능의 농법이 된다. 그래서 소농 위기는 곧 생태계의 위기로 이어졌다.

소농공동체밖에 다른 대안 없다

한 시대가 위기인지 아닌지는 그 시대를 바라보는 사람의 시각, 즉 자기 삶의 철학적·도덕적 태도와 가치관에 따라 결정된다. 종교적 종말론자나 도덕적 감수성이 남달리 예민한 사람들에게는 인류 역사의 매 순간과 전 과정이 위기와 위기의 연속일 수도 있다. 그러나 과거의 이런 위기와는 달리 지금의 위기는 지극히 상식적이고 평범한 사람도 모두 함께 공감하는 생태적 위기다. 환경과 자연에 대한 총공격과 총파괴의 결과물인 오늘날의 이 풍요가 생태적으로 지속 가능하리라고 보는 사람은 아마 아무도 없을 것이다.

역사적으로 검증된, 가장 오랜 세월 동안 지속이 가능했던 인간 사회는 채집·어로·수렵 등의 원시적 유목으로 생활했던 시대의 무리사회였다. 시장세계화란 새로운 떠돌이 시대를 맞이하여 유목사회가 새삼 철학적으로 조명받아 노마디즘이란 신사조를 유행시키기도 했지만, 대다수의 인류를 지구로부터 추방하지 않는 한 우리가 그런 유목사회로 되돌아가는 것은 불가능하다. 유목사회와 대척 관계였던 정착적 도시가 지금은 세계시장을 목초지로 하는 신유목사회로 재편되고 있지만 이것 또한 태생적으로 생태적 지속이 불가능한 한계사회이다. 그렇다면 남는 것은 정착적 농경공동체 사회뿐인데, 이 또한 전통 농촌공동체로의 복귀는 불가능하지만 오늘에 맞게 지속 가능한 새로운 소농공동체를 만드는 것은 결코 불가능한 일이 아닐 것이다. 내가 소농공동체에 천착하는 이유가 바로 여기에 있다.

생태적 위기, 온 생명에게 닥친 위기, 풀뿌리 민주주의의 위기를 동시에 극복할 수 있는 길은 소농공동체의 창조적 부활 외에 다른 길은 없기 때문이다. 생태적으로 지속 가능한 생업도 전통 농업뿐이고 생명산업인 농업의 기업적 독점을 막는 길도 소농들의 마을공동체 농업 말고 달리 없다.

지금은 제도화된 조직 모두에다 아무렇게나 '공동체'란 말을 갖다 붙인다. 그래서 국가에도 그것을 갖다 붙여 '국가공동체'란 말도 어색하지 않게 되고 말았다. 하지만 올바르고 본래적인 뜻에서 '공동체'란 강제적 국가권력이 출현하기 이전의 자치적 삶의 단위를 뜻했다. 중앙집권적 국가의 성립 이후에는 그 권력이 미치지 않는 치외법권 지역에서 국가권력에 대항 또는 반대하는 자치단체나 혁명기의 임시 자치기구 들을 뜻했다.

실제 삶의 위기였든 철학적 또는 종교적 이념상의 위기였든 역사 속의 사람들은 위기가 올 때마다 가버린 농촌공동체를 그리워하며 몸소 새로운 공동체를 만들려고 했거나 실지로 만들었다. 그것도 하나같이 땅에서 농사짓는 농업 중심의 농촌공동체였다. 그리고 대부분, 아니 전부 실패했다. 당연하다.

공동체는 자치와 혁명, 그리고 사회운동이었지 제도로 정착화되는 국가나 권력이 아니다. 공동체는 실패한 권력, 아니 권력의 실패를 위한 것이지 권력의 성공을 위한 것은 아니다. 공동체가 기권(棄權)과 자치 대신 권력을 가지면 그 순간부터 이미 공동체일 수 없다. 공산주의의 실험이 끝내 실패한 것도 정작 가야 할 코뮌주의(공동체주의) 대신 프롤레타리아독재 국가자본주의로 가버린 결과일 것이다. 그러나 사회주의와 공산주의가 망했다고 공동체주의까지 전멸한 것은 아니다. 그것은 국가주의와 권력의 실패일 뿐, 공동체의 실패를 뜻하는 것은 결코 아니다. 수많은 공동체운동들이 실패를 거듭하고 있고 국가자본주의였던 현실 공산주의도 실패했지만 공동체운동은 지금도 계속되고 있고 앞으로도 계속될 것이다. 공동체는 생태적으로 지속 가능하고 자치적인 삶을 원하는 자유로운 영혼을 가진 사람이라면 포기할 수 없는 보편타당하고 영원한 삶의 가치이기 때문이다.

생태공동체운동의 몇 가지 사례들

생태귀농-농촌공동체운동이라고 해서 꼭 의기투합한 사람들끼리 산수 좋은 골짜기에 떼거리로 몰려들어 가시적인 새마을을 만들고 그것을 영원히 지속시켜가야 한다는 법은 없다. 생태적이든 자치적 깨달음 때문이든 농촌에 가서 농사를 짓고 살기 위한 귀농이라면 설사 혼자라 해도 농촌공동체운동의 시작이 될 것이다. 생태농업 자체가 생명 삼재와 함께하는 생명공동체 활동인데다 열린 들과 마을에서 짓는 개방성을 지닌 생태농사는 이웃과 한데 어울려 짓지 않을 수 없는 공동체 활동이기 때문이다.

지속 가능한 공동체운동은 지속 가능한 농업이 반드시 중심에 있어야 하겠지만, 그렇다고 그 공동체운동의 무대가 반드시 농촌에 한정되어야 한다는 법은 없다. 예컨대 일본의 문학평론가이자 사상가인 가라타니 고진(柄谷行人)의 지역통화를 매개로 하는 지역연합(association) 운동도 탁월한 뜻에서의 생태공동체운동이다.

가라타니 고진은 그의 『일본정신의 기원』(이매진, 2003)에서 마르크스의 교환 개념을 근거로 기존 사회의 교환형식 세 가지를 분석한 뒤 이의 장단점을 모두 극복한 자기 식의 교환양식 X를 추가해서 모두 네 가지 교환양식을 비교 · 언급한다. 그 첫째가 증여와 답례라는 형식으로 이루어지는, 호혜적이고 상호부조적인 전통 농촌공동체 안에서의 교환이다. 이는 공동체 내에서만 이루어지는 교환으로 상호 구속적이고 외부적으로는 배타적이라는 결점이 있다.

두번째는 국가의 본질을 이루는 강탈과 재분배라는 강제적 교환양식이다. 국가는 더 많은 것을 지속적으로 수탈하기 위해 토지나 노동력의 재분배를 강제한다. 그리고 관개, 제언 축조, 도로 공사 등 이른바 국책사업이란 것을 계속 떠벌여서 국가의 영속성을 기정사실화하는 동시에 자기의 강탈 행위를 초계급적이고 이성적인 것인 양 이념적으로 은폐 위장한다. 강탈이 국가의 주목적이지만 그런 강탈의 지속을 위해 일정 몫을 재분배하는 만큼 국가도 넓은 의미에서 일종의 교환기구라는 것이다.

세번째가 공동체와 공동체 간의 교역이다. 이 교환은 교환 대상이 서로 등가라는 합의가 있을 때 성립된다. 그러나 지역과 기술에 따른 가격 차이로 실제로는 언제나 부등가 교환이 일어나기 때문에 잉여가치, 즉 자본이 발생 축적된다. 국가의 강탈과는 다르지만 상호 합의와 등가라는 외피 아래서 실제로는 부등가 교환이 이뤄지는 수탈체제인 시장이 바로 이것이다.

네번째는 가라타니 고진 자신이 '어소시에이션(association)'

이라고 이름 붙인 새로운 공동체에 의한 교환 유형이다. 이는 공동체와 국가, 그리고 시장교환의 장점은 모두 이어받아 살리면서도 공동체 내의 배타성과 강제성, 국가의 강탈성, 시장의 부등가성 등의 단점을 극복한 자발적이고 호혜적이며 등가적인 교환 시스템이라는 것이다. 물론 이것은 지역 단위에서, 이에 동의하는 사람들의 자발적 참여로 가라타니 고진 방식의 지역통화를 매개로 한 바탕 위에서만 행해질 수 있는 제4의 교환공동체다.

이 땅에서는 이런 지역통화운동보다 유기농산물 직거래를 통한 도농공동체운동이 비교적 활성화되고 있다. 유기농산물 직거래운동의 지향도 기업과 시장의 농업과 농민 지배에 대항하고 극복하기 위한 농촌공동체운동이다. 운동의 매개물이 가라타니 고진의 지역통화 대신 유기농산물이란 점이 다를 뿐, 이 또한 생태적 지역공동체로 가기 위한 제4의 교환양식, 곧 어소시에이션과 다르지 않다. 그러나 이 운동은 애초의 지향과는 달리 지금은 물량주의 시장을 닮아가서 이미 체제내화되고 있다.

얼마 전부터는 농민단체와 많은 시민단체들이 학교급식조례 제정에 큰 관심을 보이고 있다. 미래의 희망인 우리 아이들이 먹는 학교급식에 지방자치단체의 재정 보조로 보다 질 좋은 농수산물을 급식재료로 공급함으로써 아이들의 건강을 위하자는 취지다. 동시에 시장개방으로 몰락 위기에 내몰린 우리 소농들의 농산물 판로에 보탬을 주겠다는 또 다른 좋은 취지도 있다. 그래서 나도 이 지역의 학교급식조례 제정운동 단체의 자문위원 역을 맡게 되었다.

그러나 하다 보니 이런저런 회의가 생기기 시작한다. 꼭 지켜야 할 강제성도 없는 지자체 조례에다 얼마가 될지 모를 형식적 보조금과 기준도 애매하기 짝이 없는 우리 농산물 또는 우수 농산물 구입이란 조항을 넣기 위해 이런저런 눈치, 심지어 WTO 협정 저촉 여부까지 살펴야 하다니? (우리 농산물의 기준이 왜 애매하냐면 배추와 마늘, 고추 등 원료가 전부 중국산이라 해도 그것으로 우리나라에서 김치를 담그기만 하면 국내산 김치가 되고, 살아 있는 소를 외국에서 수입하여 수입 사료로 며칠 기르다가 우리나라에서 잡기만 하면 한우 쇠고기가 되기 때문이다.) 아니나 다를까, 우리 농산물을 급식재료로 쓰자고 명시한 학교급식조례들은 실지로 수입농산물을 국내산 농산물과 차별하는 규정이나 법률을 제정할 수 없다는 WTO의 규정에 반한다는 이유로 2005년 9월 10일에 우리 대법원이 무효판결을 내렸다고 한다.

정말 웃기는 세상이다. 이럴 바엔 차라리 그런 조례 제정운동 없이 학부모와 시민, 그리고 농민들의 힘으로 그것을 직접 하는 것이 어떻겠는가? 지자체의 재정보조금도 결국은 학부모가 부담하는 세금이 아닌가? 무엇보다 김이 빠지게 하는 것은 어느 지역의 조례에도 우리 농산물 또는 우수 농산물 공급에 대해 지자체의 재정보조금 외에 공급 방식에 관해서는 아무런 언급이 없는 것이다. 공급 방식에 대한 아무런 언급 없이 재정 보조로 우수 농산물이란 것을 공급하겠다는 것은 공급 방식은 종전대로 그냥 시장에 맡기겠다는 것과 같은 뜻이다.

시장 개방이 지금 우리 식탁을 오염과 불신의 극치로 변화시켜가고 우리 농촌을 이 지경의 벼랑 끝으로 내몰았는데 또 우수 농산물의 시장 공급으로 아이들의 식탁과 우리 농촌 · 농민을 살리겠다니? 말이 안 되는 소리가 아닌가? 시장이 저질 식품을 공급하는 게 가격의 낮고 높음 때문인 적 있었는가? 시장 물건은 언제나 값이 싸면서도 좋다고 하지 않는가? 그런데 돈만 좀 많이 준다고 저질 농산물이 상질이 되겠는가? 그렇다면 왜 국민소득과 국가예산이 늘어갈수록 농산물 시장은 오염과 불신이 가득 찬 저질 수입 농산물이 판치고 날이 갈수록 안전성은 더 위협받고 있는가? 시민단체들이 진정으로 농촌공동체와 아이들의 밥상을 살리고 지속 가능한 생명 살림에 보탬이 되고 싶다면 조례 제정운동보다 그것 없이도 가능한 학교와 농촌 간의 급식재료 직거래운동부터 먼저 밀어줘야 할 것이다. 학교급식 질의 개선도 농민에게 농산물 생산비를 보장해주는 직거래만이 대안이다.

모든 사회운동은 인간 삶의 문제를 법률 대신 자치와 자율로 결정하는 활동이다. 사람살이에 꼭 필요하고 또 좋은 것이라면 법률이나 조례의 유무에 상관없이 자율과 자치로 하는 것이 모든 운동의 기본이다. 그렇지 않고 지금처럼 그때그때 필요하다고 법률과 조례를 마구 만들어내다 보면 그 그물망에 걸려 우리는 숨 쉬는 것도 법률이나 조례의 도움 없이 쉬지 못하는, 인간 아닌 괴물이 되어갈 것이다.

임시의 필요에 따라 뭐든 만들다 보면 그 모든 것이 삶의 질곡이 된다. 요즘에 와서 요란하게 거론되고 있는 규제 완화니 제도 개혁이니 하는 것들이 모두 당시에는 꼭 필요했던 제도나 법률이 현재는 삶을 제약하고 구속하게 된다는 말의 웅변이다. 한번 만들어진 제도와 법률은 그것으로 덕 보는 영원한 기득권자인 국가권력이 쉽게 포기하지 않는다는 속성이 있다. 모든 사회운동은 물론이고 특히 새 공동체운동은 법률과 조례를 넘어서는 운동이고 종국에는 국가까지 넘어서야 이를 수 있는 자율과 자유, 자치의 머나먼 지평선으로 가는 도정일 것이다. 그래서 새로운 공동체에 대한 확고한 지향 없이 법률 제정 청원운동 등의 제도권 차원에 안주하며 정부 보조금이나 얻을까 기웃거리고 있는 시민단체가 있다면 그것은 정부와 이해관계를 같이하는 어용기구지 진정한 사회운동단체는 아닐 것이다.

나는 일찍부터 산업노동, 특히 공장노동이 생명자원을 파괴하고 쓰레기를 생산하는 노동임을 경계해왔다. 그래서 노동운동도 생명 생산에 이바지하는 의미 있는 운동이 되려면 우리의 고향인 농촌과 소농민 농업 살리기 운동, 예컨대 탱크를 녹여서 보습을 만드는 평화운동 등에 동참해야 하고, 궁극적으로는 귀농운동이 되어야 한다고 줄기차게 주장해왔다. 그 운동의 구체적 실천의 첫 단계로 나는 오래전부터 각 공장의 노동조합들이 사내급식재료는 물론 조합원들 가정의 밥상 재료까지 농민단체 또는 농촌마을과 직거래로 구입하는 운동을 제안해왔다.

이에 화답한 것은 아니지만 지난해 WTO의 쌀 개방 협상 타결에 즈음하여 민주노총 대구 · 경북 지역 본부에서는 사내급식재료만이라도 지역 농민단체와 직거래로 구입하겠다는 결의를 발표한 적이 있다. 발표에만 그치지 않고 이런 새로운 공동체적 과업을 찾아 끊임없이 다시 도전하고 실천하는 것만이 임시직 저임금 근로자 문제와 빈사 직전의 농민 문제는 외면하고 대기업 노조 중심의 이기주의에 빠져 관료화 · 귀족화되어가고 있다고 비난받는 노동운동에 새로운 활력소를 공급할 수 있을 것이다. 특히 최근의 기아자동차 노조의 생산직 근로자 채용과 관련된 수뢰문제로 시궁창까지 추락한 민주노총의 도덕적 위상을 어느 정도 되살릴 수 있는 것도 이런 길밖에 달리 없을 것이다.

신유목주의의 세계화 시대에 농촌공동체를 지키는 일은 참으로 어려운 일이다. 하지만 바로 우리 코앞에 닥친 생명 위기와 자치 민주주의의 위기를 동시에 극복하기 위해서는 생태적인 농촌공동체 사회로의 창조적 복귀 말고 다른 선택은 없다. 쉽지 않은 길이지만 그렇다고 불가능한 길도, 피할 수 있는 길도 아니다.

(『환경과생명』 2005년 봄호)

우포늪보다 더 중요한 습지는 논이다

이름 있는 환경단체인 녹색연합의 각 지역 단체들의 간사들과 자원봉사 대학생 등 약 70여 명이 2003년 5월 6일부터 14일까지 낙동강의 발원지인 태백의 황지못에서 그 하구인 을숙도까지 순례했다. 이 순례는 위의 전 구간을 발로 다 걸은 것은 아니고 거의 대부분의 길은 차로 이동하다가 낙동강변에 있는 유명한 생태관광지(?)만 몇 군데 골라서 걷는 약식 순례였다. 예컨대 안동댐, 상주 경천대, 달성습지, 창녕 우포늪, 을숙도 등지를 골라 걷는 것이다.

순례단이 우포늪 근처 마을인 창녕군 이방면 내동의 경로당에 묵은 5월 11일 밤에 나는 '대구녹색연합' 이재혁 사무국장의 권유로 그 단원들에게 잠시 얘기를 할 기회가 있었다. 나는 이런저런 강의 경험이 적지 않은데도 대중 선동적인 재주도 없고, 그렇다고 논리적인 설득력도 타고나지 못해서 강의는 처음 의도와는 다르게 가다가 엉뚱하게 다른 사람들의 욕이나 실컷 하는 실수를 저지르고서는 언제나 후회스럽게 끝낸다. 그런 줄 알면서도 기왕에 받은 권유를 거절하기도 어렵고 또 낙동강변의 한 곳인 내 고향을 지나는 젊은 순례자들에게 뭔가 꼭 전해주고 싶은 낙동강 특유의 '화두'가 없지 않아 이 제안을 받아들인 것이다. 이번만은 의미 있는 화두를 일깨워줄 것이라고 나름대로 준비까지 할 만큼 했는데도, 얘기 시간도 너무 짧았지만 결과는 마찬가지로 끝냄으로써 그 찝찝하고 허전한 기분을 아직 떨치지 못하고 있다. 다음의 이야기는 그때 전하고자 했다가 미진했거나 완전히 놓친 화두를 보충한 것이다.

이 단체가 낙동강 순례 목적으로 내세운 중심 화두는 물의 소중함, 낙동강의 역사, 자연 체험을 통한 자아성찰 등이다. 그중 어느 것 하나도 중요하지 않은 것은 없지만 낙동강 순례의 화두치고 너무 추상적이고 형식적이었다. 더구나 농사에 관한 화두는 일언반구도 없었다. 지금이 어느 땐가? 칠레와의 자유무역협정의 강행이 보여주듯이 이 나라의 농정은 이미 우리 농사의 대부분을 포기했고, 마지막으로 남아 있는 생명주권인 쌀을 놓고도 개방 협상이 진행 중인 때다. 이대로 두면 곧바로 우리의 전 농토가 억새와 갯버들, 개망초와 쑥대가 뒤엉키는, 그야말로 옛 망국에서나 볼 수 있는 쑥대밭이 될 터인데 무슨 습지와 철새들 걱정인가? 습지와 철새가 중요하지 않아서가 아니라 1만 년이 넘게 이 땅의 인간 생명과 종족 번성을 뒷받침해온 우리 농사, 어떤 생태적인 유산보다 더 위대한 생태문화 자체인 우리 농사가 사라질 판이 아닌가? 우리의 논보다 더 가치 있는 생태적 습지가 또 어디 있는가? 5천 년 민족사 자체인 농사의 문화적·사회적·정치적 가치가 도대체 얼마나 될지 생각해볼 기회가 있었던가?

옛적부터 우리 농사의 중심지인 동시에 수전농, 이앙농, 보리 이모작법 등의 모든 농사기술의 선진지였던 낙동강을 순례하는데 이런저런 농업 관련 화두를 뺀다면 이는 알맹이를 뺀 순례일 것이다. 낙동강을 순례하면서 농사에 대해서는 일언반구도 없이 강변의 생태관광지만 골라 순례한다는 것은 이 땅의 녹색·환경 운동이 이미 형식주의와 생태상업주의로 기울어가고 있다는 점을 방증한다.

이런 말을 하면 농업문제는 농민 당사자들과 전농 등 농민단체들이 많은데 우리 환경단체가 왜 나서야 하느냐고 반문할지 모르겠다. 농업문제가 과거처럼 농산물의 낮은 가격문제 등으로 농민 생존권만을 위협하는 농민만의 문제라면 그렇게 말할 수도 있다. 그러나 지금의 우리 농민농업(자경소농)은 WTO 체제의 농산물 수입개방으로 전멸의 위기에 직면해 있다. 농업문제를 농민에게 맡기기엔 우리 농민의 수도 전체 인구의 7퍼센트 수준으로 너무 적다. 게다가 이들은 대부분 60대 전후의 늙은이다. 이농이 전혀 없는 자연 감소만으로도 농민 인구는 10년 이내에 인구 통계에서 사라질, 농민 멸종 시대에 우리는 살고 있다. 농민이 없는 시대에도 농업문제는 농민에게 맡길 것인가? 우리 자신의 생명이자 또 하나의 생태계인 우리 농업이 농민만의 문제일까?

우포늪, 동강, 새만금 등 어느 것 하나 중요하지 않은 생태계는 없다. 그러나 1만 년 한반도 인류사와 같이하는 이 땅의 논농사가 무너지면 우포늪도, 동강도, 새만금도 지켜봐야 소용없는 일이다. 오늘의 관행 농업에 반생태적 요소가 많은 것은 사실이지만, 우리 논 농업이 없어지는 것보다는 농약·비료 치는 이 농업이라도 있는 것이 백배 천배 낫다.

왜 낙동강변은 한반도 농업의 선진지였나?

세계 고대문명의 발상지는 거의 온대지방의 강가다. 고대문명은 농업문명이고 농업은 비옥한 땅과 물길(水運)을 전제 조건으로 삼는다. 낙동강은 한반도에서 두번째로 긴 강이고 기후가 따뜻한 남쪽으로 방향 잡아 흘러간다. 그래서 낙동강변은 한반도에서 농업 선진지가 되었다.

전통시대엔 비료가 당연히 없었지만, 오늘날처럼 대규모 산업축산의 폐기물인 가축분뇨로 만든 퇴비도 없었다. 그래서 사람들은 땅이 좋은 구릉지를 골라 나무를 불태워서 재거름으로 화경농을 몇 해 짓다 버리고 다른 곳에 또 불을 지르는 게릴라식 농사를 지었다.

그러나 강가는 이와 달랐다. 한두 해 또는 두세 해 걸러 한 번씩 잡초와 잡목을 퇴적토로 묻어주는 홍수가 범람해서 평평하고 기름진 옥토로 개간시켜줬다. 손 안 대고 코 푸는 격이다. 개간 노동 없이 자동 개간 시켜줬고, 시비하는 수고 없는 자동 시비로 땅을 언제나 기름지게 해준 것이다. 그런데 언제부터인가 (아마도 그 시작은 일제 때부터일 것이다) 홍수가 사람에게 불구대천의 원수라도 된다는 듯이 강가마다 제방을 막아오다가 이제는 아예 강을 가로막는 댐 공사로 강변의 비옥함도 다 막아버렸다.

내가 어린 시절에는 강가의 들(벌)에서 농사짓는 사람을 '벌 놈'이라고 했고, 산간이나 산록에서 농사짓는 사람을 '산입(山口)사람'이라고 구분지어 불렀다. 어쩌다 산입사람들이 홍수가 들 때 벌 가로 '물 구경'을 가면 그 물속에 잠긴 곡식과 작물들이 아까워서 사람 기절할 판인데, 정작 당사자인 벌 사람들은 천하태평이었다. 물에 잠긴 곡식과 벌을 눈앞에 두고도 산입사람들이 흉내 낼 수 없는 큰 술판을 벌였고 노름판도 크게 벌였다. 그래서 산입사람들이 '벌 사람' 아닌 '벌 놈'이라고 했을까?

그러나 뒤에 알고 보니 그럴 만한 이유가 있었다. 그렇게 자주 물에 잠기는 벌 농사는 한 해만 잘 지어도 산입 농사 3년, 좀 과장하면 5년 짓는 것보다 더 많은 소득을 낸다는 것이다. 그들에겐 홍수가 오히려 사람 손 안 대고 시비하고 객토하는 농사 과정, 농사 행위였던 것이다. 물이 계속 안 들면 그것이야말로 야단이었다. 벌 사람들이 통 크게 노는 이유를 비로소 알게 되었다.

일제 때의 제방 공사로부터 지금까지 계속되는 댐 공사들은 그 벌 농사를 아득한 옛날의 전설로 만들었다. 홍수 범람이 없는 강펄은 비옥과는 오히려 반대로 간다. 강가의 땅은 거의 모래로 이루어져 있다. 모래는 사막 땅이다. 홍수 범람으로 기름진 퇴적토가 쌓이지 않는 모래땅은 옥토가 아닌 죽음의 사막 땅이 된다. 물론 강가의 모래땅은 배수가 잘되고, 사막처럼 풀이 잘 안 나고, 풀이 나도 제초하기가 쉽고, 강물을 농업용수로 활용하기 편리하기 때문에 오늘날의 농사를 상징하는 전천후의 하우스 단지로 다시 덮여가고 있다. 그러나 그 하우스 안의 땅은 인공적인 관수와 농약과 비료와 축산분뇨 퇴비의 과다 사용으로 사막화되고 있다. 그 농산물 또한 옛날의 기름진 옥토에서 나던 것과 전혀 다른 것으로 저질화되고 있다.

제방과 댐 공사로 얻은 것도 많다. 전천후 상경농사(常耕農事)로 물량과 소득을 높였다. 무엇보다 예측 불허의 홍수농사 대신 안정된 물량과 소득을 얻었다. 그러나 그것도 결코 영원하지 않다. 전천후 농사라 해도 수입개방 앞에는 속수무책이 된다. 질을 잃고 얻은 양의 생산은 시장에서, 더구나 개방된 세계시장 앞에서는 생산자를 살리는 길이 아니고 오히려 죽이는 길이다. 무엇보다 큰 상실은 생태계의 상실이다. 생태계의 상실은 지속성의 상실을 뜻한다.

가야 소국연맹이 주는 화두

신라는 삼국을 통일했지만 외세를 끌어들였고 그 국경을 한반도 안으로 축소시킨 최초의 중앙집권통일국가이다. 때문에 신라는 오늘날의 지역감정의 원천을 제공한 원죄인으로 낙인찍혔다. 그래서 생각 있는 영남인에게도 통일신라는 자랑이기보다 약점과 부끄러움이 되었다.

그러나 낙동강변의 농업 선진성과 이 통일신라는 전혀 무관하다. 한반도 농사의 시작은 물론이고 벼 수전농도 신라 성립 이전의 변 · 진 소국 시절이나 고조선시대에 이미 시작되었다. 수경이앙농법이 시작된 것 또한 신라 아닌 고려 말 14세기 무렵부터다. 벼와 보리 이모작 농법은 조선조에서도 후기인 18세기의 얘기니까 더 말할 것도 없다.

낙동강을 상징하는 나라는 신라라기보다 낙동강과 남해안에서 수운교역으로 공존 · 공생했던 가야 소국연맹이라 할 수 있다. 그래서 낙동강을 순례하며 그 많던 가야연맹 소국들의 공존과 명멸을 화두로 떠올리지 못한다면 그 또한 헛순례가 될 것이다. 기원전 2~3세기부터 기원후 6세기 중반까지 낙동강변의 동서 연안과 남해안, 그리고 멀리 섬진강변까지에는 무려 32개의 소국들이 같은 가야연맹으로 공존했다. 낙동강 북부인 지금 상주 함창의 고령가야부터 그 하구인 김해의 가락국과 부산의 거칠산국, 멀리 여수 · 돌산의 상다리국과 하다리국, 광양만의 모루국(물혜국), 심지어 섬진강 상류의 남원, 임실, 장수, 진안의 상 · 중 · 하기문국 등 32개국이 같은 가야연맹 소국으로 명멸해간 것이다. 이런 가야연맹 소국들로부터 이상적인 생태공동체 사회를 그려보지 못한다면 이 또한 제대로 하는 순례는 아닐 것이다. 이렇게 멀리 떨어진 작은 지역공동체들이 문화와 정치체제를 비슷하게 가진 가야연맹국일 수 있었던 것은 말할 것도 없이 가장 자연 생태적인 길인 물길에 의존한 수운교역 덕택이다.

사람이 다니는 곳을 '길(道)'이라고 했다. 또 '길이 아니면 가지 말라'고 했다. 그런데 지금 이 나라 정부 사람들이 밥 먹고 날마다 하는 일은 사람의 길 아닌 자동차 길 닦기로 날 새고 날 저물게 하는 것이다. 사람이 다녀서는 안 될 곳에 사람이 다닐 수도 없던 곳에 찻길 만드는 도로공화국 건설이 이 시대 이 땅의 국가주의자들이 밥 먹고 하는 주업이 된 것이다.

사람이 마땅히 가야 할 길은 '도리(道理)'라고 하지만, 바퀴가 굴러다니는 차도는 자고로 침략과 수탈과 파괴와 폐망의 '도로(道路)'였다. 전 국토의 자동차 도로화를 통한 온 생명 파괴와 수탈도 모자라 고속전철의 개통까지 강행되고 있는 이 땅에서 낙동강의 생명성과 함께 지속 가능하고 가장 생태적인 물길의 의미를 사색하지 못한다면 그 또한 절름발이 순례가 될 것이다.

이 땅에서는 해마다 산림은 40~2백50제곱킬로미터, 농경지는 전체 농경지의 0.5~1퍼센트 정도인 1백~2백20제곱킬로미터가 길 닦고 집 짓는 포장화 사업으로 죽어가고 있다. 이대로라면 백 년 안에, 길어야 2백 년 안에 이 땅의 밥상이자 생명의 숨통인 농지는 송두리째 사라지고 만다는 얘기다.

찻길이 죽음과 파괴와 멸망의 길이라면 물길로 돌아가야 한다. 돌아갈 수 없다면 돌아가기 위한 고민이라도 해야 한다. 물론 지금과 같은 삶의 방식으로는 물길로 돌아갈 수도 없고, 돌아가 봤자 그 물길조차 단 하루도 온전하게 지니지 못하고 파괴해서 죽일 것이다.

물길로 돌아가자는 말은 생태적인 지역 삶으로 돌아가자는 말이다. 국가주의와 세계시장주의 대신 지역 자급자족적인 자치주의, 직접민주주의로 돌아가자는 얘기다. 낙동강과 남해안, 섬진강의 수계에서 공생·공영하던 생태공동체였던 가야, 그 이전의 삼한, 또 그 이전의 농촌공동체 시대의 삶의 방식으로 돌아가자는 얘기다. 그대로 돌아가는 것은 물론 불가능하지만 그런 감수성의 삶의 방식으로 거듭나자는 뜻이다.

생태 소재주의가 생태예술은 아니다

그런 감수성은 물론 우포늪, 갯벌, 을숙도 등의 전업습지(?)나 철새 도래지 탐방에서도 촉발될 수 있을 것이다. 그런 핑계로 각급 단위 학교, 시민단체, 문인, 화가, 심지어 일반 관광객까지 이런 생태관광지를 다녀가지 않는 사람이 없다. 생태에 관심 있는 문인이나 화가치고 우포늪 등 생태관광지를 소재로 한 한두 편의 작품을 안 가진 사람은 아마 없을 것이다.

그럼에도 불구하고, 아니 바로 그래서 우포늪은 날로 독점 상품화되고, 그보다 더 중요한 농사용 습지인 논은 날로 황폐화되어간다. 우포늪을 소재로 한 작품이 백만 개 나와도 생태적 삶은 돌아오지 않는다. 우포늪이 유명해져서 생태관광지로 각광을 받으면 받을수록 오히려 생태계 파괴는 가속된다. 이 우포늪 생태관광을 위해 쓰인 자동차의 기름 총량은 얼마이고, 그것이 타면서 내놓은 아황산가스 등 오염물질과 분진은 얼마일까?

국내 유일의 인문생태잡지 『녹색평론』의 '시 원고를 모집합니다'라는 광고란에는 이런 글귀가 실려 있다. "『녹색평론』이 역점을 두려고 하는 중요한 일의 하나는 좋은 시 작품을 향수할 수 있는 기회를 넓히고자 하는 것입니다. 우리는 반드시 환경 문제를 직접 소재로 다룬 작품을 원하지는 않습니다. 모든 진정한 시인은 본질적으로 가장 심오한 생태론자라고 할 수 있습니다."

이 어법을 그대로 흉내 내어 나는 이렇게 말하고 싶다. "모든 진정한 시인이 심오한 생태론자라면, 모든 진정한 농민은 생태적 삶의 실천가다."

옛날에는 거의 모든 사람이 자동으로 농민이 되었다. 그러다가 최근에는 다른 일할 능력(거짓 이데올로기를 전파할 능력) 없는 무능한 사람만이 농민으로 남았다. 그러나 지금은 노숙자 되는 것보다 농민으로 사는 것이 더 어렵다. 그래서 문인, 예술가더러 생태적 삶을 위해 그 어려운 농민 되라고 말하지는 못하겠다. 그러나 진정한 시인, 예술가로 살고 싶다면 대표적 생태 행위인 농사와 그 삶을 실천하는 농민들의 감수성과 농사정신을 고무하고 확장하는 일을 외면할 수는 없다. 그렇지만 『녹색평론』의 시 원고 모집 문안대로, 반드시 농사나 농민을 직접 소재로 하는 작품이 농민예술인 것도 아니고 생태작품인 것도 아니다.

온 세계 도시의 목 좋은 점포는 초국적기업의 식품대리점이 모두 점령해버렸다. 생명의 원천인 땅을 돌이킬 수 없는 죽음으로 묻어가는 포장길 닦기는 끝이 없다. 공산품 수출을 위해 모든 농산물에 대한 수입개방 등의 살농정책이 날로 강화되고 있다. 각 지역 주민의 자립과 자치민주주의의 근본 토대인 지역토착농업에 대한 초국적기업들의 무자비한 공격은 계속되고 있다. 이 모든 생명 말살의 현장과 실상을 예술가적 투시력으로 꿰뚫어 보고 그것을 하나의 형상으로 들어 올리는 것이야말로 이 시대의 진정한 생태예술가들이 해야 할 일일 것이다. 이런 농민농업 파괴적 세계화시장의 비판적 형상화야말로 우포늪 소재 작품 백 개보다 더 생태적이고 농사·농민적인 작품일 것이다.

석유전쟁 다음엔 식량패권전쟁 온다

이 앞으로 쌀시장까지 개방하면 그것은 사실상 우리 농업의 전면적 포기를 뜻한다. 그런데도 소수의 농민과 농민단체 외의 모든 환경·노동·시민·사회단체들은 우리 농산물시장 개방이 세계화시대에 어쩔 수 없는 선택이란 듯이 거의 관심을 표명하지 않고 있다. 너무나 답답한 나머지 나같이 늙고 힘없는 사람이라도 우리 농사와 우리 쌀을 지키는 데 무슨 도움이 되는 길이 없을까 고민하다가 우리 쌀이 우리 문화에 끼친 영향을 한 권의 책으로 써보겠다는 생각을 하게 되었고, 그 결과 나온 책이 『쌀과 민주주의』(녹색평론사, 2004)였다. 그 과정에서 만났던 것이 김용섭 선생의 저작들이었다. 김용섭 선생은 우리 농업사 분야에서 가장 많은 연구를 했을 뿐 아니라 그만큼 독보적인 성과도 쌓은 분으로 알려져 있다. 그러나 그 방면의 지식으로 밥 먹고 살지 않고, 실제의 농사로 살았던 내가 그 딱딱하고 방대한 전문서적을 소장했을 리 없다.

도서관을 이용할 사정이 못 되는 나는 때늦게나마 그 책을 구입하는 수밖에 없었다. 그러나 일조각 등에서 일찍이 나온 선생의 저작은 이미 절판되어 있었다. 수소문 끝에 지식산업사에서 선생의 전집을 다시 간행 중이라는 사실을 알게 되었다. 그래서 지식산업사에서 이미 나온 김용섭 선생의 네 권의 저작집은 구입했으나, 이 중에는 내가 당장 필요로 했던 조선 후기의 벼 이앙농법과 보리 이모작의 확대 정착에 관한 연구논문은 실려 있지 않았다. 전체 여덟 권으로 계획된 전집의 나머지 네 권은 언제 출간되는지가 궁금해서 다시 지식산업사에 전화를 했더니 직원이 옆에 사장님이 계시다며 김경희 사장을 바꿔줬다.

지식산업사 김경희 사장은 그 당시 시민운동단체 문화연대의 공동대표의 한 분이란 사실은 알고 있었지만, 나와 개인적인 친분은 없었다. 그런데 아마도 돈이 안 되는 전문서적 중에서도 가장 돈 안 되는 농사 관련 책을 사 가고 또 나머지 책의 출간을 기다리고 재촉하는 사람의 정체가 궁금하고 고마웠던 모양이다. 내게 뭐 하는 사람이냐고 묻기에 농사짓고 또 우리 농사 지키는 운동도 함께 하는 사람이라고 하자, 김 사장은 자기소개를 한 뒤 “석유전쟁 다음엔 식량전쟁이 꼭 올 것”이라며 우리 농사 지키는 운동이 무엇보다 중요한 운동이라고 격려해줬다. 그때는 때마침 미국이 석유패권과 세계패권 장악의 야욕을 채우기 위해 호랑이 앞의 생쥐 격으로 작은 나라 이라크에 온갖 엉터리 죄명을 덤터기 씌워 누가 봐도 부당한 전쟁을 시작한 2003년 3월 20일이 며칠 지난 때다.

지난 2003년 2월 18일에 일어난 저 악몽의 대구지하철 춘사 이후 한동안 TV 화면은 화재 당시 내뿜던 화염과 매연의 장면이 아니면 고열에 녹아 엉겨 붙은 지하철의 모습들을 번갈아가며 비춰주고 있었다. 이것이 조금 뜸해지는가 했더니 3월 20일부터는 그것과는 비교할 수 없는 참상이, 그것도 날마다 장면을 바꿔가며 화면을 채우기 시작했던 것이다. 참상도 거듭 되풀이 방영되다 보면 그에 대한 우리의 감각과 정서에도 면역이 생겨 그게 실전에서 자행되는 참상이 아니고 마치 하나의 영화나 만화의 장면인 것처럼 그렇게 무덤덤하게 받아들여지고 만다. 존귀한 생명들이 강자의 미친 패권주의에 단순한 장애물처럼 처치되고, 그 장면을 늘 보는 영화 장면처럼 보아 넘기는 이 전 지구적인 광기 속에서 인류가 공멸을 면하기는 아마 어려울 것이다.

석유는 순환되는 재생자원이 아니고 수백만 년의 세월 속에서 축적된 부존자원이다. 설사 지구의 속통이 전부 석유로 채워져 있다 해도 이렇게 마구 퍼 쓰다 보면 얼마나 오래가겠는가? 이 제한된 자원을 놓고 미국은 자기의 영원한 석유패권 지속을 위한 전쟁을 벌이고 있다. 사실 지금의 전쟁은 모두 석유전쟁이 될 수밖에 없다. 석유 없이 그 상상을 초월하는 대량 파괴 무기와 살상 무기를 만들 수가 없다. 또 그것을 비행기나 배, 차 등으로 옮겨다 공격에 쓸 수도 없다. 그 전쟁으로 파괴하는 대상도 거의 석유제품들이다. 석유자원 확보를 위해서 전쟁을 한다지만 역설적으로 그 전쟁이야말로 석유를 가장 많이 소비하고 파괴하는 최악의 수단이다.

어디 전쟁만 그런가? 오늘날에는 농사도 백 퍼센트 석유 농사다. 석유 없는 농사는 상상도 불가능해졌다. 땅도 석유로 만든 농기계로 석유연료를 태우며 간다. 물 대기도 상당 부분 강물이나 지하수를 양수로 하는 한, 석유에 의존해야 한다. 모내기도 석유연료를 쓰는 이앙기가 한다. 비료와 농약의 원료의 모두가 석유는 아닐지 몰라도 석유로 돌아가는 공장이 없으면 못 만들고, 그것을 땅에 살포하는 것도 요즘에는 석유 농기계가 한다. 작물의 수확도 대형 석유 농기계인 콤바인이 대신 한다. 건조도 도정도 석유가 한다. 국내 유통과 소비는 물론 특히 세계시장 수출입은 석유 없이는 언감생심 꿈도 꿀 수 없다. 그러므로 오늘날의 농산물은 땅과 하늘과 사람의 산물이라기보다는 석유화학제품이라 해도 전혀 지나치지 않다.

지역의 자급자족 토착농업을 송두리째 뒤집어엎고 초국적기업의 세계시장체제에다 그것을 분업적으로 재편, 예속시킨 비교우위론도 사실은 값싼 석유의 안정적 공급에 근거하고 있다. 다시 말해 값싼 석유의 독점적이고 안정적인 수급 없이는 세계 곡물시장 자체가 성립할 수 없는 신기루다. 주어진 한정 자원인 석유를 둘러싼 패권전쟁이 앞으로 되풀이될수록 고유가시대는 앞당겨질 것이고, 유전의 밑바닥을 긁어 올리는 것도 다만 시간문제일 것이다. 기름 값이 오르는 만큼 세계시장의 곡물 값도 오를 것이다.

주요 쌀 수출국가인 미국에서는 우리가 먹는 자포니카종 쌀의 작황 부진으로 2000년 1백39만 톤이던 생산량이 2002년에는 1백26만 톤으로 줄어들면서 재배면적도 감소 추세를 보이고 있다고 했다. 같은 자포니카계 쌀의 주요 생산지인 중국 동북 3성의 생산량도 2000년 이후부터는 연간 1천2백40만 톤, 면적은 2백60만 헥타르 수준에서 정체되고 자국 소비도 증가하여 재고가 급속히 줄어들고 있다고 한다. 그래서 미국산 기준 자포니카종 쌀값은 2003년 1월 1톤당 2백87달러에서 같은 해 7월에는 4백15달러로, 2004년 2월에는 5백76달러로 두 배 이상 급등했다.

가축의 배합사료 값도 급등하고 있다. 국제 곡물가격이 가파른 상승세를 보이는 가운데 배합사료의 주원료로 사용되는 중국산 대두박과 옥수수 가격이 60퍼센트, 수입선박 운송요금이 세 배 이상 폭등한 데 따른 것이다.

수입선박 운송요금이 세 배 이상 폭등한 것은 아마도 최근에 거듭된 유가 인상 때문일 것이다. 마침내 고유가 시대의 문턱에 들어선 것이다. 아직은 문턱이지만 몇 해 뒤에 본격적인 고유가 시대에 돌입하면 그날은 비교우위의 세계시장과 식량의 수출입도 끝장나는 날이 될 것이다. 사료업계에 따르면 이미 중국이 향후 사료곡을 수출하는 대신 자국 축산 육성을 위해 내수용으로 전환하려는 움직임까지 보여 중국산 의존도가 높은 우리 축산이 뿌리째 흔들릴 우려가 높다는 것이다.

곡물가격의 급등에만 그치지 않고, 각국이 늘어나는 자기 나라 내수용도 모자라, 국제시장에서 거래될 곡물이 아예 사라질 판인데, 우리는 우리 농사 포기하고 공산품 수출로 곡물을 사 먹겠다는 백일몽을 꾸고 있다.

5백만 년 인류사의 대부분은 석유 없이 살았다. 그러나 아무리 첨단기술시대라 해도 (원시시대로 돌아가지 않는 한) 농사 없이는 못 살 것이다. 그래서 세계의 유수한 강대국들일수록 비록 소농을 몰락시킨 농기업을 통해서일망정 식량 자급과 수출 정책을 확대하고 있는 것이 아닌가? 그런데도 이 땅의 농정은 대담하게도 식량포기 정책을 가시화하고 모든 농지의 파괴와 포장화를 가속화시켜가고 있다.

하나의 농작물을 토착화시키는 데는 최소 10년 이상의 세월이 걸린다고 한다. 하지만 이것은 농지가 그대로 있을 때의 이야기다. 다른 것은 10년이고 백 년이고 기다릴 수도 있지만 먹을 것은 준비가 안 됐다고 10년을 기다릴 수는 없는 일이다. 아무리 첨단기술의 시대가 온다 해도 석유처럼 매장된 값싼 에너지가 없는데 도시라는 이 거대한 시멘트 돌무덤과 거미줄처럼 얽혀가는 저 아스팔트 생지옥의 도로망들을 원상복귀시킬 방법은 없을 것이다. 이 세기적이고 세계적인 땅 파괴, 지구 파괴의 광기에 휘말린 인간들이 조만간 제정신으로 돌아갈 조짐은 보이지 않는다. 이대로 가다가는 지금의 석유전쟁보다 더 끔찍하고 참혹한 식량 약탈 전쟁을 피할 수 없을 것이고, 그런 비이성적 광기의 확산은 마침내 인류의 완벽한 자멸을 앞당길 것이다.

선진국형 농업구조 개선 좋아하다가

젊은이들이 떠나가는 농촌, 그래서 어린애들의 울음소리가 끊어지고 노인들만 사는 양로원이 된 농촌, 농촌의 공동화(空洞化) 현상은 물론 어제오늘의 이야기가 아니고, 1960년대의 산업화·공업화정책 이후부터 계속 누적돼온 현상이다. 하지만 이런 농촌 공동화가 문자 그대로 공동화로 남아 있는 것도 아니다. 농촌 공동화란 사실상 농촌과 농토에 대한 도시와 공업의 공격과 파괴를 뜻한다.

농업에 대한 공업과 시장의 예속화 · 상업화로 문전옥답은 일찍부터 산업축산의 축사, 계사, 돈사 등으로 전용돼갔다. 도로, 택지, 공장, 유흥오락시설, 관광지, 모텔 등의 갖은 명목으로 농림지는 계속 파괴되고 있다.

이 같은 토지 전용에 따른 농경지 면적의 엄청난 축소에도 불구하고, 농가 수의 감소에 따른 당연한 결과로 경작지의 집중화가 계속되고 있다. 다시 말해 소농은 점차 몰락하고 대신 대농 중심으로 농지가 재집중화되고 있다. 그것도 지금 우리 농촌에서는 드물게 보이는 40세 이하의 젊은 세대 농가로 농지가 집중되고 있다고 한다. 이것은 농업인의 세대교체인 동시에 우리 농업의 급속한 기업농화를 뜻한다. 기업농은 농지의 재집중과 농업생산양식의 화학화 · 기계화로 본디 생명활동인 농업을 반생명화하고 세계시장에 예속시켜 종국에는 모든 농업생산을 초국적 기업에 몰아주기 위한 예고편이다.

지난 10여 년간 UR, WTO 등 시장개방체제에 대응한다고 우리 정부는 수십조 원의 농업구조개선 자금을 쏟아부었다. 그 결과 우리 농업도 이른바 선진국형으로 그 구조개선(?)이 가속되고 있는 것이다.

미국 언론인 에릭 슐로서의 『패스트푸드의 제국』(에코리브르, 2001)에 따르면 미국의 아이다호에서도 지난 1970년대부터 25년 동안에 감자 재배 면적은 늘어났지만 거대자본을 동원한 소수 감자 가공 판매업자들의 구매 독점과 시장 지배로 가족농 규모의 감자 재배 자영농들은 수천 에이커를 소유한 기업농들의 소작농으로 몰락해갔다고 한다. 또 미국에서는 지난 20년간 약 50만 명의 독립자영 목장주가 목축업을 그만두었고, 나머지 80만 명의 자영목장주도 미국 북서부에 있는 점박이 올빼미만큼의 관심도 받지 못한 채 서서히 멸종 위기에 놓이고 있다고 한다. 토지가격의 상승, 쇠고기 가격 정체와 과잉 공급, 캐나다와 멕시코에서 들여오는 생우의 증가, 토지개발 압력과 상속세 부담, 쇠고기에 대한 건강상의 우려 등도 그 원인이다. 하지만 3백~4백 마리 규모로 하는 자영목축업자들을 몰락시켜 대규모 기업축산업자들에게 축산업을 집중시키는 가장 큰 원인은 거대 쇠고기 정육가공업체와 판매업자들의 구입가격 담합과 시장 지배에 있다고 한다.

이 같은 생산 주체의 집중 현상을 두고 에릭 슐로서는 지금 미국의 토지소유 형태가 중세 영국의 장원제도를 닮아간다고 기술했다. 같은 현상에 대해 아이다호대학의 농업경제학 교수인 폴 패트슨은 이렇게 말했다고 한다. "역사적으로 오랜 시간을 빙 돌아 제자리에 온 듯합니다. 아이다호 농가는 두 종류가 있습니다. 하나는 농장을 운영하는 (농사를 짓는) 사람이고 또 하나는 농장을 소유한 사람들입니다."[1]

역사는 결코 되풀이되지 않는다지만, 따라서 부분적으로는 진보적이기도 하지만, 큰 시각으로 보면 반복 순환한다. 중세의 장

1 에릭 슐로서, 김은령 옮김, 『패스트푸드의 제국』(에코리브르, 2001), 165쪽.

원 또는 지주제가 농노와 소작농들의 저항과 상업자본의 확대로 무너져가고 그 대신 출현한 독립 자영농민과 지역시장의 소상인들은 한때 이 지구상에 자유민주주의를 실현해갈 주역으로 주목받았다. 하지만 점차 증식과 확대를 거듭하는 자본과 그것이 지배하는 시장은 무엇이든 작은 것은 사라져야 할 악이고 크고 강한 것만이 길이 살아남을 미덕이 되게 했다. 이웃의 작은 골목시장은 사라져야 할 악이 되게 했고, 대규모 할인점이나 초국적자본의 쇼핑몰이 미덕임을 강요한다. 선진국형이면 다 좋은 만사형통으로 받아들이지만, 선진국에서도 가족 단위 자영농민들과 골목길의 소상인 등은 거대자본의 생산과 시장 독점으로 지금 우리와 다름없는 몰락과 추방의 아픔을 당하고 있다.

농업의 선진국형 구조개선 좋아하다가 우리 농업은 다 망할 것이다. 시장경쟁에서 이기는 길만이 살길이라고 WTO의 세계시장체제에 순응하다가 세계 모든 지역의 토착농업은 전멸할 것이다. 값싸고 편리한 먹을거리 좋아하다 우리 모두 초국적기업제국, 패스트푸드 제국의 노예가 되어 주인이 주는 사료만 받아먹는 살찐 돼지로 전락할 것이다.

밥 팔아 똥 사 먹으려고 한다

우리나라의 논 면적 1백15만 헥타르에서는 매년 평균 쌀 3천7백만 석 정도가 나오는데, 이를 정부 수매가격으로 계산하면 대략 10조 원 정도라고 한다. 그러나 이것은 수매가에 의한 국내

시장 가치이다. 만일 쌀을 국제시장에서 사 먹을 경우 국제시장 쌀값은 우리 쌀의 4분의 1밖에 안 된다고 하니 그 교역가치는 10조 원에서 2조 5천억으로 줄어든다. 그런데 쌀농사에는 이런 교역가치만 있는 것이 아니라 비교역적 가치가 오히려 엄청나게 크다.

그중에서 중요한 것만 보아도 매년 26억 2천만 톤의 물 저장으로 14조 6천2백75억 원, 1천11만 톤의 산소 생산으로 2조 6천5백89억 원, 용존산소와 질소 및 인 정화 등으로 2조 1천9백억 원, 수분 방출 51억 7천만 톤으로 1조 5천5백10억 원, 지하수 함량 53억8천만 톤으로 1조 6천5백17억 원 등, 모두 약 23조 9천억 원의 가치가 된다고 한다. 이는 쌀의 국제시장 교역가치의 열 갑절에 가까운 엄청난 가치다.

그러나 이런 환경생태적 가치 외에도 농업 포기와 농민 이농으로 인한 도시 과밀화 비용, 우리 밥그릇을 소수의 다국적기업에 독점시킴으로써 야기될 이른바 식량안보문제, 천 년 가까운 세월 동안 익숙해진 쌀 문화의 갑작스런 소멸에 즉한 심리적·정서적 공황감 등은 정확한 금전적 계산이 불가능한 일이지만, 이것까지 대충 돈으로 환산하여 모두 합치면 매년 90조 원이 넘는다고 한다. 하지만 이 가치를 돈으로 대충 환산해보는 것은 가능하겠지만, 아무리 억지를 써도 이것을 돈으로 수입하는 것은 불가능하다. 그런데도 우리 공산품들을 수출하는 대가로 이 천문학적인 액수의 생명가치를 지닌 쌀농사와 쌀 공동체 문화를 포기하고 단지 2조 원에 불과한 쌀 알갱이만 수입해 먹겠다고 한다.

매년 공산품의 수출로 버는 돈이 얼마인지 그 통계를 나는 갖고 있지 않다. 그것은 쌀농사 포기로 잃을 90조 원보다 많을 수도 있고 적을 수도 있다. 국제교역에서는 수출보다 수입이 많을 수도 있고, 경제는 성장할 수도 있고, 정체할 수도, 역성장할 수도 있다. 지금은 우리가 쌀농사를 포기하고 쌀을 수입하는 대가로 휴대전화와 자동차 등을 수출해 얻는 이득이 훨씬 클 수도 있다. 그러나 한치 앞이 불투명한 지극히 가변적인 국제시장에서 이런 이득이 얼마나 지속될지는 아무도 예측 못한다.

전통시대에는 비교역적인 절대가치이던 것들이 이제는 모두 돈으로 계산되는 상대가치가 되고 있다. 전통시대에는 마을두레에서 무상으로 행해지던 공동체교육이 지금은 제도로서의 학교나 학원에서 유료화되어 이루어진다. 전통시대에는 아무나 무상으로 스스로 길어 먹던 우물물도 수도사업소라는 현대판 봉이 김 선달에 의해 오래전에 이미 독점·유료화되었다. 공기의 상품화도 어떤 대기업이 제주도 한라산의 공기를 깡통에 압축해서 팔면서 우리나라에서도 현실화했다.

그러나 아무리 교육시장 개방 시대라 해도 우리의 생명·생태 교육기관인 지역공동체 자체를 수입할 수는 없다. 제주도 암반수나 그보다 더 좋은 외국 물을 사 먹을 수 있어도 냇물과 강물, 연안 바닷물을 수입할 수는 없다. 맑은 공기를 깡통으로 담아 사 먹을 수 있을지는 몰라도 대기권 자체를 통째로 사들일 수는 없다.

수출, 수입을 많이 해서 돈 아무리 많이 벌면 뭐 하나? 물과 심지어 공기까지 상품이 된 시장사회에서 돈으로 살 수 없는 가치를 돈 된다고 팔아먹고 다시 돈으로 되사려는 어리석은 짓을 우리 선대들은 '밥 팔아 똥 사 먹는다'는 속담에 압축했다.

우리의 자존심, 우리의 주권, 우리 공동체문화, 우리 생명 자체인 쌀농사까지 포기하는 수출 성장은 아무래도 밥 팔아 똥 사 먹는 어리석은 짓거리다. 이미 포기한 우리 농산물은 어쩔 수 없다 해도 마지막으로 남은 우리 생명이고 우리 지역문화인 쌀농사는 지켜야 한다.

쌀이 개방되어도 도시 소비자들이 그 수입쌀을 돌아보지 않고 우리 쌀을 먹으면 우리 쌀은 지켜진다. 좀더 확실하게는 쌀 한 가마당 20만 원의 쌀값에 1년간 한 가마 이상을 소비해줄 도시 소비자 60세대가 있으면, 논 20마지기 쌀농사 짓는 우리 농민 한 사람과 우리 쌀 50~60가마 정도를 지켜낼 수 있다.

노숙을 할지언정 농사는 못 짓는다

외환위기 뒤부터 두드러진 고용불안정의 반영인 듯 한때 귀농이 일부 도시인들의 화두가 된 적이 있었다. 그 무렵 서울에서 귀농운동본부와 귀농학교라는 것이 생겨나자 웬만한 지방도시에까지 귀농학교가 덩달아 생겼다. 구체적 통계는 없지만, 이 무렵에 꽤 많은 도시 사람들이 귀농했던 것은 사실이다.

그런데 이런 귀농자들의 대다수는 농사 경험이 전혀 없는 젊은 먹물들이었지, 예전에 농사를 지어본 사람은 아니었다. 정부의 실업대책의 한 가지로 산림의 식재, 관리, 벌목 등 농림관련업에 임시 고용으로 종사하는 소수를 제외하면, 귀농자 중에 농사 유경험자는 한 사람도 없었던 줄 안다.

지금은 좀 줄었는지 모르지만, 외환위기 뒤부터 또 하나의 사회문제로 떠오른 노숙자들이 있다. 그런데 이들 중에서 귀농한 사람은 아무도 없는 줄 안다. 오직 농업에 대한 자기 신념이나 정서만 가진, 현실 농업의 어려움을 경험해보지 않은 젊은이들의 뭣 모르는 귀농은 있지만, 설사 노숙을 할지언정 농사 유경험자들은 귀농을 철저히 거부했다는 사실이 바로 오늘 우리 농업, 어쩌면 세계의 모든 농민 · 농업의 현주소를 극명하게 반영한다.

한때의 귀농바람도 그야말로 바람으로 지나갔다. 많은 귀농자들이 도시로 되돌아갔다. 지속 가능한 농업 중심의 새로운 두레세상 창건에 뜻 가진 젊은이들의 징검다리 구실을 하려고, 대구한살림이 어렵게 만든 '공생농두레농장'에도 1996년부터 지금까지 50명이 넘는 젊은이들이 왔었지만, 그중 두세 명을 제외하고 모두 도시로 되돌아갔다. 사람의 먹고사는 기본이 농사인데 이 기본을 만들고 지키는 사람들이 그 기본을 버리고 떠나야 하고, 한번 떠나면 절대 되돌아보지 않는 것이 되었다면, 이건 잘못되어도 크게 잘못된 것이다. 농사가 이 지경으로 전락한 것은 물론 농사 안 짓는 사람을 농사짓는 사람보다 더 잘 먹고 잘살게 하는 국가 · 시장체제 탓이다.

전통적 자급농과는 달리 오늘의 농사는 시장에 팔기 위해 짓는다. 많은 자영농들이 자기들보다 압도적으로 많은 비농민들이 필요로 하는 농산물 양이 얼마인지 전혀 모르고, 그들과의 아무런 사전 약속도 없이, 자영농 자기네들끼리도 서로 경쟁적으로 짓는다. 그런데다 농사는 사람의 노력만으로 되는 것이 아니다. 하늘(기후 조건)과 땅(농토)과 사람(농민)이라는 이른바 삼재의 합작품이다. 이 중 하나가 조금만 삐걱해도 생산량이 줄어들고, 반대로 이 세 가지가 조화를 이루면 대풍을 이루는 대신 생산 농민은 오히려 손해를 보는 이른바 '풍년기근'을 당해야 한다. 그래서 농산물은 언제나 모자라거나 아니면 남을 뿐이지 모든 인간의 욕망을 두루 만족시킬 적정 생산이란 없다.

농산물은 조금 흉작이다 싶으면 값이 치솟거나 조금만 남는데도 터무니없이 값이 떨어지는 폭등과 폭락을 되풀이한다. 이런 시장경쟁의 와중에서 생명가치였던 농산물은 시장의 가격가치로 전락했고 자영농민은 몰락해간다. 이런 사정을 경험한 사람들이 어떻게 다시 농사를 지으려 하겠는가? 이해는 하지만, 그렇다고 노숙을 할지언정 농사는 못 짓겠다고 도시의 지하도에서 버티고 있는 모습도 정말 꼴불견이다. 자유로운 영혼을 가진 사람이라면 주어지는 편리한 예속보다는 얼마쯤의 어려움이 따르더라도 스스로 선택하는 자립적인 삶을 살아야 하지 않을까?

이처럼 모든 사람들이 힘들다고 농사를 모두 포기하면 농지와 농업생산은 대농에서 기업농으로, 기업농은 다시 초국적 대기업농으로 집중을 거듭한다. 농산물을 값싸게 생산하려면 다수의 소농들이 소규모로 하는 것보다 기업농이 하는 것이, 그것도 규모가 크면 클수록 유리하다는 것이 경쟁시장의 일관된 논리다.

그 결과 우리들의 삶은 과연 얼마나 행복해졌는가? 천직으로 지켜왔던 농사와 생명 터전인 농토와 농촌으로부터 끊임없이 격리당해온 농민들의 아픔은 무엇으로 보상받을 수 있는가? 농약

투성이인 농산물, 유해 첨가물을 칠갑한 가공식품, 납덩이나 쇠붙이를 배 속에 넣은 수입 생선들이 아무리 흔하고 값싼들 그것을 먹는 소비자들이 행복할 수 있을까? 뭣이든 생산규모가 크면 클수록 질은 낮아지고 그 소유는 더 독점적이 되고 인간 삶은 그 규모에 예속적이게 된다. 생명의 기본인 먹을거리 생산과 유통을 정체를 알 수 없는 생산자나 초국적기업의 세계시장에 예속시켜놓고 사람이 누릴 자유와 행복은 있을 수 없다.

농림부, 차라리 해산하라

8·15 뒤에 소도시나 군 이하의 지방에 생긴 공립고등학교는 거의 농업계 고등학교였다. 필자도 농고를 나왔다. 그 많던 농고가 언제부터인가 일거에 사라지고 거의 인문고등학교로 변신했다. 간혹 살아남았다 해도 농·공고 등 종합고등학교로 탈바꿈한 것이고, 순수한 농고는 전국을 통틀어 한두 개밖에 안 남은 것으로 안다.

또 언제부터인가 이 나라에는 농과대학이 없어졌다. 한때는 발길에 채는 것이 농과대학이었는데 시장개방으로 인한 우리 농업의 쇠퇴와 함께 농대는 깨끗이 사라졌다. 물론 농과대는 문을 완전히 폐쇄한 것이 아니고 무슨 '생명과학대학'이니 '자연자원대학' 등으로 이름을 바꾸었다. 그래서 농과대는 없어진 것이 아니라 학생 유치를 위해 간판과 메뉴를 바꿔 신장개업했다고 말할 수 있다. 하지만 필자는 그 신장개업이 이름만 바뀐 것이 아니고 그 메뉴인 교육내용까지 바뀐 것이기 때문에 사실상의 농과대 폐쇄로 받아들인다. 왜냐하면 농업은 본래 생명을 기르는 일인데, '생명과학대'나 '자연자원대'로 개명된 이후의 그 대학에서는 생명을 기르기보다 생명을 분해하거나 조립(유전자 조작)하고 파괴하는 일을 주로 하기 때문이다. 생명을 기르는 본래의 농업과는 오히려 반대되는 기능을 하고 있기 때문에 폐교 뒤에 이어진 다른 업종의 재개교이라고 해야 옳다.

하긴, '농과대학'에서 '농업생명과학대'로 이름을 바꾼 국립 서울대학교 농생대의 한 교수는 학생을 상대로 한 강의시간에 소농민 문제는 보건복지부에 맡길 것과 대학이 추구하는 농학의 대상은 경쟁력 있는 대농이나 기업농을 위한 기술농학임을 공언했다고 한다. 생명의 공생보다 경쟁력이 우선인 기술농학은 겉으로는 중립적인 것 같지만, 사실은 강자에게 복무하는 이데올로기이지 이미 생명농업학은 아니다. 그러므로 오늘날 우리 대학에서 추구하는 농업 관련 연구와 강의는 생명이야 다치든 말든 경쟁력 있는 기술공학으로 지배계급의 이데올로기로 마침내 전락하고 만 것이다.

농대에 이어 이제는 농림부도 사라질 것 같다. 농림부는 2003년 7월 28일 주요농정 추진 현황을 발표했다. 그중에서 크게 눈에 뜨이는 내용은 개방 확대로 쌀값이 떨어져도 쌀소득만으로도 가계비를 충족시킬 수 있게 하려면 그 경작면적이 6헥타르 이상 되어야 한다고 보는 것이다. 그래서 현재 2~3헥타르 이상 경작하는 젊은 농민을 2010년까지 6헥타르 이상의 쌀 전업농으로 7만 호 이상 육성하여 경쟁력 있는 쌀 산업 기반을 구축하겠다는 것이다. 다시 말하면 현재 2헥타르 이하의 소농은 경영이양직불금 등을 지급하여 농업에서 손 떼게 하고 그 이상의 면적을 경작하는 젊은 농민만 지원하여 규모화시키는 대농정책을 펴겠다는 것이다.

가장 핵심적인 내용은 농림부의 정책과 기능을 과거의 생산, 수급 조절 위주에서 식품안전, 농업인 소득, 농촌 개발 중심으로 전환시키며 그 명칭도 '농업식품농촌부'로 변경하는 것을 추진중이라고 한 것이다. 명분과 외양이야 그럴듯하지만 사실은 농촌에서 전통적 소농민들은 없애고 경쟁력 있는 소수 정예(?) 농기업인만 남겨서 농업식품을 생산하게 하는 대신 비농민들의 정주 · 휴양공간을 개발하는 부서로 탈바꿈하겠다는 것이다.

이는 기존의 농민 위주(?) 농업정책 부서를 해체하고 새로운 농촌 건설 개발 부서를 만들겠다는 말과 같다. 시장 만능 시대에 정부가 주도하던 농업정책을 시장에 넘기고 차라리 농림부를 해체하는 정부구조조정이라면 이해하고 공감할 수 있다. 하지만 그보다 더 많은 예산 욕심을 부리면서 그를 대체하는 새로운 기능과 명칭의 부서로 계속 확대시켜 살아남겠다는 것은 아무래도 속 보이는 조직 이기주의로밖에 보이지 않는다.

식품안전과 시장수급 문제는 식약청과 외교통상부란 관청이 이미 맡고 있다. 농산물의 가격 지지 아닌 소득 보전 정책은 '농업식품농촌부'가 아니더라도 그 서울대 농생대 교수의 말대로 복지부나 해당 지자체에 맡겨도 된다. 농민들의 농업생산 공동체가 아니라 정주 · 휴양공간으로서의 농촌 개발은 '농업식품농촌부'보다는 그 방면에 선수인 건설교통부가 맡는 것이 더 낫다.

사실상 우리 농업, 특히 자경소농들의 농업을 세계시장에 모두 다 내준 농림부는 자기 조직을 유지 확대하기 위한 정책 전환과 그 명칭 변경으로 구차하게 살아남기보다 차라리 스스로 깨끗이 해산하는 쪽이 장렬하다. 그러지 못한다면 그 조직을 대폭으로 축소 개편하기라도 해서 그 남는 예산을 각종 직접지불제 예산으로 돌려 농민소득을 보전해주고, 식량자급도를 어느 정도나마 지켜가는 것이 그동안 농림부가 우리 농민들에게 저지른 수많은 실정에 대해 그나마 얼마쯤이라도 속죄 보상하는 길이 아닐까?

약 10조 원 가까운 현재의 농림 예산만으로도 전 농민이 생산하는 연간 3천6백만 섬의 쌀 전량을 수매할 수 있다. 농림부의 '농업식품농촌부'로의 신장개업보다는 깨끗이 해산하고 그 돈으로 앞으로의 고유가시대의 식량전쟁에 대비하여 우리 쌀과 우리 농민농사를 지키는 것이 농림부와 그 관료들을 지키는 것보다 지역안보와 시민건강과 이 땅의 자치민주주의를 위해 훨씬 가치 있는 일일 것이다.

농지법 개악 행보 중단하라

우리 농업과 농민이 당면한 문제가 무엇이냐고 묻는다면, 한마디로 대답하기는 어려울 것이다. 그래서 그 대답은 농산물 가격의 불안정 문제, 이농으로 인한 농촌 공동화 문제, 농사를 계속 지어갈 영농 후계자의 부재 문제 등으로 나뉠 것이다. 그러나 이런 수많은 농업 문제들의 근본에는 농산물의 수입개방과 그에 대응하여 우리 농업을 축소 · 포기하겠다는 당국의 농업정책이 깔려 있다.

물론 이 땅의 농정이 공식적으로 또는 명시적으로 우리 농업을 축소 또는 포기하겠다는 선언을 한 적은 없다. 농업재정의 예산 면에서 본다면 농업 축소 아닌 확대 정책으로 볼 수도 있다. 농정 당국은 농산물의 수입개방에 대응하여, 특히 UR 이후 우리 농산물의 시장경쟁력을 높인다며 영농자금과 농지 구입 자금 등을 농촌에 어쩌다 남은 비교적 젊은 농민들에게만 선택적 · 집중적으로 지원하며 소농경작에서 벗어나 대농이나 기업농이 되라고 끊임없이 부추기는 이른바 규모화의 농정을 펴왔다. 그 구체적이고 제도적인 예가 1950년 농지개혁 이후부터 1가구당 3헥타르(9천 평) 이하로 제한했던 농지소유상한제를 1996년에 농업진흥지역에 한해 폐지한 것이다. 농지개혁 당시에는 북한의 무상몰수와 무상분배의 농지개혁에 비해 불평등 · 불철저하다는 비판이 많았던 남한의 농지개혁이었다. 하지만 그 주체가 국가든 개인이든 토지의 독점을 민주적이라 할 수 없다면 소유상한제 아래서의 남한의 유상분배에 의한 사유화가 북한의 무상분배에 의한 전면적 토지국유화보다 오히려 민주적인 자영농제도였다.

이런 민주적 원칙의 토지제도는 1993년 이른바 UR 농산물 개방 협상의 타결 뒤 우리 농업도 규모화를 통해 국제경쟁력을 높인다는 취지로 1994년에 농업 진흥지역 안은 10정보로, 진흥지역 밖은 5정보로 늘리면서부터 무너지기 시작했다. 그로부터 2년 뒤인 1996년 1월에는 진흥지역 안의 농지소유상한제는 아예 철폐했고, 5정보 이하로 제한했던 진흥지역 밖의 소유제한도 2003년 1월에는 마침내 폐지하고 말았다.

규모화를 통한 경쟁력 키우기의 농정이 본격적으로 시행된 지도 이미 10년을 넘겼다. 강산은 정말 몰라보게 아파트 공화국, 도로 공화국으로 파괴되었건만 우리 농업은 규모화의 농정 결과 국제경쟁력이 높아지기는커녕 날이 갈수록 축소되고 몰락의 길로 접어들고 있다. 우리가 침략과 점령으로 원주민들을 몰아내고 넓은 땅을 차지한 구미의 농업국과 경지의 규모화로 경쟁하여 이긴다는 것은 애초부터 불가능한 일이었다. 그것을 모를 리 없는 농정이 규모화의 경쟁력 농정을 줄기차게 내세우며 대농 지원 정책을 펴는 것은 진정으로 우리 농업을 살리기 위해서가 아니고 그것을 빌미 삼아 예산을 확대하고 기득권을 확장하기 위한 조직 이기주의의 발로일 것이다.

그것은 소농을 몰아낸 지금의 우리 농촌에 무슨 일이 벌어지고 있는가를 보면 알 것이다. 1970년대 이후 이 땅의 역대 정부 사람들이 밥 먹고 눈뜨면 하는 일이 굴삭기로 산 깎아 그 흙으로 문전옥답 깔아뭉개어 공단과 아파트단지를 만드는 일이었다. 여기까지는 배고픔과 가난을 면하기 위한 어쩔 수 없는 선택이었다고 보아 넘길 수도 있다. 그러나 최근에 와서, 특히 눈 뜨고 보기 어려운 참상은 무슨 돈을 어디서 어떻게 긁어모았는지 어떤 태산준령이나 바위산도 가리지 않고 까부숴서 민중의 생명이고 한이었던 저 들판을 거대한 둑길로 묻어버리거나 철근콘크리트로 다릿발을 박아 끝도 없이 이어가는 길 닦기이다.

서울 공화국은 수도권 공화국으로 팽창하다 마침내 폭발하여 전 국토가 도로 공화국으로, 아니 전 국토가 한국도로공사의 공화국으로 완전하게 점령 파괴당하고 만 것이다. 어쩌다가 지금 우리를 먹여 살리는 것은 저 들판의 농사가 아니라 들판을 파괴하는 자동차와 도로가 되었다. 도시인은 자동차 수출해서 그 돈으로 쌀 사 먹고, 농민은 도로와 아파트와 공단에 편입된 농토 값을 보상받아 땅 투기하고 빌딩 지어야 잘 먹고 잘사는 세상이 된 것이다.

이런 땅 파괴는 이제 바다로까지 급속히 확대 연장되었다. 엄청난 생명 파괴임이 명백한 새만금 간척을 국토개발에서 소외된 낙후 지역에 대한 보상이라도 된다는 듯이 개발독재정권으로부터 앵벌이해간 지역맹주가 집권하고 그 정권에서 해양수산부 장관을 한 후계자에게로 집권이 연장되자 지금까지 소외된 서남해안 개발을 통한 지역균형발전이라는 미명 아래 바다 파괴는 가속력을 더해가고 있다.

고속도로 개통으로 본의 아니게 노출된 서해안의 아름답고 작은 섬인 행담도의 지형을 바꾸고 매립하는 명백한 섬 파괴 행위가 서해안 개발의 미명으로 자행되고 있었다. 원주민을 몰아내고 특정 개인에게 이권을 몰아주는 섬 파괴를 낙후된 서해안 개발이란 미명으로 감싸던 정권이 마침내 이런저런 개발 스캔들에 휘말리고 있다. 이 스캔들로 인해 전남 영광과 해남, 해남과 목포와 무안을 잇는 인구 50만의 관광 레저타운과 인구 2백50만의 해양도시를 두 개나 만들겠다는 이 정부의 서남해안 개발계획이 노출되었다. 자칭 참여정부라며 국민의 참여는 철저히 배제한 채 코드끼리만 참여해서 'J프로젝트'니 'S프로젝트'니 하는 무슨 군사작전 암호명 같은 이름을 붙여놓고 서남해안의 아름다운 다도해의 전면적 파괴를 획책해왔던 것이다. 땅과 바다의 원래 주인을 변두리로 밀어내고 (물론 땅을 이미 많이 가진 소수 지주나 농민은 예외겠지만) 외부에서 들어온 자본에게 이익을 독점시키고 결과적으로 생명의 땅과 바다를 파괴하는 박정희식 개발이 박정희를 부정하고 들어온 자칭 민주정권들 아래서 오히려 더 가속 확대되어 연장되고 있는 것이다.

토지 투기와 파괴를 합법화해줄 농지법 개악

이 정권의 땅과 바다의 파괴정책은 마침내 “국가는 농지에 관하여 경자유전의 원칙이 달성될 수 있도록 노력하여야 하며, 농지의 소작제도는 금지된다”고 규정한 헌법 제121조 1항에 정면으로 배치되는 쪽으로 농지법의 근간까지 바꾸어 농업의 완전 포기로 나가고 있다. 농림부는 지난 2004년 6월에 농업기반공사의 영농규모화사업 담당기관이나 새로 설립을 검토 중인 농지은행을 통해 농지를 농업생산자에게 5년 이상 임대하는 조건으로 도시자본의 농지 소유를 전면적이고 무제한적으로 허용하는 것을 핵심내용으로 하는 농지법 개정법률안을 내놓은 바 있다.

이번 농지법 개정의 핵심은 농지은행 설립과 그 은행을 통해 5년 이상으로 농민에게 임대하는 조건 등의 외피를 쓰고 있긴 하지만, 궁극적으로는 헌법상의 경자유전에 반하여 도시자본의 농지 잠식과 독식을 허용하는 데 있다. 농지법이 이렇게 개악될 경우 지금까지 법적으로 얼마간 제약이 따랐던 도시자본의 농지 독점과 농지 파괴를 전면적으로 합법화시킬 것이다.

농산물의 전면적 수입개방으로 언제나 낮은 농산물 가격구조를 유지해가는 개방농정시대에 농업 임대소득을 위해 농지를 사는 멍청한 도시자본가는 아무도 없을 것이다. 지금처럼 농민이 아니면 농지를 구입할 수 없는 경자유전 원칙의 농지법 아래서도 가족의 위장전입 등을 통해 불법적으로 농지를 구입하여 이 땅의 고위공직자들이 임용 검증 과정에서 또는 재직 중에 줄줄이 낙마하여 창피를 당하는 예에서 보듯이 마음만 먹으면 도시

인도 농지를 얼마든지 구입할 수 있다. 실제로 돈 될 만한 농지의 대부분은 이미 도시인에게 다 넘어갔다. 그러나 도시인이 그 땅을 소유하려는 것은 농사를 짓기 위해서가 아니고 모두 알다시피 언젠가 불어닥칠 개발이나 투기바람에 대비해서다. 그러므로 도시자본의 전면적 농지 소유 허용을 핵심내용으로 하는 농지법 개정은 우리 농토를 지키고 농업을 살리는 것과는 반대로 대한민국의 온 농토를 모두 투기장화하고 그 파괴를 가속화시킬 것이다.

이런 우려에 대해 농림당국은 "부동산투기 억제를 위해 비농업인이 구입한 농지에 대해서는 공시지가를 기준으로 부담금을 물리는 전용부담금제를 실시하고 농지개발 때 각종 세금을 통해 개발이익을 환수할 방침"이라고 한다. 그렇게 훌륭한 투기억제 장치가 작동되고 있는데도 왜 투기꾼들은 여전히 설쳐대고 심지어 고위직 공직자들까지 끼어들었다가 낙마의 불명예를 연출하고 있는가? 개발이익의 환수가 말처럼 실현될 리도 없겠지만 만일 제대로 실현되어 도시자본이 농지 구매에서 얻는 이익이 쥐꼬리만 한 농업임대 소득에 그칠 뿐이라면 어떤 도시인이 우리 농업과 농지를 지키기 위해 그 엄청난 목돈을 투자하겠는가? 그러므로 이런 농지제도 개정은 법의 본뜻이 제대로 실현될 경우에는 이미 농촌에 왔던 도시자본도 곧 떠나버리게 할 것이고, 그렇지 않을 경우에는 도시 투기자본의 배만 불리고 우리 농업과 농토의 피폐만 더 가속화시킬 것이다.

농지법 개선은 필요하다

원인이야 당국의 개방농정, 농업 포기정책에 있지만, 현실적으로 농사를 계속 지을 젊은 영농 후계자가 거의 없다. 도시자본의 농지 구입이나 상속 등으로 이미 상당히 많은 부재 지주들의 농지임대차가 관행화되어 헌법상의 경자유전과 소작 금지가 이미 사문화되었다. 이런 현실에 맞도록 농지법을 개정해야 한다는 데에는 누구나 공감한다. 그러나 그 개정은 아무도 짓지 않으려는 농사를 계속 짓게 하고 농지를 보전하고 지켜가는 방향으로의 개선이라야 한다. 그런 조건을 충족시키려면 농지법은 어떤 방향으로 개선되어야 할까?

나는 농산물의 수입개방과 그에 대응한다는 전업농 또는 기업농의 육성지원정책은 말이 좋아 농업정책이지 사실은 농업 포기정책의 다른 표현이라고 앞에서도 말했다. 우리 농민이 아무리 영농 규모를 키워봤자, 개발과 투기로 계속 올라가고 있는 농지 값과 농기계 값, 그리고 인건비 등으로 땅값이 우리와 비교할 수 없이 싼 미국과, 사회주의로 땅값은 없고 낮은 소작료(임대료)만 있는 중국이나 기타 농산물에 대한 직불제가 50퍼센트 이상인 다른 나라들과의 가격 경쟁은 처음부터 불가능하다. 그것을 모를 리 없는 농정이 우리 농업의 규모화로 농업의 경쟁력을 높이겠다는 것은 그냥 손 놓고 있으면서 예산을 따먹을 수는 없으니까 무엇인가 하는 시늉으로 살아남겠다고 하는 조직 이기주의라는 비난을 면할 수 없다. 그러므로 이런 비난과 오해로부터 벗어나길 원한다면 다음과 같은 방향으로 농지법 개선이 이뤄져야 할 것이다.

현재와 같이 시장개방에 의한 저농산물 가격구조 밑에서 농사만 지어서는 이미 개발과 투기의 대상이 되고 만 고가의 농지를 구입하는 것은 불가능한 일이다. 아무리 당국이 장기 저리의 농지구입자금을 빌려줘서 땅을 사게 해도, 그 땅값이 오른 뒤 땅을 팔아서 농지구입자금을 상환하는 것은 가능하겠지만 순전히 농사 소득으로 그것을 갚는 것은 불가능하다. 이러한 농업 여건에서 경쟁력 있는 기업농을 육성하는 방법은 농지구입자금의 집중적 지원으로 농지를 대규모로 사유화시키는 것이 아니다. 그 돈으로 농지은행 등과 같은 농업 보전 · 육성제도를 통해 농지를 구입해서 아주 낮은 임대료로 장기임대 해주거나 무상으로 임대해주는 방법이 훨씬 나을 것이다. 그렇지 않고서야 인건비도 우리와 비교할 수 없이 싸고 농산물 원가구성에서 농지 값의 비중이 거의 없거나 있어도 아주 조금인 중국 쌀이나 미국 쌀과 우리 쌀의 가격 격차를 줄일 방법이 달리 없을 것이다.

그리고 또 농사를 모두가 기피하는 이런 풍토에서도 드물게나마 자신의 체질적 적합성과 생태적 신념에 따라 귀농을 뜻하는 젊은이들도 있다. 그러나 이런 젊은이들이 자기 뜻을 현실화하기에는 장벽이 너무 높다. 농사기술도 필요하고 농기계나 농업시설 등의 구입을 위한 영농자금도 만만치 않지만, 가장 높은 장벽은 농지구입비다. 물론 도시자본들이 이미 구입해서 방치한 묵은 농지들은 많이 있다. 그러나 투기의 기회를 노리고 있는 이런 농지를 임차하여 장기적인 영농계획을 세우는 것은 처음부터 불가능하다.

이런 처지의 땅 없는 귀농자를 위해서도, 땅을 많이 필요로 하는 기업농을 위해서도 농지은행제도의 도입은 오히려 만시지탄이다. 하지만 5년 이상 농민에게 임대한 이후에는 매매와 이용을 자유화하겠다는 유인 조건을 걸고 농지은행의 농지구입자금을 도시의 개인 자본에 의존하겠다는 발상은 앞서 한 지적처럼 우리 농업과 농지의 파괴만 오히려 가속시킬 것이다. 그러므로 진정으로 우리 농업과 농지를 지키고 살리기 위한 농지은행제도라면 그 운용자금을 정부 재정으로 충당하지 않으면 안 될 것이다. 이럴 경우 재정 확보의 어려움을 내세우겠지만, 우리 농업과 농지를 지킬 진정성만 있다면 재정 확보는 얼마든지 가능할 것이다. 정책입안자의 마음이 없는 것이지, 재정이 없는 정부는 없다.

농업기반공사에서는 65세 이상 농민의 우량농지를 양도할 경우 이양보조금을 주거나 기타 부재지주의 우량농지도 장기 임대할 경우 임대료를 미리 목돈으로 주는 제도가 있는 것 같다. 이런 제도보다는 정부 재정으로 운용하는 농지은행을 통해 고령으로 은퇴하는 농민의 농지에 정당한 값을 치러주고 (빚만 지고 떠나는 농민들의 유일한 재산이자 퇴직금이기도 하기 때문에) 매입하여 기업농과 귀농자에게 저율임대 또는 무상임대하는 것이 오히려 더 효율적일 것이다.

농지소유상한제는 재도입되어야

이런 농지은행제도와 함께 반드시 재도입되어야 할 토지제도는 토지소유상한제이다. 이것은 앞에서 본 대로 1950년 농지개혁 이후 1996년까지 있던 제도이다. 영농의 면적 규모화로 시장경쟁력을 높인다며 이 소유상한제를 폐지한 지 올해로 10년째로 접어들었지만 기대한 대로 농산물의 시장경쟁력은 전혀 높아지지 않았고 농지의 소수인에게로의 집중도는 확실히 높아졌다.

토지의 소수인 집중은 농업경쟁력을 높이는 것과는 반대로 중앙정부와 지방정부가 경쟁적으로 난발하는 각종 개발정책에 따른 땅값 폭등으로 인해, 고위 공직자들의 과거행적 검증에서 드러났듯이 그 재산을 몇십, 몇백억대로 불려주는 투기의 수단이 되었을 뿐이다. 그런데도 정부는 오히려 선거 때마다 정권 유지와 인기 유지 차원에서 각종 개발공약으로, 심지어 수도 이전이 아니면 수도 분할을 외치면서까지 토지 투기를 조장했다. 당국이 투기를 조장해놓고 투기를 잡는다며 실거래가에 따른 부동산 보유세와 매매 때의 거래세금 등을 대폭 인상하여 각종 세수의 증대를 위한 구실만 새로 만들어가고 있다. 이러고도 이 땅에 민주주의가 있다고 누가 말할 수 있겠는가? 이 땅의 민주주의를 진정으로 원한다면 토지소유상한제를 반드시 재도입해야 한다. 소유상한제 폐지는 이번에 개악을 시도 중인 비농민 도시자본의 농지소유 허용보다 더 반민주적인 개악이었다.

과거에는 토지에서 얻는 소득이 주로 농업소득이었기 때문에 농지에만 소유상한제가 있었다. 그러나 지금은 아무도, 심지어 농민조차 농업소득만을 위해 땅을 사는 사람은 없다. 모두가 개발이익이나 개발의 파급효과로 인한 지가상승을 기대하고 땅을 산다. 그러므로 지금의 토지소유상한제는 대지와 산지를 포함한 모든 땅으로 확대시켜야 한다.

내가 직접 확인해보지는 못했지만 내 고향에 있는 수려한 준산들과 큰 산들의 대부분은 모 재벌의 소유라고 한다. 최근 이건희 삼성그룹 회장이 아무 연고도 없는 영덕군 병곡면의 경치 아름다운 칠보산에다 개인 수목원을 조성하고 있는 사실로 보아 도시자본의 토지독점 소문은 아마 헛소문이 아닌 것 같다. 지금은 누구에게나 공유된 아름다운 경치이지만, 그것이 개인이나 사기업에 독점되는 한, 아니 국가에 독점되어 있다 해도 지금과 같은 개발의 시대가 계속되는 한, 그 산들도 언젠가는 개발이란 이름으로 파괴되어 만인의 눈은 그 아름다움을 빼앗길 것이고 우리 마음에는 정서적 상처가 남을 것이다.

우리의 농민농업(소농)을 지키기 위해서뿐만 아니라 우리의 생존환경을 지키기 위해서도 토지 파괴와 독점은 중단시켜야 한다. 그러나 생명자원과 지속적 · 생태적으로 공존할 덕성을 가진 농촌공동체는 이미 철저히 붕괴되고 없다. 사유의 신성화 시대에 땅의 전면적 파괴를 막기 위해서는 농지의 전면적 사유화보다는 그의 일부나마 많은 사람들의 감시와 통제를 받을 수 있는 공공의 소유로 해두는 것밖에 더 좋은 방법이 현재로서는 없다.

영농의 규모화가 피할 수 없는 시대적 요구라면 1950년 당시의 3헥타르보다 훨씬 높은 10헥타르(3만 평)로 기준을 높이는 한이 있어도 토지소유상한제는 두어야 한다.

국가 재정으로 비축한 농지은행의 농경지 임대료도 다음과 같이 차등화할 필요가 있다. 예컨대 1가구당 소유상한선이 10헥타르로 제정될 경우 그 농지소유상한을 다 채운 농민이 더 규모가 큰 기업농을 경영하기 위해 농지를 임차할 경우에는 저율의 임대료를 받는다. 그러나 10헥타르의 소유상한 농지면적에 미달하거나 농지가 없는 순 소작농일 경우에는 그 임대료를 소유상한 10헥타르의 면적만큼 받지 않는 것이다. 예컨대 5헥타르의 농지를 소유한 농민에게는 소유상한 한도인 나머지 5헥타르까지를, 농지가 하나도 없는 농민에게는 소유상한 면적인 10헥타르까지의 농지를 무상으로 임대하는 것이다. 이것만이 중국 등의 저가 수입농산물로부터 우리 농업의 경쟁력을 어느 정도 높일 수 있는 길이고, 특히 소농을 보호할 수 있는 유일한 길이다.

농민농업, 즉 소농은 시장세계화 시대에 버리고 갈 쓰레기가 아니고 파국으로 직행 중인 시장세계화의 다음 시대를 기약하는 지속 가능한 삶의 대안이자 풀뿌리민주주의를 지켜줄 마지막 보루다. 국가에게든 개인에게든 땅이 독점된 나라치고 제대로 된 민주주의 국가는 없다. 민주주의의 첫걸음은 토지의 독점을 막는 제도로부터 출발한다. 비농민 도시자본의 전면적 농지 소유로 토지의 투기와 파괴를 합법화해주는 농지법 개악 행보는 반드시 막아야 한다.

5년 이상 농업용으로 임대하는 조건으로 도시인 개인들에게도 농지 소유를 무제한 허용하겠다던 농림부의 농지법 개정조항은 농민단체와 뜻있는 일부 지식인과 언론의 반대로 2005년 6월의 국회 통과 과정에서 제외됐다. 그나마 다행한 일이다. 하지만 농업법인을 통한 도시인의 농지 소유는 사실상 허용했다. 종전에도 농업회사법인의 농지 소유는 얼마든지 가능했다. 다만 이제까지는 농업인의 출자액이 출자 총액의 2분의 1을 초과해야 하고 대표이사와 집행이사의 2분의 1이 농업인이어야 농업회사법인을 설립할 수 있게 하여 도시인의 농지 소유에 제약이 있었다. 그런데 이 개정농지법은 대표이사와 집행이사의 2분의 1 이상이 농업인이어야 하는 요건을 폐지하고 농업인의 출자 총액도 2분의 1 이상에서 4분의 1 이상으로 크게 낮춤으로써 도시인들의 농업회사법인을 통한 농지 소유를 얼마든지 가능하게 한 것이다.

이 밖에도 지역특화발전특구(농업특구)의 지정 목적의 실현을 위해 특구 안에서 하는 특화농업사업자에게도 농지 소유를 허용했다. 또 이농 이후 계속 소유할 수 있는 농지의 소유상한을 1헥타르로 하고서 이를 초과할 경우 강제 처분하게 했던 조항도 한국농촌공사(농지은행)를 통해 전업농이나 기업농(농업법인)에게 5년 이상 장기 임대하는 경우에는 소유상한 없이 무제한으로 소유할 수 있게 조정했다. 상속받은 도시민의 농지도 한국농촌공사에 맡겨 장기 임대하면 6천 평까지 계속 자신의 명의로 소유할 수 있게 했다. 이처럼 여러 명목의 농지소유 제한을 완화하면서도 필자가 수없이 되풀이 주장해온 민주주의의 기본원칙인 농지소유상한제도의 재도입은 끝내 외면했다.

그 결과 농지의 소수 집중과 비농민 소유 농지의 비율은 계속 높아가고 있다. 당국의 농업 포기 정책과 시장개방에 따른 농업수지의 악화로 휴경농지가 계속 늘어가고 있는데도 농지 값은 계속 올라가고 있다. 2차선 이상의 포장도로가의 땅 모두를 평당 10만 원 이상으로 끌어올린 2005년도의 투기광풍의 진원지는 물론 신행정수도 이전 건설지와 지역개발거점도시 건설예정지 등과 그 밖의 국책사업이란 이름의 각종 토목공사들이었다. 여기다 비농민 도시인의 농지 소유도 허용하겠다던 농림부의 농지법개정안 발표와 농업법인을 통한 비농민 농지 소유를 사실상 허용한 개정농지법도 위의 사실에 못지않게 이 투기광풍을 제도적으로 부채질했다.

개별 농업인은 물론, 농업법인이라 해도 농지를 무제한으로 소유하게 하는 토지의 독점을 결코 민주적이라 할 수 없다. 설사 비농업인에게 토지 소유를 허용해도 소유상한제만 도입하면 그 소유 토지를 상한제 이하로 제한할 수는 있다. 비농민의 농지 소유를 원천적으로 제한하는 경자유전 원칙보다 더 중요하고 근본적인 민주적 제도가 토지의 소유상한제다. 무엇이든 독점과 민주주의는 양립할 수 없다. 그러므로 토지소유상한제도는 반드시 재도입되어야 한다.

지금도 남의 땅, 쌀농사까지 빼앗겼다

8 · 15와 농지개혁의 요구

이 글은 『녹색평론』에서 8 · 15 60주년을 기념하는 기획에 따른 부탁으로 쓰는 글이다. 갑작스런 부탁으로 처음에는 뭘 쓸까 좀 부담스러웠지만, 생각해보니 8 · 15에 국민학교에 입학했던 나로서는 그 60년 동안의 농업 얘기란 바로 내 한평생과 정확하게 함께했기에 그 감회로 이야기하기가 오히려 벅찰 지경이다.

1945년 8 · 15로부터 2005년 회갑년까지의 우리 농업 문제를 제한된 지면을 고려하여 가장 특징적인 것만 골라 회고하면, 세 가지쯤으로 압축할 수 있다. 하나는 1949년에 농지 분배를 시작하여 농지대금 상환을 완료한 1962년까지 계속된 농지개혁이다. 그 다음 하나가 1971년부터 1980년대 군사정권의 종말까지 계속된, 이른바 농촌근대화를 위한 새마을운동일 것이다. 마지막 하나는 우리 농업사에서 영원히 잊지 못할 수치로 남을 사건으로, 쌀 개방과 그와 관련된 농지소유상한제의 폐지, 그리고 경자유전 등의 민주적 원칙까지 폐기하면서 강행 중인 우리 농민 · 농업에 대한 완전 포기 정책일 것이다.

소설가 요산 김정한 선생은 자신의 어떤 작품집의 머리글에서 1945년 8 · 15는 해방절이 아니고 일제가 미제에게 사무인계를 시작한 날이라고 썼던 것으로 나는 기억한다. 나도 이에 동감하여 8 · 15에 '해방'이란 말을 붙이지 않고 그냥 '8 · 15'라고 부른다.

농업 분야에서의 사무인계는 일제가 경영하던 동양척식주식회사를 미군이 진주하자마자 바로 인수하여 '신한공사'라는 이름 아래 관리했던 것으로 시작했다. 동척에서 신한공사로 인계된 토지면적만도 논이 19만 3천5백53정보, 밭이 7만 8천6백52정보, 대지 3천9백48정보, 기타 1만 3천5백98정보, 임야 3만 9천 8정보, 합계 32만 8천7백59정보였다. 이는 남한 전체 농경지 면적의 15.3퍼센트를 점하였고 이를 경작하는 소작농의 비율도 남한 전체 농가의 27퍼센트나 되었다고 한다.

신한공사의 한국 경제 장악 범위는 농림축산 분야에만 그치지 않고 당시 상공업의 모든 업종들을 총망라하고 있었다. 그것은 일제의 조선 식민지경제 경영의 총괄기구였던 동척의 업무를 그대로 인계받았기 때문이다. 이 같은 내용의 신한공사 설치령이 공포되자 당연히 각계각층에서 반발이 일어났다. 당시의 비상국민회의는 '전민족의 총의로서 대처하자'고 했고, 민전 측도 마찬가지로 반대했다. 공산당과 그 계열의 조직들도 당연히 반대했다.

이러한 전면적 반대에 직면한 미 군정청은 '신한공사를 조선 정부에서 독립한 기관으로 창립한다'는 신한공사법 제1조부터 9조까지의 모든 치외법권적 조항들을 1946년 5월 7일 신한공사 설치 개정령에서 삭제하거나 전면 수정했다. 그 이름도 상법상의 하나의 법인임을 명시하는 '신한주식회사'로 바꾸었다. 그렇다고 그 운영이나 조직 등이 근본적으로 바뀐 것은 아니었다.

당시 민군정은 남한 지역이 농업지역인데다 일제 때까지 1백만 섬 가량의 대일 미곡유출이 있었던 것으로 보아 이것만 중단시키면 식량 수급은 자동적으로 조절될 것으로 예상했다. 그러나 예상은 빗나갔다. 식량재고의 고갈, 1945년의 쌀 생산량 7퍼센트 감소, 북한과 일본 등 해외지역에서의 동포 귀환, 소비욕구의 팽만, 재정 인플레 등에 따라 8·15 당시 15~20원이던 쌀 한 말 값이 한 달 뒤인 9월에 이미 110원으로 폭등했다. 여기에 좌익계의 정치선동으로 도시에서는 식량배급제를 요구하는 폭동이 계속되고 있었다.

이렇게 되자 미군정은 미곡 통제를 철폐한 지 불과 45일 만인 1945년 11월 19일에 쌀의 최고 소매가격을 위반하여 판매할 경우 육군점령재판소에 회부한다는 강경내용이 담긴 일반고시 6호 '미곡통제에 관한 건'을 공포했다. 1946년 1월 25일에는 매 농가로부터 '45/100석×가족 수'로 계산한 양을 제외한 모든 양곡을 내놓아야 하는 일제 때의 강제 공출제를 다시 부활시켰다. 중앙경제위원회를 통한 경제 통제와 함께 식량배급제가 개시되었다. 심지어 소출의 3분의 1을 소작료로 내야 하는 이른바 3·1

제의 소작료까지 군정당국이 직접 수취하여 지주에게 대금만 지불하는 직접 통제를 실시하여 지주계급으로부터도 반발을 샀다.

특히 일제 때부터 누적돼온 소작농민들의 불만과 농지개혁에 대한 열망은 걷잡을 수 없이 팽배해 있었다. 1945년 말 현재 전국의 농가 2백만여 호 중 자작농가는 고작 13.8퍼센트에 지나지 않았고, 자 · 소작 농가는 34.6퍼센트, 순 소작 농가가 51.6퍼센트로서, 농지개혁을 통한 농민적 농지소유 없이는 농업의 재생산 자체가 불가능할 지경이었다. 그래서 1945년 12월 8일에 결성된 전국농민조합총연맹(전농)은 일본제국주의자 및 반민족주의자들의 토지를 몰수하여 빈농에게 분배할 것을 요구했고 스스로 토지개혁법안을 초안하여 미 군정당국에 제출했다.

농민 당사자 외에도 당시 절대 다수인 농민을 무시할 수 없었던 좌우익의 각 정파들도 그 방법상의 차이가 있긴 해도 모두 토지개혁을 정강정책으로 내세우지 않을 수가 없었다. 특히 1946년 3월 5일 북조선이 옛 일본인 농지와 지주의 소작지는 무상몰수 무상분배 한다는 토지개혁령을 공포한 이후 4월 13일까지 불과 한 달 남짓 만에 토지개혁 완료(몰수농지 98만 정보, 수배농가 71만 9천 호, 1호당 평균경지면적 1.36정보)를 발표함에 따라 미 군정당국과 남한당국도 이를 도저히 외면할 수 없게 되었던 것이다.

자경소농의 기초가 된 농지개혁

이 같은 대내외적인 압력으로 농지개혁을 더는 미룰 수 없게 되자 1946년 후반기에 미 군정당국은 남조선과도입법의원으로 하여금 토지개혁 법안을 입법하게 한다. 그러나 대다수가 지주계급으로 구성된 한국민주당과 이승만 지지 세력인 입법의원에서는 이에 대해 매우 소극적이었다. 농민들의 계속되는 거센 요구와 철군 일정에 밀려 토지개혁 입법을 서두르는 미 군정과 이를 지연시키려는 입법의원 사이에 밀고 당기는 줄다리기가 계속되다가 1947년 12월 23일 '농지개혁법안'이 본회의에 상정되었다. 그러나 지주계급인 우익 측 의원의 출석 거부로 의원회의 자체가 구성되지 않았고 따라서 농지개혁법은 심의조차 될 수 없었다.

남한 입법의원에 의한 농지개혁이 사실상 불가능하게 되자 미 군정당국은 신한공사가 경영하던 옛 일본인 소유 토지만이라도 매각하고자 하였다. 1948년 3월 22일, 미 군정청은 신한공사를 해체하고 중앙토지행정처를 설치하여 다음과 같은 방법으로 매각을 실시하였다. 첫째, 매각은 ① 소작지 또는 소유지가 2정보 이하인 자를 대상으로 하되, 그 토지의 소작인에게 우선권을 준다. ② 그다음의 분배 순위는 농민, 농업노동자, 북한이나 해외로부터 이주한 귀국농민 등으로 한다. 둘째, 농지의 대금은 당해 토지의 주생산물의 연간 평균 생산고의 세 배로 하고, 지불은 매년 수확량의 20퍼센트씩 15년간 연부로 현물 납입하게 한다. 셋째, 분배된 농지의 매매, 임대차, 저당권 설정 등은 일정 기간

금지한다.

대내외적 압력이 아무리 거세다 해도 어찌하여 미 국무성과 군정당국이 자신의 가장 큰 전리품에 해당하는 귀속 농지와 재산을 이처럼 서둘러 매각했을까? 그 이유는 몇 가지로 생각해볼 수 있다. 가장 먼저 생각나는 이유는 이것이 자신들의 철군 일정과 맞물려 있었기 때문일 것이다. 다음으로는 미소 냉전체제가 첨예하게 대결하고 있는 지역에서 소련 영향하의 북한이 이미 시행한 농지개혁을 더는 미룰 수 없는 '미국의 극동전략에 직결된 대한전략의 산물'로 볼 수도 있다. 또 러치 장관의 말처럼 방대한 국유지의 존치는 독재자의 출현을 초래할 수도 있기 때문에 그것을 방지하기 위해 취해진 조치일 수도 있다. 그러나 무엇보다 가장 큰 이유는 앞으로 세워질 남한정부를 친미정권으로 세우기 위해 당시 절대 다수였던 농민표를 무시할 수 없었던 대한 전략에서 찾을 수 있다. 다시 말해 신한공사 산하의 재산을 버리는 대신 대한민국 전체에 대한 영향력을 취한 것이다.

어쨌든 미 군정의 귀속농지 매각은 우리 역사상 누적돼온 지주의 땅 독점과 반세기 가까운 일제의 한반도 토지 지배에 종언을 고하는 대사건이었다. 좌우익 양측의 완강한 반대를 무릅쓴 미 군정의 귀속농지 매각은 새로 건국할 한국정부로서도 농지개혁을 하지 않을 수 없게 한 중요한 계기가 되었다. 또 그것은 한국 정부가 시행한 농지개혁의 하나의 모델이자 제일보였음도 굳이 부인할 필요가 없다. 이로써 일제로부터 인계받은 미국의 한반도에 대한 사무의 일부는 남한 당국에 다시 재인계된 것이다.

미완으로 끝난 미 군정의 농지개혁은 1948년에 출범한 이승만 정권에게 넘겨졌다. 이승만 정권 성립과 함께 제정된 헌법은 제86조에서 "농토는 농민에게 분배하며 그 분배의 방법, 소유의 한도, 소유권의 내용과 한계는 법률로써 정한다"고 했다. 이에 따라 정부는 다음과 같이 토지개혁에 관한 정부안을 만들어 1949년 2월 5일에 국회로 넘긴다. 첫째, 소작지와 3정보 이상의 자작지는 정부가 매수하여 소작인, 농업노동자, 영농 능력이 있는 선열의 유가족, 해외로부터 온 귀환동포 등의 순으로 3정보 이내에서 유상 분배한다. 둘째, 농지의 매수가격은 연평균 생산량의 두 배에 상당한 금액으로 하고, 정부가 3년 거치, 10년 균등으로 지주에게 보상한다. 셋째, 농지를 분배받은 농민은 연평균 생산량의 두 배에 상당한 지가를 10년간 균등상환하게 한다.

국회도 농지개혁법안을 따로 만들었다. 정부 안과 다른 것은 지가의 보상액과 상환액을 평년작의 세 배로 하여 정부안보다 농민에게 불리하게 했고, 미 군정의 귀속 농지 분배조건이었던, 연간 생산량의 세 배를 매년 20퍼센트씩 15년간 균등 상환하도록 했던 것을 5년 단축하여 10년으로 함으로써 역시 분배받을 농민에게 불리한 안이었다. 지주 출신이 다수를 차지했던 제헌 국회의 성격을 그대로 반영한 국회 안이었다.

이처럼 중요한 상환지가와 상환기간에서 정부 안과 국회 안이 대립되자 국회는 지주에게 주는 보상액을 평년작의 1.5배로 하고 농민의 상환액을 1.25배로 하여 차액을 정부재정으로 부담하게 하고 상환기간을 5년으로 크게 단축한 농지개혁법을 1949년 4월 28일 제정하여 정부로 보낸다. 그러나 정부는 재정 사정으로 그런 농지개혁은 불가능하다며 보상액과 상환액을 같게 해줄 것을 요구했으나 국회가 이를 거부하고 다시 정부로 이송하여 그 법안은 1949년 6월 21일에 그대로 공포된다. 그럼에도 정부는 역시 재정상의 이유로 농지개혁을 시행하지 않아 비난 여론이 들끓었다. 그러자 국회는 정부 요구대로 상환액을 보상액과 같이 평년작의 1.5배의 값으로 개정 통과시켜 1950년 3월 10일 공포했다.

수많은 우여곡절을 돌아 농지개혁법이 제정되고 시행되었지만 결과는 참 아쉬웠다. 8 · 15 뒤의 남한에서의 토지개혁안은 무상몰수 · 무상분배안과 유상매입 · 무상분배안, 그리고 유상매입 · 유상분배의 세 가지 안이 있었다. 첫째의 아쉬움은 귀속 농지는 무상몰수 · 유상분배, 조선인 지주의 땅은 유상매입 · 유상분배로 어느 경우이든 농민에게는 불리하고 지주에게는 유리한 방향의 개혁이었다.

두번째 아쉬움은 남한의 농지개혁을 8 · 15 뒤부터 5년 이상 끌어오는 사이에 이미 농지개혁 실시 이전에 많은 소작지가 지주의 방매로 매각되어 극히 부분적으로만 행해졌다는 사실이다. 1945년 말의 소작지 면적은 논과 밭을 합해서 1백44만 7천여 정보였으나 농지개혁으로 분배된 면적은 고작 55만 정보로 총 소작지의 38퍼센트에 불과했고, 나머지 62퍼센트는 그 이전에 사적으로 매각된 것이었다.

세번째로 농지개혁의 본래 목적은 농민의 토지소유로 자작소농을 양성하는 데 있었으나 농지개혁의 시작과 함께 6 · 25전쟁이 발발하여 자작농이 안정적으로 뿌리내릴 기회가 처음부터 차단되고 만 것이다. 전쟁으로 재정적 곤경에 빠진 정부는 '임시토지수득세법'이란 법을 도입하여 분배농지의 상환대금과 합해서 무려 수확량의 39퍼센트를 농민으로부터 걷어갔다. 전쟁 기간 특유의 인플레로 이득을 보는 다른 계층과는 달리 농민은 농지가와 세금을 모두 현물로 냄으로써 오히려 그로 인한 부담의 전부를 전가받았다. 그래서 상환기간이 끝난 1955년 3월 현재 상환곡은 전체의 56.8퍼센트에 지나지 않았고 1962년 말에야 98퍼센트가 상환되었다. 농림부가 농지개혁사업이 완료되었다고 발표한 때는 1951년 3월 5일이었지만 사실은 상환이 거의 끝난 1960년대 초반까지 그 사업은 진행 중이었던 셈이다. 그러다 보니 지가를 상환하기도 전에 분배농지를 처분하지 않을 수 없는 농민들이 많아져 1954년 말 현재 전매된 농지는 1만 3천6건으로 전답면적이 3천1백46정보에 이르렀다.

넷째, 농지개혁에 따른 지주층의 보상금인 토지자본을 산업자본화하려던 정부 목적도 별다른 성과를 거두지 못한다. 지주들에게 발급한 지가증권이 장기간 분할 지급됨에 따라 그간의 인플레 경제에서 현금의 필요에 쫓긴 중소지주들이 지가증권을 2할 또는 3할까지 감가해서 양도했다. 이런 감가된 증권을 매입하여 귀속재산 등의 불하에 참가한 대지주를 제외한 대다수 군소지주들의 토지자본의 산업자본화는 매우 저조하였고 광범한 지주층의 몰락만 가져왔다.

위에 열거한 네 가지 남한 농지개혁의 한계는 진보적 사학자 강만길의 『한국현대사』에서 요약한 것이다. 남한의 농지개혁은 북한이나 우리 임시정부의 무상몰수 · 무상분배라는 농지개혁 목표에는 크게 못 미치는 개혁임에 틀림없다. 그러나 농지에 관해서만 북한처럼 무상몰수·무상분배 했다고 한들 곧이어 터진 6·25전쟁, 그리고 뒤이은 농촌 분해와 함께 급속히 이루어진 한국사회의 자본주의화의 과정에서 경자유전과 소유상한제 원칙의 농지제도가 안착되기는 불가능했을 것이다. 당시로서는 불철저해서 아쉬웠지만, 지금 되돌아보면 그런 농지개혁도 가히 혁명적이었다고 할 수 있다. 그중에서 경자유전 원칙과 3정보 이상의 지주 땅은 물론 자작농의 농지까지 분배대상에 넣고 토지소유를 3정보 이하로 제한한 것은 정말 특기할 만한 민주적 원칙이었다.

그래서 1945년 8·15 당시 자작농이 28만 5천 호로 총 농가수 2백1만여 호의 14.2퍼센트밖에 안 됐던 것이 1951년 농지개혁 직후 1백76만 3천여 호로 총 증가 2백18만 4천 호의 80.7퍼센트로 급속히 늘어날 수 있었던 것이다. 1945년 소작지 면적이 1백44만 7천 정보로 총 경지면적 2백22만 6천 정보의 65퍼센트나 되었던 것이 1951년 말 농지개혁 뒤에는 15만 9천 정보, 즉 당시 총 농경지면적 1백95만 8천여 정보의 8.1퍼센트로 급감한 것도 이 농지개혁 덕택이다.

이 땅의 진보적 지식인치고 당시 농지개혁의 불철저성을 지적하지 않는 사람은 없다. 그렇다면 당시로서는 불만스러웠어도 지금으로는 훌륭한 민주적 원칙으로밖에 볼 수 없는 3정보 이하의 농지소유상한제와 경자유전 원칙이 차례로 폐기되는 지금의 농지법 개악 행보에 대해서도 무슨 반응이 있어야 한다. 그런데 그 요란하던 진보적 지식인들이 지금은 어디에서 무얼 하고 있나? 시장과 국가권력이 흘려주는 꿀 먹고 모두 입이 들러붙은

벙어리가 되었나?

농촌공동체의 파괴를 가속화한 새마을운동

"새벽종이 울렸네 새아침이 밝았네/너도 나도 일어나 새마을을 가꾸세/살기 좋은 내 마을/우리 힘으로 만드세//초가집도 없애고 마을길도 넓히고……." 군사정권이 끝난 한참 뒤까지도 쓰레기 수거차 등에서 신물 나게 들어왔던 〈새마을 노래〉의 일부다.

새마을운동은 당시 대통령 박정희의 기획으로 1971년부터 전국 농촌마을 단위에서 정부 주도로 전개된 관제 농촌근대화운동이다. '근면 · 자조 · 협동'이라는 구호 아래 생활태도 혁신, 마을 환경 개선, 소득 증대를 통해 낙후된 농촌을 도시처럼 근대화시키겠다는 취지로 시작되었다.

1971년부터 1984년까지 이 운동에 들어간 물량은 총 7조 2천억 원(연평균 5천1백77억 원으로 지금으로서는 별것 아닌 것 같지만 당시의 화폐가치로서는 상당히 큰 물량이었다)으로 그중 57퍼센트는 정부 투자, 11퍼센트는 마을 주민의 자부담, 나머지 32퍼센트는 민간단체의 희사로 조성되었다. 용도별 투자내역은 생산기반 조성에 22.2퍼센트, 소득증대사업에 42.8퍼센트, 복지환경에 27.5퍼센트, 정신 개발에 2.8퍼센트 도시 및 공장 새마을운동에 4.7퍼센트였다. 새마을운동은 초가지붕 개량, 마을길 넓히기 등의 환경 개선과 하천 정비, 교량 건설, 수리시설 확충, 농경지 확장,

농촌 전화사업 등 농촌 인프라 구축으로 농가소득을 증대시킨 것으로 그 성과를 자랑한다. 하지만 농가소득이 상대적으로 증가했던 것은 전통적으로 정부여당의 집권 기반이었던 농촌에 쌓여가는 불만을 누그러뜨리기 위한 정치적 배려로 벼와 보리를 비싸게 수매해서 싸게 팔았던 이중곡가제 실시에 상당 부분 기인한 것이지 새마을운동 덕택은 아니라는 지적이 있다. 어쨌든 새마을운동 기간에 있었던 농가소득 증대를 위한 농촌투자가 군사정권의 유신체제를 지탱한 버팀목이 된 것은 사실이다.

그러나 1978년을 전후하여 정부가 농산물 시장 개방으로 경제정책을 바꾸면서 농축산물의 값이 곤두박질치는, 이른바 돼지, 소, 고추, 양파 등의 파동이 잇따르면서 우리 농촌은 파탄의 길로 접어든다. 또 거기다 새마을운동 담당부서인 내무부는 초가지붕 바꾸기가 끝난 이 무렵부터 새마을 사업의 중심을 정부 융자에 의한 농어촌 주택 개량 등의 농가 소비를 부추기는 사업으로 옮겨간다. 그 결과 농가마다 막대한 빚을 안고 해마다 40만 명이 넘는 농민이 이농 혹은 탈농하는 농촌 대탈출로 농촌공동화 현상이 벌어지기 시작한다.

이후부터 새마을운동은 새마을지도자대회 등의 노골적인 정치적 동원행사로 전락한다. 특히 제5공화국 시절에는 전두환의 친동생이 이 운동조직에 가담하여 조직원을 1천만 명으로 확대시키고 5백억 원에 달하는 자산을 조성하여 새마을운동중앙본부를 탄생시킨다. 그는 이 기구를 통해 각종 성금과 기금을 유용하고 횡령함으로써 부패의 온상이 된 이 기구와 함께 새마을운동의 종말을 장식한다.

새마을운동의 현장에서 살았던 내가 가시적으로 경험했던 새마을 사업들은 초가지붕을 슬레이트로 바꾸는 것과 마을 앞과 안 길을 시멘트로 포장하는 일이었다. 우리 마을 앞길 포장에 든 자부담 비용은 그때까지 있었던 마을 두레답을 판 돈으로 채웠다. 그때까지도 농촌마을에 더러 남아 있던 마을 두레답은 거의 새마을운동 때 이런 용도로 사라져갔다. 그때 모든 마을 사람들은 재벌들의 슬레이트와 돌가루 장사를 시켜주려고 새마을운동을 한다는 말을 공공연하게 하고 있었다. 대한민국 모든 농가의 초가지붕을 바꾸는 데 들어간 슬레이트 양과 마을길 포장에 든 시멘트 양도 결코 적은 것은 아니었을 것이다. 그것이 건축자재와 건설업 불황의 타개책이었다는 증거는 초가지붕을 슬레이트로 바꾸는 일이 끝나자마자 바로 그 집을 헐어버리고, 그 무렵부터 닦기 시작한 고속도로가 보이는 마을마다 그 고속도로를 향한 방향으로 시멘트 개량주택을 짓게 한 것에서도 드러났다. 그리고 1970년대 후반부터 시작한 농어촌 전력화(電力化) 사업은 한국전력의 전기 장사에만 끝나는 것이 아니고 이 땅의 재벌기업들이 독과점적으로 만들어내는 수많은 가전제품(라디오, TV, 선풍기, 전화, 냉장고 등)들에 대한 폭발적 수요를 불러왔다.

이 무렵부터 농민소득 증대라는 구호 아래 비닐하우스와 비닐피복 농법이 널리 도입되었다. 또 이 무렵 농민소득 증대와 주곡자급을 위해 도입되었다는 신품종 통일벼는 비료를 엄청나게 잡아먹는 다비성 품종으로 그와 비례하여 농약을 많이 치지 않으면 다수확이 되지 않는 품종이었다. 밥맛 없는 안남미 계열인 이 신품종 벼를 거부하고 재래품종을 심을 경우 관계 공무원이 못

자리까지 짓밟은 일화로 유명했던 이 신품종 통일벼 재배 이후부터 비료와 그에 비례하여 농약 사용이 폭발적으로 늘어나는 화학 · 기계농의 시대로 접어든다. 그래서 새로 도입된 비닐하우스 등의 시설 재배와 신품종에 의한 이른바 녹색혁명의 열매는 화학비료, 농약, 비닐, 동력분무기, 양수기, 경운기, 트랙터, 콤바인 등을 생산하는 독과점 또는 다국적기업에게 돌아간다. 농업의 공업 예속, 자본 예속, 시장 예속은 돌이킬 수 없는 수렁에 빠진 것처럼 날이 갈수록 심화된다. 그리고 이것은 농촌공동체의 해체뿐만 아니라 지속 가능했던 전통농업의 해체를 가져왔고, 농산물은 물론 땅과 물 등의 오염과 생태 파괴로 이어졌다.

새마을운동에 대한 이런 비판적 평가에 대해 "농업과 농촌을 새롭게 개조하였을 뿐 아니라 농민들의 잠재적 에너지를 발현하여 '농촌 하부구조의 구축'과 '농민경제의 상품경제화'에 크게 기여하였다"[2]고 보는 긍정적 평가도 또한 없지 않다. 새마을운동의 이런 양가적 평가 때문에 제3세계의 지도자란 사람들이 지금도 이 운동을 이따금 벤치마킹 해가고 있다고 한다.

최근에는 아이러니하게도 박정희 정권의 한국 근대화 정책의 직접 피해 당사국이었던 베트남에서까지 이를 벤치마킹 해갔다고 한다. 경상북도와 자매결연을 맺은 베트남 타이우엔성의 마을 지도자와 지방의원, 주민, 공무원 등 21명으로 구성된 새마을 연수단이 2005년 6월 10일에 경북도청을 방문한 것을 시작으로 경북의 농촌지역에서 열흘간의 연수를 마치고 돌아간 것이

2 「한국 현대 농민운동의 전개」(http://blog.naver.com/freework/13167942.)

그런 경우다. 1960년대 말에서 1970년대 초 베트남전쟁이 끝날 때까지의 한국군 파병은 물론 명분이야 자유 수호를 위한 참전(?)이었지만, 사실은 한국 근대화에 필요한 자본금 조성에 더 큰 이유가 있었던 것도 숨길 수 없는 사실이었다. 바로 그런 근대화 침략전쟁의 직접적 피해 당사국이 이제 와서 그것을 다시 배워 간다는 것은 정말 역사의 역설이다.

이 같은 새마을운동의 양가성에서 우리는 지금 득세 중인 식민지근대화론과 박정희 재평가론과 다시 맞닥뜨린다. 알다시피 식민지근대화론은 일제가 한국을 식민지배로 수탈해간 것은 사실이지만 우리의 근대화에 그 이상의 일정 몫을 했다는 일종의 식민지 공적론이다. 최근의 박정희 재평가 역시 박정희의 권력 독점과 인권 유린 등은 비판받을 과오지만 우리나라를 이만큼 잘살게 한 그의 근대화 추진력은 높이 살 만한 공적이라는 것이다.

이 점에서는 보수주의자와 진보주의자 간에 차이가 전혀 없다. 과연 그런가? 새마을운동을 통한 박정희의 농촌 근대화의 결과는 무엇인가? 농촌공동체의 해체 파괴와 농민의 완전한 몰락과 농촌의 공동화였다. 그 대가로 얻은 것이 지금의 물량화다. 그러나 이 물량으로 한번 잃어버린 농촌공동체를 되찾을 수는 없고 잃어버린 고향, 잃어버린 우리의 영혼을 되살 수도 없다. 농촌공동체의 해체와 파괴 과정에서는 농민의 이산과 고통, 죽음만 있었던 것이 아니다. 농업의 근대적 생산방법의 도입 결과 수많은 생태계의 파괴와 죽음이 있었고, 무엇보다 지속 가능한 미래를 영영 잃어버리고 말았다.

박정희 시대가 인간과 자연에 대해 폭력적이었던 것은 박정희의 개인적 품성 탓도 물론 없지 않겠지만 그것 때문만은 아니다. 그가 광적으로 추구했던 근대화 자체가 농촌공동체의 해체와 파괴, 인권 유린과 중앙집권적 권력독점 없이는 불가능한, 본질적으로 폭력적인 가치였기 때문이다. 지금은 언론자유, 인권 보장, 절차적 민주주의 등 표면적 시민권력은 분명히 향상된, 이른바 민주화된 시대다. 그럼에도 계층 간의 경제적 불평등은 오히려 심화되고 농민 등의 소외계층과 자연에 대해서는 더 폭력적으로 되어간다. 그 이유는 바로 박정희가 추구했던 근대화라는 물량 가치를 개혁세력이라는 사람들조차 버리기는커녕 더 높이 추구하고 있기 때문이다.

쌀 포기, 농업 포기까지 몰고 온 개방농정

5 · 17 군사쿠데타에 대한 광주항쟁으로 막을 연 1980년대는 반(反)군사독재 투쟁의 절정기였다. 그런데 이때는 박정희 정권의 근대화 독재정책의 과실이 수확되는 물량의 계절이기도 했다. 그러나 또 이때는 역설적으로 우리 농업과 농촌을 걷잡을 수 없는 몰락과 해체로 몰아간 농업 · 농촌공동체의 위기의 시대이기도 했다. 그 살벌했던 5공 치하의 신품종 재배 강요, 객토 강요 등의 강제 행정, 영농자재 강매, 강제 출자. 조합비 강제징수 등 농협 같은 관변단체들의 횡포, 갑 · 을류 농지세, 수세, 재산세 등 부당 조세 등에 대한 농민단체들의 계속된 저항투쟁이 이 위기에 대한 반응이다.

1980년대로 접어들면서 우리 농민을 위기로 내몬 주원인은 물론 농축산물의 수입개방이다. 지난 30년간의 역대 군사독재정권은 소수 독점 재벌을 위한 수출 주도형 경제성장정책을 강행함으로써 낮은 농산물 가격에 의한 저임금정책으로 일관했다. 특히 1980년대의 군사정권이 비교우위론을 근거로 저농산물 가격 유지와 공산품의 수출을 위해 강행한 이른바 개방농정은 바로 수출주도형 대외의존 경제정책의 필연적 결과였다. 1985년 당시 이미 외국으로부터 수입해온 농축산물의 종류는 이미 3백 가지를 넘겼다. 국내산 쌀이 남아도는데도 흉작으로 인한 재고 부족을 핑계로 미국으로부터 1983년에 22만 톤, 1984년에는 25만 톤의 쌀을 수입하여 쌀 과잉재고 파동을 일으켰다. 1985년에는 쇠고기 수입개방으로 소 값 폭락 파동을 일으키고 역사상 유례없는 소몰이 시위로 농민들을 거리로 내몰았다. 1988년 고추 값 대폭락 때는 고추 집산지인 경북 영양의 고추 값 제값 받기 투쟁을 시작으로 전국의 모든 고추산지로 고추시위가 확산되었다.

수입농산물에 의한 국내 농산물 값의 연쇄적 폭락은 농민들을 농사짓는 들판에서 1980년대의 민주화 투쟁의 시위 현장으로 내몰았다. 비어가는 들판과 함께 농촌공동체는 붕괴되고 공동화가 가속되었다. 1979년 1천88만 명이던 농가인구는 1989년에는 6백78만 명으로 격감, 전 인구의 17퍼센트에 그쳤다. 호당 경지면적은 농촌인구 감소로 1979년 1.02정보에서 1989년 현재 1.20정보로 조금 늘어났다.

무엇보다 큰 변화는 농촌과 농촌경제의 도시 변두리화와 예속화다. 도시 주변의 농지는 주곡 대신 채소, 과일 등 부식 생산기지로 바뀌거나 도시 개발에 따른 투기대상이 되어 급속히 파괴되기 시작했다. 나머지 농촌지역도 농공단지, 산업단지 조성과 도로 닦기 등이 이루어지면서 농촌경제는 도시의 공업과 상업경제의 하부구조로 예속되고 있었다. 농민의 외부 의존과 예속의 정도를 말해주는 농업 외 소득이 1965년에는 20.9퍼센트였으나 1989년에 이르러서는 40.5퍼센트로 갑절 늘어났다. 설사 농외 소득으로 농민의 총 소득은 늘어났다 해도 그것은 그만큼 농민이 자생력을 잃고 그 삶이 외부에 예속당하고 있다는 지표에 다름 아니다.

그런데 개방농정으로 농민이 농사일보다 시위에 더 관심과 참여가 많았던 1980년대였지만 그래도 그때는 군사독재가 물러가면 그 개방농정의 기조가 바뀔 것이라는 기대와 희망은 있었다. 그러나 1990년 이후가 만일 민주화 시대라면 그 과실은 재야정치권, 학생운동권, 일부 노동자 등 전적으로 도시에 빌붙어 사는 도시인들의 것이었지 결코 농촌의 것은 아니었다. 1990년대 이른바 문민정부 시대 이후부터의 이른바 민주화정권 시대가 적어도 농산물의 시장개방을 통한 국내 농업의 홀대 면에서는 (물론 군사정권의 수출주도형 물량주의 정책의 연장 탓이겠지만) 군사정권보다 오히려 한술 더 뜨기 시작했다.

지금은 2004년 말에 끝낸 쌀의 추가개방 협상의 국회 비준을 앞두고 농민단체들이 쌀의 관세화 유예 대신 의무수입물량(MMA)의 확대와 함께 쌀 외의 다른 농산물의 추가개방에 이면 합의했다며 강하게 반발하고 있다. 6월 국회에서는 이에 대한

국정조사가 진행되었다. 쌀의 관세화 유예의 대가로 아르헨티나의 닭고기, 오렌지 등과 중국의 배, 사과 등의 수입 장벽을 대폭 낮춰 이들의 수입을 용이하게 했다는 것이다. 게다가 정부가 주장하는 쌀의 의무수입물량도 7.96퍼센트가 아니고, 인도와 이집트로부터 식량원조용 쌀을 구매시 우선권을 부여한 11만 1천2백10톤을 뺀 것이므로 이것을 합치면 사실상 8.18퍼센트인데 이를 공개하지 않고 농민을 속였다는 것이다. 쌀과 다른 농산물의 추가개방이 없어도 이미 우리 농민농사는 끝났다. UR협상결과에 따른 의무수입물량만으로도 국내 쌀값은 이미 곤두박질치고 심지어 유기농 쌀까지 이유식 등의 가공식품 형태로 수입되어 적체되고 있다. 늙은이들이 겨우 지키고 있는 우리 농촌의 미래는 늙은이들과 함께 맞이할 죽음뿐이다.

오죽하면 6월 20일 전국농민회총연맹의 전국 91개 군 농민회는 쌀협상 무효 국회비준 저지 농민총파업 결의를 갖고 전례 없는 농민 총파업까지 선언했을까? 이들은 "쌀 협상에 사과 배가 웬 말이냐", "이면 합의 즉각 폐기하라" 등의 구호와 함께 이앙기 등 농기계를 불태웠다. 어떤 지역에서는 모내기를 막 끝낸 논과 수확을 앞둔 감자밭 등을 갈아엎으며 이면합의 협상책임자의 처벌을 외치기도 했다. 전농과 한국농업경영인중앙연합회 등의 농민단체들이 구성한 쌀협상국회비준저지비상대책위원회는 이날 오전 11시 과천 정부종합청사 앞에서 기자회견을 가진 뒤 단식농성에 들어갔다.

농민 총파업은 모든 농민운동가들의 꿈이다. 그것이 만약 제대로 실행될 수만 있었다면 세상은 지금과는 전혀 다른 모습으로 변해 있었을 것이다. 농민들이 모두 제 먹을 것만 농사짓고 시장 출하가 목적인 대농장이나 농기업의 취업을 거부하는 농민 총파업을 할 수 있다면 모든 사람들이 농민으로 살지 않을 수 없는 세상이 되었을 것이다.

그러나 공장노동자들과는 달리 각자가 생산현장을 달리하는 자영업자인 농민의 조직화는 거의 불가능하고 따라서 농민 총파업도 불가능한 일이다. 남한 총인구 4천8백여 만 중 3백41만여 명의 농민인구, 그중에서도 3만 명 정도가 참가한, 그것도 6월 20일 단 하루의 파업으로 탁류 속에 휩쓸려 내려가는 우리 농업을 지킬 수 없다는 것을 모르는 농민은 아무도 없다. 이미 우리 농민 · 농업의 조속 포기와 청산작업에 안달 난 개방농정 당국자들로서는 불감청이었으나 고소원이라며 농민파업이 좀더 큰 규모로 제대로 되길 내심으로 바랄 것이다. 그럼에도 이 파업에는 더는 물러설 곳 없는 우리 농민들의 절박한 처지를 시민들에게 호소하는 선언적이고 상징적인 의미가 없지 않다.

내가 1980년대부터 시작한 운동으로서의 유기농과 그 직거래는 불가능한 농민파업을 대신할 하나의 대안이기도 했다. 농민의 자영업적 성격상 농민 총파업은 불가능해도 차별화된 농산물을 적게 생산해서 제값을 받는 농민의 태업은 가능하리라는 기대 때문이었다. 당분간은 가능했다. 그러나 이것도 국가와 시장이 가만히 둘 리 없다. 이미 정부가 인정한 국내산 친환경농산물의 시판과 이유식 등의 가공품 형태로 들어온 수입 유기농산물이 우리 유기농 직거래운동을 포위 강타하고 있다. 지금은 가공품 형태의 유기식품이지만 머지않아 원료 형태의 유기농 쌀이 우리 유기농산물 시장을 밀어내고 싹쓸이할 것이라고 한다. 우리의 생산농민과 직거래업자들까지 유기농산물의 규모화로 유기농태업(소량생산, 생산가 판매) 원칙을 스스로 허물고 있다. 그래서 홍성 풀무 생협의 오리쌀마저도 적체되어 이미 시장경쟁 속에 예속당하고 있다고 한다.

시인 이상화는 "지금은 남의 땅 빼앗긴 들에도 봄은 오는가"로 시작해서 "그러나 지금은 들을 빼앗겨 봄조차 빼앗기겠네"로 끝나는 「빼앗긴 들에도 봄은 오는가」라는 절창을 남겼다. 우리의 들을 빼앗아간 일제로부터 사무인계를 받은 미제는 겉으로는 토지개혁을 통해 들도 되돌려주고 밀가루까지 공짜로 퍼주었으나, 우리의 밀농사와 보리농사에 이어 마침내 쌀농사까지 빼앗아간다. 여기에 그치지 않고 그들의 시장제국주의는 화학비료와 농약, 그리고 농기계로 땅의 생명까지 죽였다. 이상화의 시대처럼 쌀과 들과 봄만 빼앗아가는 것이 아니고, 우리 삶의 공동체와 농민의 씨종자, 그리고 모든 생명의 유전자까지 빼앗아가고 있다.

UR에서의 쌀의 부분개방 협상이 타결된 1993년의 세모(12월 29일)에 이 세상을 떠나신 나의 스승 조성국 님은 운명하시기 2주일 전인 12월 14일에 마지막으로 쓰신 일기의 마지막 줄을 "나는 쌀과 더불어 가련다"라는 애련한 사연으로 끝막음하셨다. 그로부터 10여 년이 지난 지금 스승님의 그 절박했던 심정은 다시 내 자신의 것으로 다가오고 있다.

고유가 시대를 거쳐 석유가 고갈되고 석유전쟁이 식량전쟁으로 이행되는 날에 닥치고 말 세상의 완전 파국과 종말 외에 우리에게 다른 희망은 정녕 없는 것인가?

(『녹색평론』 2005년 7 · 8월호에 기고한 「빼앗겼던 들에 봄은 왔는가」를 보완함)

사람과 땅은 한 가족 한 생명이다

워싱턴의 대추장이 우리 땅을 사고 싶다는 전갈을 보내왔다. (중략) 우리가 땅을 팔지 않으면 백인이 총을 들고 와서 우리 땅을 빼앗을 것임을 우리는 알고 있다.

그대들은 어떻게 저 하늘이나 땅의 온기를 사고팔 수 있는가? 우리로서는 이상한 생각이다. 공기의 신선함과 반짝이는 물을 우리가 소유하고 있지도 않은데 어떻게 그것들을 팔 수 있다는 말인가? 우리에게는 이 땅의 모든 부분이 거룩하다. 빛나는 솔잎, 모래 기슭, 어두운 숲속 안개, 맑게 노래하는 온갖 벌레들, 이 모두가 우리의 기억과 경험 속에서는 신성한 것들이다. (중략) 우리는 땅의 한 부분이고 땅은 우리의 한 부분이다. 향기로운 꽃은 우리의 자매이다. 사슴, 말, 큰 독수리, 이들은 우리의 형제들이다. 바위산 꼭대기, 풀의 수액, 조랑말과 인간의 체온 모두가 한 가족이다.

워싱턴의 대추장이 우리 땅을 사고 싶다는 전갈을 보내온 것은

곧 우리의 거의 모든 것을 달라는 것과 같다.[3)]

생태주의의 명언과 고전으로 널리 인용되는, 시애틀 인디언 추장의 유명한 연설물의 첫 부분이다. 아메리카 홍인들에게 땅은 평면적이고 가시적인 흙의 구성물이 아니고 땅의 위와 아래에 깃든 모든 생명이 부모, 형제, 자매 등과 같이 한 가족인 것이다. 그것은 개인이나 마을 공동체가 사유하거나 공유하는 등 우리가 오늘날 이해하고 있는 소유적 관점의 땅의 개념과는 차원을 전혀 달리하는 것이었다. 아메리카 홍인들에게뿐만 아니라 대지에 속해 살았던 순수한 인간과 땅의 관계는 모두 그랬다. 다만 16세기 서구제국주의의 무자비한 침략과 땅의 점탈이 있기 전까지 아메리카 대륙의 홍인들과 아프리카의 주민들이 이렇게 땅과의 관계를 계속 유지해왔던 데 비해 이른바 문명화된 국가사회에서는 이런 관계가 문명화와 동시에 일찍이 깨어졌다는 것이 다를 뿐이다.

우리 한반도에서도 중앙집권적인 신라왕국의 성립과 동시에 땅과 인간의 관계는 별의별 명목으로 깨어지기 시작했다. 국가관료의 녹봉을 부담하는 국가 직속지, 왕권 강화와 확대를 뒷받침해주는 왕실 직속지, 문무 관료에게 왕이 내려주는 사전(賜田), 특별한 국가유공자에게 주는 식읍지, 국교화된 불교의 사원이 차지한 사원전 등이 그런 땅과 사람 관계를 파괴해간 것이다. 이런 지배계급들의 농민 토지 점탈은 국가권력의 중앙집권화가

3 김종철 편, 「우리는 결국 모두 형제들이다」, 『녹색평론선집 1』(녹색평론사, 1996), 17~18쪽.

심화될수록 늘어갔다. 그러나 농지의 대부분은 여전히 소농민들의 점유지였다. 이 중에는 마을 의례와 노동 등 마을공동체 일을 경제적으로 부담하는, 흔히 말하는 마을 공유지도 있었고, 씨족 마을에서 씨족 공동행사와 제전을 위해 갖춘 종답 또는 문중답도 있었으나, 대부분은 소농민의 점유지였다. 그러나 이런 소농민들의 토지가 국가권력의 중앙집권화로 지배계급에 계속 집중되어가자 통일신라기의 정전제(丁田制)를 시작으로 고려의 전시과(田柴科), 조선시대의 과전법(科田法) 등 봉건적 토지지배 제도와 이른바 전제 개혁의 되풀이로 토지 모순을 미봉해왔다. 그럼에도 불구하고 조선 후기에 와서는 전 농민이 양반 지배계급의 소작농으로 예속되는, 땅이 소수에게 집중되는 현상이 심화되었다. 이런 토지 집중의 모순은 일제의 강점으로 그 절정을 이루었다. 그래서 1945년 8 · 15 뒤의 신생 한국의 첫째 개혁과제도 역시 농지개혁이었던 것이다. 선사 이후의 문명사란 땅의 점탈과 그로 인한 모순을 그때그때 임시방편으로 극복해가는 과정의 되풀이였다.

그러나 산업사회 이전까지의 토지를 둘러싼 모순은 땅의 소유와 지배와 독점 등으로 인한 모순이었지 지금처럼 개발이란 이름의 땅 파괴를 통한 모순은 아니었다. 물론 전통사회의 농사도 지나치게 집약적이거나 집중적일 때는 땅을 파괴하고 황폐화시킨다. 자연 생태계에 인간이 개입하는 행위가 농사다. 그러므로 엄밀한 뜻에서 전통적인 농사도 생태계 파괴 행위였다.

잘 알다시피 최초의 농경은 물과 불로써 시작했다. 1만 년 전의 신월의 옥토(메소포타미아 평원)에서의 밀, 보리 농경은 유프라테스와 티그리스 강의 범람으로 가능했다. 8천 년 전부터 이루어진 이집트 농경도 나일 강의 규칙적 범람으로 가능했던 엄청난 생태적 창조행위였다. 만일 인간에게 농경이 없었다면 신월의 옥토도 나일평야도 단지 강물만 범람하는 황무지로 남았을 것이고, 당연히 인류에게 문명이란 것도 없었을 것이다.

강물이 있는 곳에만 인간이 살고 문명이 있었던 것은 아니다. 연안의 해양자원에 전적으로 의존한 남미의 아스테카와 잉카문명, 한반도의 전기 가야 등 해양문명도 있었고, 구릉지를 불태워 농사짓는 화경문명은 더 오래전부터 더 광범위하게 있어왔다.

지금은 많은 비로 홍수가 지거나 혹시 건조기에 산불이라도 나면 온 매체가 총동원되어 호들갑을 떨며 사람들에게 필요 이상으로 겁을 주는데, 이게 사실은 치수토목국가 이데올로기의 대중 조작 수법이다. 치수 명목으로 강이란 강마다 둑을 막고 무슨 핑계로든 댐 공사와 도로 공사 등의 토목공사를 강행 지속함으로써 국가권력의 정당성을 지속시켜가고자 하는 것이다.

산불도 그렇다. 지금은 강원도 어디에 산불이 났다고 하면 마치 국가적 재난이라도 터졌다는 듯이 소방대원과 소방헬기는 물론 경찰, 군인, 공무원까지 총동원되고 그 진화 상황을 거의 실시간대로 중계하는 호들갑을 떤다. 그러나 불도 제대로만 이용하면 기존의 비생산적 생태계를 정리 개편하고 새로운 농경생태계를 창조하는 또 하나의 생태계 유지 방법이다. 물의 농경보다 더 이른 시기 시작된 최초의 농경수단이 불이었다. 우리 한반도에서도 유사시대부터 인구밀도가 낮았던 고려시대까지만도 구릉지대에다 불을 지르고 짓는 화경농이 주류였다.

북미의 홍인들은 목축을 하는 대신 들소, 사슴, 곰, 엘크사슴 등의 야생동물들이 저절로 번성하게끔 생태계를 불로써 개조했다. 관목을 태우면 풀이 돋아나 초식동물이 늘어나고 이에 따라 육식동물과 사람 수도 늘어갔다. 원래 동북부의 초원지대에만 살던 들소는 불을 놓는 경로를 따라 동부로 수입된 것이라고 한다. 그들은 또 관목을 태워 들소 서식지를 넓히는 데만 그치지 않고 관목이 불탄 수목 사이에다 히코리 열매, 호두, 밤 등의 견과류를 심어 숲을 다양한 과수가 공존하는 종합과수원으로 바꾸었다. 동부 산림 지대의 원주민들은 불을 통해 대지의 대부분을 잡다한 동물보호구역에서 농지와 과수원으로 변모시켜 새로운 자연의 균형을 창조해냈다. 아메리카 원주민들의 이 같은 새로운 생태계 창조를 통한 자연과의 공존은 16세기 서구제국주의의 침략이 있기 전까지 계속되었다.

그러나 이집트나 메소포타미아 지역처럼 일찍부터 높은 인구 밀도와 부족이나 종족의 이동 침략으로 중앙집권적 국가가 출현한 지역에서는 집약적이면서도 생태적 지속이 가능한 농경을 발달시켰다. 한반도의 경우에는 삼한시대부터 이미 도입되었으나 조선조에 와서 크게 확대된 수전 벼농사와 고려 말에 들어왔는데도 조선조 후기에 와서야 확대 정착된 수경이앙농이 그것이다. 특히 수경이앙농은 단위면적당 생산량에서 타의 추종을 불허하면서도 거의 영구 지속이 가능한 기적의 농법이자 탁월한 생태계의 창조 행위이다.

이처럼 농경사회에서 땅은 자연 상태로 있건 인간의 개입으로 농지로 개간되었건 간에 생태계 자체였고 인간 생존의 근원이었다. 그런데 산업사회는 땅을 농업보다 높은 시장이익을 주는 공업생산의 수단으로 파괴하고 독점하는 것으로부터 시작된다. 이제 땅은 부모 형제와 같은 생명의 일원이나 생존의 근원이 아니라 단지 투기의 대상, 개발과 파괴를 통한 재산 증식의 수단이 되었을 뿐이다.

한반도 남쪽의 경우 1980년대 중반까지도 이런 토지 파괴현상은 도시 근방의 개발지에 국한된 현상이었을 뿐 농촌과 농지에까지는 미치지 않았다. 그러나 1988년 올림픽을 전후한 도시주변의 투기광풍은 이른바 자가용 시대의 개막과 동시에 자동차 길이 있는 모든 농촌과 농지에까지 밀어닥쳤다. 이른바 IMF의 우리 경제 지배를 계기로 한 경기침체로 한동안 농촌에는 잠잠했던 개발 투기광풍은 노무현 정권 들어 수도 분할 계획과 지역균형발전 및 지역개발 공약에 따라 농지는 물론 이 땅의 모든 구석구석까지 다시 휩쓸어가고 있다.

소농을 몰락시키고 대신 기업농을 육성하는 문제적 생산방식이긴 해도 일본을 제외한 거의 모든 경제선진국이란 나라들의 식량자급도는 거의 백 퍼센트 이상이고, 심지어 2백 퍼센트에 육박하는 나라도 있다. 그런데 이 땅의 정권들은, 특히 민주화를 표방하는 정권들일수록 도대체 무얼 믿고서인지 식량자급은 고사하고 농업자체를 포기하려 한다. 이미 오고 있는 석유대란에 뒤이어 올 식량대란에는 어떻게 대처하겠다는 것인가? 그때는 내 집권이 끝났을 때니까 알 바 아니라는 것인가? 농업을 버린 첨단 수출산업과 땅의 생명을 깡그리 파괴하는 토목개발공화국만이 잘살 길이라고 믿는 진보적 복지사회국가주의자들의 말로

가 어디로 귀착될 것인지는 머지않아 드러날 것이다.

석유에너지 고갈시대에 살아남으려면 영원한 생명에너지가 순환되는 토지를 파괴하는 것을 당장 중단해야 한다. 지금까지의 첨단기술과 토목개발 등 땅에 대한 폭력적 파괴정책을 버리고 평화적이고 지속 순환적인 농본사회로 되돌아가지 않으면 안 된다.

좀더 구체적으로는 2003년에 마지막으로 폐지해버린 농지소유상한제를 재도입하여 그 대상을 모든 토지(산지, 대지, 잡종지 등)로 확대시켜야 한다. 우리에게는 1950년의 농지개혁 때 3헥타르 이하로 농지소유를 제한했던 제도가 있었다. 이 좋은 제도가 농업 개방에 대응하기 위해 영농 규모화를 도모한다는 명분으로 1996년과 2003년, 두 차례에 걸쳐 완전히 폐지되었다. 그때는 일언반구도 없었던 개인과 단체, 그리고 모든 언론들이 이제 와서 가진 자 1퍼센트가 국토의 50퍼센트를 소유한 사실에 호들갑을 떠는, 그 카멜레온 인심이 정말 메스껍다. 이런 현상을 원천적으로 막을 토지소유상한제를 재도입하고, 도로 전용은 물론 농지의 타 용도 전용을 전면 중단시키는 제도의 도입만이 우리 미래를 지킬 가장 중요한 첫 걸음일 것이다. 지금 토지거래허가지역의 토지에 한해 그 소유기간을 좀 늘려 매매를 허용하는 정도의 제도를 도입하는 것은 진정으로 땅 생명을 지키겠다는 진정성이 없는 눈가리기 속임수일 뿐이다.

농사꾼 천규석의 지역 자립공동체 철학

이찬훈(인제대 철학과)

내가 천규석 선생을 직접 뵌 것은 2005년 10월, 내가 재직하고 있는 인제대학교 인문사회과학원에서 주최하는 학술 심포지엄에서였다. 그 심포지엄의 주제는 '자본주의 사회의 대안적 삶'이었다. 근대 자본주의 사회는 엄청난 생산력의 발전을 통해 그 어느 때보다도 풍요로운 물질문명을 이룩하였다. 그렇지만 그 자본주의 사회는 오늘날 생태계를 절멸의 위기에 이르도록 파괴하였고, 무한경쟁의 비정한 사회적 관계, 물질적 소유와 소비욕 이외의 모든 삶의 가치를 상실한 인생의 무의미성과 공허함 등을 초래함으로써 거의 그 문명의 막다른 골목에 이르고 있다. '자본주의 사회의 대안적 삶'이라는 심포지엄은 막다른 위기에 처한 현대 자본주의 사회와 문명에 대한 대안을 모색해보고자 하는 다소 거창한 주제의 학술회의였다. 그 심포지엄의 기획을 맡았던 내가 발표자의 한 사람으로 모신 분이 바로 천규석 선생이었다.

잘 알고 있듯이 선생은 한국에서 산업자본주의의 발전이 본격적으로 가속화하기 시작한 1960년대에 이미 그를 거슬러 농업을 살리기 위해 농촌으로 귀향하였다. 남들은 온갖 농약과 비료를 써서라도 소출을 늘린다거나 돈이 될 수 있는 환금작물만을 재배하려고 할 때, 선생은 돈 안 되는 주곡 위주의 유기농을 고집해왔다. 온 세상이 시장주의 경쟁 논리에 따라 돌아가고 있을 때, 선생은 시장을 넘어 농민과 도시 소비자가 협력하여 도농이 상생할 수 있는 도농통합 공동체 운동을 앞장서 이끌어왔다. 선생의 이런 삶의 역정이야말로 바로 그 무엇보다도 자본주의 사회의 수많은 문제점을 극복하고 진정으로 인간다운 삶을 살아갈 대안을 찾기 위한 치열한 모색의 여정이었다. 단순한 이론이 아니라 직접 온몸으로 평생 동안 현대 자본주의 사회의 모순을 극복하기 위해 노력해온 선생의 혜안이야말로 '자본주의 사회의 대안적 삶'을 모색함에 가장 소중한 것이 아닐 수 없다.

이런 연유로, 선생을 모신 자리에서 나는 다른 모든 참석자들과 더불어 이 어려운 시대에 우리가 나아가야 할 방향과 그리로 나아가기 위한 올바른 실천방안에 대해 절실한 삶의 체험으로부터 우러나오는 귀중한 가르침을 들을 수 있었다. 그러나 사실 나와 선생과의 만남은 훨씬 이전부터였다고 할 수 있다. 비인간적인 현대사회의 모순을 극복하고 보다 인간답게 살아갈 수 있기를 갈구하는 수많은 사람 중의 하나로서 나는 지면을 통해 이미 오래전부터 선생의 삶과 사상에 대해서 익히 알고 있었다. 그렇기 때문에 생태학과 관련된 우리 대학 강의에서도 나는 학생들과 더불어 선생의 글을 접하며 이미 많은 가르침을 얻고 있었다.

천규석 선생은 평생 동안 땅을 일구어온 농사꾼이다. 그렇기 때문에 선생은 전문적으로 철학을 공부하거나 철학적 사유를 체계적으로 정리해낸 제도권 철학자와는 거리가 멀다. 그러나 참다운 깨달음과 철학적 지혜는 단순한 전공 지식의 축적으로부터 얻어지는 것이 아니다. 그것은 오히려 치열하게 삶을 살아가면서 그 삶의 문제를 진지하게 반성하고 보다 올바른 삶의 방식을 모색하고 실천하는 과정 속에서 체득할 수 있는 것이다. 선생의 글에서는 평생 농사일을 하며 땅과 주고받은 대화 속에서 얻은, 세계와 인생에 대한 깊은 통찰과 수많은 지혜를 만날 수 있다. 그런 의미에서 천규석 선생은 진정한 농사꾼 철학자라고 할 수 있을 것이다.

그런 농사꾼 철학자 천규석 선생은 최근에 실천문학사에서 자신의 평생의 철학이 담긴 『유목주의는 침략주의다』라는 저서를 냈으며, 그 후속 권으로 『소농 버리고 가는 진보는 십 리도 못 가 발병 난다』는 책을 내게 되었다. 나는 선생과의 작은 고마운 인연으로 그 저서를 받아 볼 수 있었을 뿐 아니라, 이번에 출간하는 『소농 버리고 가는 진보는 십 리도 못 가 발병 난다』는 저서를 일반 독자들보다 먼저 읽고 소개할 수 있는 망외의 기쁨도 얻게 되었다. 그러나 한편으로는 선생의 가르침을 누구보다도 먼저 접할 수 있는 즐거움에 행복하면서도, 다른 한편으로는 또한 선생의 그 넓고 깊은 사상을 독자들에게 제대로 전할 수 있을까 하는 걱정이 앞서기도 한다. 그렇지만 그저 저자의 주장에 진지하게 귀 기울이고 마음속의 대화를 나누려는 평범한 독자의

한 사람으로서 책을 통해 깨닫고 공감한 바를 솔직하게 얘기한다면, 부족하나마 앞으로 이 책을 접할 많은 독자들에게 안내의 구실은 하지 않을까 한다.

고도로 산업화 · 도시화된 현대사회는 물질적 풍요를 위한 개발과 경제성장을 제일로 삼은, 근대 이후 인류가 추구해온 성장제일주의의 결과물이다. 지금껏 현대인들은 성장과 발전을 최고의 가치로 간주하면서 주변을 돌아보지 않고 폭주족처럼 끝없는 질주를 계속해왔다. 그리고 경제성장을 위한 고도 산업화 · 도시화 과정에서 농업과 농촌공동체는 시대에 뒤떨어진 낡은 분야로 취급받으면서 지속적으로 파괴되거나 그 자체가 고도로 산업화되기를 강요받아왔다. 그러나 오늘날 현대사회는 결국 그러한 광란의 질주를 더는 계속할 수 없는 지경에 이르고 말았다. 무한정한 성장과 발전의 추구 결과, 자원과 환경 면에서 분명한 한계를 지닌 지구 생태계가 이대로 가다가는 곧 파국에 이르게 될 것이라는 냉혹한 사실이 분명해진 것이다. 이미 위험 수위에 도달한 생태계의 파괴가 드러내는 여러 가지 파국의 징후들에 의해 현대사회가 추구해온 고도 산업도시사회는 지속이 불가능한 사회임이 명백해졌다.

사실 도시화된 고도 산업사회는 그 자체로 자족적이며 자립적인 사회가 아니다. 왜냐하면 인간의 생존에 가장 기본적으로 필요한 식량을 자급할 수 없기 때문이다. 그렇기 때문에 그것은 농업과 농촌에 의존할 수밖에 없는 비자립적인 체계이다. 그런데도 현대사회는 공업 중심의 거대 도시를 계속해서 확대하면서 농촌공동체를 파괴해왔다. 그러면서도 늘어나는 식량 수요를 충족시키기 위해서 현대사회는 각종 농기계와 화학비료 및 농약 등을 사용하는 대규모 기업농을 통해 자연을 가혹하게 착취해왔다. 그렇지만 이제 그러한 도시 산업문명은 그것을 뒷받침하고 있는 석유 에너지 및 자연자원의 고갈과 총체적인 생태계 파괴로 인해 그다지 오래 지속될 수 없는 상황에 이르게 되었다. 도시문명의 편리함과 눈앞의 이익에 사로잡힌 많은 현대인들은 벌써 다가와 있는 위기를 애써 외면한다. 그러나 천규석 철학의 출발점은 바로 이 지점이다. 선생은 일찍부터 현대 도시 · 산업문명이 근본적으로 안고 있는 비자립성과 지속 불가능성을 분명하게 인식하였다. 이러한 인식에 기초해 선생은 고도 산업도시는 자립적 지속이 불가능하다는 점을 분명하게 지적하면서 자급자족할 수 있어 지속 가능한 농촌공동체 회복의 중요성을 역설한다.

선생은 과거에 인류가 잃어버린 낙원은 모두 농촌공동체였으며, 그 후 수많은 사람들이 그려온 이상향도 농촌공동체였고, 오늘날 우리가 지향해야 할 지속 가능한 미래의 이상적 사회도 농사 중심의 농촌공동체라고 주장한다. 지속 가능한 유일한 사회는 자급자족할 수 있는 농촌공동체 또는 농업 중심의 도농 통합 지역공동체이다. 그런데 근대 이후 세계 공업문명의 발달은 농촌공동체의 파괴의 역사였으며 이것은 우리나라의 경우도 마찬가지이다. 해방 이후 급격한 산업화를 통한 경제성장을 위해 달려온 한국사회는 공업화와 도시화를 위해 농업을 희생시키고 농촌공동체를 지속적으로 파괴해왔다.

군사 쿠데타를 통해 집권해 권력의 정당성이 없었던 박정희 군사독재 정권은 폭력적인 개발독재를 추진하는 과정에서 소위 새마을운동을 통한 농촌 근대화를 부르짖었지만 농민의 완전한 몰락과 농촌공동체의 급격한 해체를 초래하였다. 1980년대에 집권한 전두환 군사독재 정권은 비교우위론을 내세우며 저농산물 가격에 기초한 공산품 수출 증대를 위해 농축산물 개방정책을 강행함으로써 농업과 농촌공동체의 몰락을 더욱 가속화시켰다. 소위 문민정부가 들어선 1990년대 이후에도 이러한 사정은 조금도 변하지 않았다. 1990년대 이후 지금까지 집권한 모든 정권은 소위 신자유주의라는 시장경제 논리에 입각한 살농정책을 지속적으로 추진해왔다. 스스로도 진보적이라 자처하고 많은 사람들도 한때 그렇게 믿었던 노무현 정권마저도 오히려 한술 더 떠 경제성장을 위해서라며 세계 여러 나라와의 자유무역협정(FTA)을 서두르며 농업과 농촌공동체의 몰락과 해체에 앞장서고 있다. 현 정권이 전체 국익이라는 이름 아래 농업과 농촌공동체를 희생시키는 방향으로 나아가고 있음은 생명줄인 쌀시장 개방에 항의하는 집회를 벌이던 농민들을 폭력적으로 진압하고 심지어는 때려죽이기까지 하고도 여전히 정책의 정당성만을 되뇌고 있다는 사실에서 분명히 드러난다.

문제는 다수의 사람들이 이러한 신자유주의 시장 이데올로기와 국익이라는 이데올로기에 사로잡혀 있다는 점이다. 전 세계적인 시장 제국주의 체제가 이미 수많은 병폐를 드러내고 있음에도 불구하고 아직도 많은 사람들은 오직 세계시장의 경쟁에서 승리하는 길만이 살길이라는 기존의 패러다임을 고집하고 있다. 그리고 이런 패러다임에 입각해 사람들은 농업과 농촌공동체의 몰락을 경제성장과 발전을 위해 어쩔 수 없는 희생쯤으로 받아들이고 있다.

특히 현실 사회주의 국가들의 몰락과 더불어 자본주의의 변혁을 외치던 마르크시즘이 퇴색한 후, 오늘날 지식인 사회에서는 소위 탈주와 해방을 부르짖는 유목주의가 유행하고 있는데, 이것이 초국적 자본이 지배하는 세계시장제국주의를 합리화하는 구실을 대주고 있다. 프랑스 철학자인 들뢰즈와 가타리가 주창한 유목주의는 인간의 욕망을 창조적인 것으로 긍정적으로 평가하면서 이를 억압하는 모든 것들로부터의 탈주와 해방을 주창한다. 그것은 모든 조직, 질서, 위계, 정체성 등으로부터 탈주하여 자신의 창조적 욕망에 따라 자유롭게 정체성을 바꿔가며 한 곳에 머무르지 않고 끊임없이 이동하며 살아가는 유목적 삶의 양식을 찬양한다. 들뢰즈와 가타리는 이러한 유목적 삶의 방식이 자본주의 질서와 체제를 무너뜨릴 수 있는 혁명적 힘이 될 수 있다고 본다. 그러나 사실은 전혀 그렇지 않다. 아무런 원칙이나 기준도 없이 욕망의 흐름에 따라 자신의 정체성을 멋대로 바꾸며 살아가는 삶의 방식은 유행과 이미지에 지배되는 찰나적 쾌락만을 추구하는 소비자본주의 사회의 지배를 더욱 강화시켜줄 뿐이다.

서구의 최신 이론을 수입해 팔아먹기 좋아하는 한국의 지식인들 사이에서도 유목주의는 상당히 유행하고 있는데, 이들 역시 정착적인 삶의 양식 대신에 끊임없이 이동하고 변모하는 현대의 비정착적 삶의 양식을 찬양한다. 그리고 이런 논리에 따라 그들은 끊임없이 변모하는 공업과 도시문명을 바람직한 것으로 간주하며, 정착적인 농업과 농촌문명은 기껏해야 이런 공업 도시문명의 보조자로서만 의미를 갖는 것으로 취급하게 된다. 그러나 이러한 논리는 그동안 경제발전 논리에 의해 거의 몰락해버린 농업과 농촌공동체의 해체를 가속화할 뿐, 결코 그것의 회복을 돕지는 않는다.

천규석 선생은 여전히 지배적인 신자유주의의 경쟁적 세계시장의 패러다임에 맞서 자급자족하는 지역자립 공동체 패러다임에 입각한 농업과 농촌공동체 회복의 중요성을 강조한다. 오늘날의 세계시장 문명은 지구 생태계의 한계를 넘어서서 모든 자연생명을 희생의 제물로 바치고 있다. 농업과 농촌공동체의 회복은 이러한 생태적 위기와 온 생명에게 닥친 위기를 극복할 수 있는 유일한 길이다. 이 길이야말로 인간과 지구상의 모든 생명체가 평화롭게 공존하는 생태계를 지속시켜갈 수 있는 유일한 길이다. 뿐만 아니라 농촌공동체의 회복은 우리 모두의 꿈인 진정한 풀뿌리 민주주의를 실현할 수 있는 길이기도 하다. 진정한 민주주의는 직접민주주의, 지역 자립과 주민자치이며, 중앙집권적 국가주의는 결코 민주주의라 할 수 없다. 그리고 자치적인 직접민주제는 모든 구성원이 직접 참여할 수 있는 소농 중심의 작은 지역 자립·자치공동체에서야말로 제대로 실현할 수 있다. 이런 의미에서 오늘날 농촌공동체의 회복은 밖으로는 신자유주의 세계시장제국주의 체제와 안으로는 중앙독점적 국가권력 체제를 극복하고 진정한 자조, 자족, 자주, 자치의 삶을 영위해나가기 위해 가장 중요한 일이다.

생태, 생명, 풀뿌리 민주주의의 위기를 극복할 농촌공동체는 진정한 생태환경농법에 입각한 소농공동체여야 한다. 오늘날의 농사는 대개가 석유에 의존하는 농사이다. 땅을 갈거나 물대기를 하거나 모내기를 하거나 수확을 하는 모든 일은 만드는 데나 사용하는 데 모두 막대한 석유 에너지를 쓸 수밖에 없는 각종 기계에 의존하고 있다. 엄청나게 사용하는 비료와 농약도 석유 에너지에 의존해 만들어지며, 농산물의 국내 원거리 유통 소비와 세계시장 수출입 역시 막대한 석유 에너지의 소비를 필요로 한다. 지역의 자급자족 토착농업을 몰락시키고 초국적기업의 세계시장 체제에다 예속시킨 비교우위론이란 것도 값싼 석유의 공급에 근거하고 있다. 그러므로 값싼 석유의 독점적이고 안정적인 수급 없이는 세계 곡물 시장 자체가 성립할 수 없다. 그러나 석유 에너지가 고갈될 날은 그리 멀지 않았다. 이미 징후가 나타나고 있지만, 본격적인 고유가 시대에 돌입하게 되면 비교우위의 세계시장과 식량 수출입도 끝장나게 될 것이다. 학자마다 석유 에너지가 고갈될 시기에 대해 예측하는 바가 다르기는 하지만 많은 학자들은 대체로 30년~40년이면 그 위기가 닥칠 것이라고 경고한다. 조만간 필연적으로 닥쳐올 이런 위기에 대비할 수 있는 유일한 길은, 에너지 투입을 최소화하고 재생 가능한 에너지에 기초한 소농 중심의 농업을 살리는 것이다.

천규석 선생은 진정한 환경농은 단지 비료와 농약 같은 화학물질만 안 쓰는 것이 아니라, 농사에 들어가는 부존에너지의 투입도 최소화하고, 궁극적으로는 안 쓰는 것이어야 한다고 주장한다. 그러자면 지속 가능한 에너지인 인력과 축력에 주로 의존해야 하고, 그렇게 되면 농사는 규모가 작은 소농이 될 수밖에 없다. 더 나아가 농산물을 유통 소비하는 데에도 에너지 투입을 최소화하기 위해서는 그것이 너무 넓지 않은 생태지역 단위에서 이루어져야 한다. 그리고 이처럼 진정한 생태환경농법에 의존하는 소농 중심의 자급자족하는 지역 자립공동체에서야말로 모든 사람이 직접 참여하는 진정한 민주주의도 가능하게 된다. 옛 두레공동체처럼 자급자족하고 모든 일에 내가 몸소 참여하는 직접 자치제야말로 진정한 민주주의이지, 어쩌다 한 번씩 투표지 위에 자신의 삶을 위임하기나 하는 대의제 민주주의는 진정한 민주주의라고 할 수 없다.

그런데 현재 우리나라의 농업과 농촌공동체는 회복의 기미가 보이기는커녕 심각한 절멸의 위기에 처해 있다. 농업의 황폐화로 인한 이농 현상으로 농촌은 젊은이들이 모두 떠나버리고 얼마 남지 않은 노인들만이 지키는 곳이 되어버렸으며, 그나마 남아 있는 몇 안 되는 농가들도 그동안의 잘못된 농업 정책과 불안정한 농산물 가격 등으로 인해 대부분 감당할 수 없는 빚더미에 앉아 있어, 농사를 계속 지어갈 후계자가 끊어질 지경에 처해 있다. 이 모든 농업문제의 밑바탕에는 소위 비교우위에 입각한 수입개방을 추진하고 농업을 축소·포기하겠다는 우리 정부의 농업 정책이 깔려 있다. 비교우위에 따른 선택과 집중이라는 신자유주의 논리를 신봉하는 우리 정부는 가격경쟁력이 없는 소농경영 농업은 포기하고 오직 세계시장의 경쟁에서 살아남을 수 있는 규모를 갖춘 일부 기업농만을 살리겠다는 정책으로 일관하고 있다. 그러나 순전히 시장논리에만 입각하면 우리 농업이 땅 넓은 다른 농업국과 경쟁하여 이긴다는 것은 불가능한 일이다.

그렇기 때문에 이런 기업농 위주의 농업 정책은 우리 농업과 농촌공동체의 몰락을 초래할 뿐이다.

정부의 이런 농업 정책은 더 근본적으로는 경제발전을 통한 부국강병이라는 국가주의와 진보주의의 논리로부터 나온다. 그러나 이것은 정부에 직접 참여하고 있는 사람들만의 생각은 물론 아니다. 이 땅의 대다수 진보주의자들이 꿈꾸는 사회는 고도로 발달한 공업의 생산력에 기초한 풍요로운 물질문명을 모든 사람이 함께 누릴 수 있는 복지국가이다. 진보주의자들은 그러한 복지국가를 위한 공업사회의 발전을 위해 농업사회는 극복되거나 청산되어야 할 대상으로 간주한다. 이것은 가장 진보적이라는 노동운동 진영에서조차도 그러하다. 노동운동 진영에서는 도시 노동자들을 위해 농산물 값은 싸야 하고, 이를 위해 세계시장의 값싼 농산물 수입은 개방되어야 한다고 여기며, 공산품 수출을 많이 해서 근로자 임금을 많이 올려주고 근로자도 공장 경영에 참여하면 진보사회라고 믿는다. 이런 관점에서는 농업과 농민 중심의 지역 자립공동체 사회를 주장하면 못 이룰 꿈을 꾸는 한심한 이상주의자요, 시대를 거꾸로 거스르는 보수반동 또는 에코파시즘으로 간주하게 된다. 이것은 좁은 노동자의 입장에서만 보면 정당하고 타당한 주장처럼 보일 수도 있다. 그러나 노동운동으로 이룰 수 있는 물량적 풍요나 정치적 평등이 농민과 농촌공동체의 희생과 해체를 전제로 가능할 뿐 아니라, 더구나 그것이 생태적으로 지속 불가능한 것이라면 진실은 크게 다를 수 있다.

사람들은 중단 없는 경제성장에 기초하여 빠르게 변화해나가는 근대산업사회를 미래로 열린 진보사회로 보는 반면에, 정체 사회로 규정되는 농업사회를 시대에 뒤떨어진 역사적 유물로 간주한다. 그러나 개발과 경제성장이 자기 생명이고 지상목표인 공업시장사회는 그 밑바탕이 되는 자연환경이 분명히 한계를 드러낼 수밖에 없으므로 그 파국도 다만 시간문제일 뿐이다. 그러므로 이 파괴적인 물량 진보의 종착역에 의문을 던지는 사람들이라면 전통적인 농업과 농촌공동체가 지니고 있던 가치에 주목해야만 한다. 진보는 반드시 앞으로만 나아가는 것이 아니다. 더구나 앞으로 나아가는 것이 파국으로 나아가는 것이라면, 더더욱 그렇다. 오히려 돌아갈 때가 되면 돌아가는 것이 진정한 진보다. 그러므로 참으로 지혜로운 사람들이라면 '진보'의 행렬로부터 과감히 돌아서는 '퇴보'를 선택할 일이다. 비록 오래된 과거 전통이라 해도 우리의 지속적 삶을 위해 오직 그것밖에 다른 대안이 없다면, 그것의 현재적 재창조는 전통의 복고적 수구가 아니라 오히려 급진적인 진보다. 이 시대의 진정한 진보적 실천은 공생농업을 중심 사업으로 하는 지역공동체 회복 운동이다. 이제 우리는 생태 파괴의 원흉인 세계시장 대신 본질적으로 생태적인 지역에 눈 돌리고 지역으로 돌아가야 한다. 그리하여 진정한 생태농업에 기초한 공생두레농을 중심으로 하는 지역공동체를 되살려내야 한다.

우리의 옛 전통 두레는 많은 장점을 갖고 있는 조직이었다. 그것은 우선 일차적으로 노동집약적인 농업생산에 효율적으로 부응하기 위한 협동노동조직이었다. 그러나 그것은 단순히 농업노동조직에 국한된 것이 아니었다. 그것은 나아가 마을공동체의 대소사나 규범을 결정하는 자생자치조직이었다. 또 힘든 농사일을 놀이화하는 탁월한 문화조직인 동시에, 열여섯 살 이상의 건강한 남성이면 누구나 정식 구성원으로 받아들여 당시로서는 전인격적 존재라 할 수 있는 한 사람의 완벽한 농사꾼을 길러내는 자치교육기관이기도 하였다. 더욱이 마을 구성원의 모든 경작지를 하나의 경작 단위로 보고, 일의 우선순위와 완급을 두레의 합리적 결정에 맡기고 존중한 것, 두레에 정식 구성원을 내놓을 수 없는 과부나 노약자들의 경지는 무상의 공공부조로 경작해준 것 등은 두레의 탁월한 공생사상이 유감없이 발휘된 것이었다.

물론 오늘날 이런 전통 두레를 옛날 그대로 복원할 수는 없다. 이미 공업과 도시가 중심이 되어버린 이 시대에 산업이 농업뿐이었던 전통 두레의 단순한 복원은 가능하지도 바람직하지도 않다. 그래서 오늘날 우리가 다시 창조해야 하는 두레는 도농 통합 공동두레가 되어야만 한다. 그것은 생존에 필요한 식량은 생태농업에 기초한 소농 두레공동체에서 공급하고 그밖에 필요한 물품들은 같은 지역 내의 도시에서 공급하는 상호부조 속에서 경제 · 교육 · 문화 등 모든 생활의 자급자족이 가능한, 지역 단위의 통합적 공동체이다.

천규석 선생은 만약 정부가 진정으로 우리의 농업을 살리고자 한다면 농업 분야에 편성된 국가 예산을 생태농업을 하는 소농들의 지역 자립두레를 조직 육성하기 위해 사용하는 것이 최선의 길이라고 주장한다. 즉, 국가의 농업자금을 이용해 지역두레의 기초인 두레농지를 구입해 지역두레에다 무상 임대하여 생태농업을 해나갈 수 있도록 하고, 점차 그 소유권도 지역두레로 넘겨 완전한 자립에 도달할 수 있도록 지원하는 것이 가장 좋은 농업 정책이라는 것이다. 그러나 지금까지 정부가 추진하고 있는 경쟁 위주의 농업 정책을 볼 때 그러한 정책의 극적인 전환을 기대하기란 극히 어려운 일이다. 지금까지 여러 차례 정권이 바뀌었지만 역대 정권은 하나같이 농업과 농촌공동체의 회복이라는 열망을 배신했다. 그러므로 단순한 정권교체는 그런 열망을 충족시켜줄, 진정으로 새로운 권력으로의 체제교체라 할 수 없다. 그러므로 진정한 체제교체와 자립적인 지역공동체는 국민들 스스로의 힘으로 이루어낼 수밖에 없다.

천규석 선생은 일찍부터 농촌과 도시가 서로 협력하는 자립적 도농공동체를 만들기 위해 혼신의 힘을 기울여왔다. 그러한 노력의 일환이 바로 도시와 농촌 간 유기농산물 직거래를 중심으로 하는 한살림운동이다. 친환경농산물들을 시장 유통 대신 직거래라는 유통방식을 통해 주고받으려는 한살림운동은, 도시민과 농민이 자주적으로 결합하여, 생태 면에서 이미 한계에 도달한 시장경쟁의 대안으로 생산자와 소비자가 지역적으로 하나의 공동체를 이루고, 그 지역 단위에서 자급자족함으로써 자립 자치하는 삶의 공간을 확대해 인간의 삶을 자주적으로 영위해나가려는 노력이다. 물론 지금까지의 한살림운동이 성과가 많았으나 농업과 농촌공동체를 다시 살려내고 나아가 도농공동체를 이루어냈다고 할 만큼 성공적이었다고는 말하기 어렵다. 그러나 그것은 아직 그러한 목표의 실현을 위한 효과적인 방법의 모색과 실천이 미진했기 때문일 뿐, 목표 자체가 잘못된 것은 결코 아니다. 그렇기 때문에 우리는 그러한 목표의 달성을 위한 다양한 실천의 방안들을 모색해야만 한다.

천규석 선생은 이런 실천의 방안으로 노동조합에 의한 사내급식 재료의 직거래운동과 학교급식 재료의 직거래운동 등을 제안한다. 모든 생명의 기반인 생태계를 파괴하고 자급자족의 기반인 농업과 농촌공동체를 몰락시킬 뿐 아니라 무한정한 부의 축적을 달성하기 위한 상품 생산에 동원되는 공장노동은 자칫 반생명적인 노동이 될 수 있다. 그러므로 진정 올바른 노동운동이라면 생명 생산에 이바지하는 의미 있는 운동이 되도록 우리의 고향인 농촌과 소농민, 농업을 살리는 운동에 동참해야 한다. 각 공장의 노동조합들이 사내급식 재료는 물론 조합원들 가정의 밥상 재료까지 농민단체 또는 농촌마을과 직거래로 구입하는 운동이 그 구체적 실천의 첫 단계가 될 수 있다. 예를 들어 농산물이 완전 개방된다 해도 현대중공업 노조가 자기 구내식당의 식품원료를 농촌과 직거래를 통해 우리 농산물로 고수한다면 모두 2백 세대가 훨씬 넘는 우리 농가를 지킬 수 있다. 직장의 구내식당에만 그치지 않고 우리 농산물 먹기 직거래를 자기 가정까지 확대해간다면 그 농산물 양은 몇 갑절로 늘어날 것이다. 이런 우리 농산물 직거래운동이 전국의 모든 노조로 번질 때 우리의 농민 농업은 어렵지 않게 지켜질 것이다.

물론 천규석 선생은 노동조합에서 이런 운동을 벌인다는 것이 그리 쉬운 일이 아님을 인정한다. 노동자의 임금 인상이나 근로 조건 개선 등을 지향하는 노동조합이 당장 노조원들의 경제적 부담을 증대시킬 수도 있는 환경농산물 직거래운동을 벌이는 일이 쉽지 않을 것이기 때문이다. 그렇지만 선생은 조금만 더 근본적으로 따져본다면 농민과 농업에 대한 노동자의 배려 및 투자와 그로 인한 일시적 손해는 결코 손해가 아니라고 주장한다. 우리 농업과 농촌공동체의 회복을 통해서 도시의 실업률을 감소시킬 수 있다. 농업과 농촌공동체의 회복은 도시의 수많은 불안정한 임시직 근로자나 실업자들을 수용해 해결해주는 사회적 안전판 역할을 할 수도 있다. 또한 그것은 퇴직 후에도 노동자들이 돌아가 생산적인 노동을 하며 살아갈 생활의 터전이 될 수도 있을 터이다. 이런 의미에서 노동조합에 의한 농산물 직거래운동은 도시와 농촌이 서로 도와 상생하는 도농협력 운동의 모범이 될 수 있다. 그동안 노동운동은 노동자의 권익을 위해 치열한 노력을 기울여왔으며, 그에 따른 많은 성과도 거두어온 것이 사실이다. 그러나 이제 오늘날 노동운동은 자신들만의 좁은 이해를 관철시키는 차원을 넘어서 모든 사람과 생명체들이 서로 평화롭게 공생하며 행복하게 살 수 있는 세상을 위해 노력하는, 좀더 넓은 운동의 지평으로 나아갈 것을 요구받고 있다. 이러한 때에 농산물 직거래를 통한 도농협력 공동체 건설 운동은 그러한 세상으로 나아가는 운동의 시발이 될 수 있을 것이다.

농업과 농촌공동체를 다시 살려내고 도농공동체를 이루어내기 위한 또 하나의 실천방안으로 천규석 선생이 제안하는 것은 학교급식 재료의 직거래운동이다. 학부모단체가 직접 참여하여 학교 급식을 직영하면서 급식재료를 친환경농산물 직거래에 의해 구입하자는 것이다. 단체로 하는 학교급식 자체가 바람직한 것은 아니지만, 기왕 하지 않을 수 없는 학교급식이라면 내 학교와 가까운 농촌지역에서 내가 잘 아는 사람들이 지은 농산물을 급식재료로 하여 그 운영과 조리에 학부모가 참여하는 방식이 가장 바람직하다. 또한 그것은 학교급식의 질을 높이는 방안일 뿐 아니라 도시의 학생 및 학부모가 농촌마을과 협력하여 농업을 살리고 도농공동체를 만들어갈 수 있는 실천방안이기도 하다. 급식재료의 직거래에만 그치지 않고 도시 식구들이 수시로 직거래 하는 농촌마을을 방문해서 격려도 해주고, 농사일도 도와준다면, 농민들은 먹을 것을 자신들이 먹을 것처럼 친환경적으로 정성껏 가꾸어줄 것이며, 점차 쌓여가는 신뢰를 바탕으로 진정한 도농공동체를 만들기 위한 더 다양한 발전적 방안들도 함께 실천해나갈 수 있을 것이다.

현대 자본주의 사회는 물질문명의 엄청난 발전에 따른 반대급부로 수많은 문제점을 안고 있다. 고정된 노동분업으로 인한 인간 능력의 일면화와 기형화, 인위적으로 부추겨지고 조작된 욕망에 따르는 선정주의적 삶, 도구적 합리성과 관료제로 인해 인간이 조작의 대상이 되어버리는 현상, 오직 교환가치만이 지배하는 현실 속에서 일어나는 인간성의 상실과 인간의 소외 등이 그것이다. 이러한 병폐를 안고 있는 자본주의 사회를 변혁하려 했던 것이 사회주의였다. 그러나 수십 년에 걸쳐 소련을 비롯한 동구 여러 나라에서 행해졌던 거대한 사회주의의 실험은 실패로 돌아갔다. 그러한 사회주의 체제는 자본주의 사회에 대한 진정한 대안이 되지 못했다. 사회주의는 그것이 비판했던 자본주의 사회의 문제점을 극복하지 못했다. 사실 그것은 자본주의와 똑같이 서구의 근대성이 내포하고 있는 대부분의 문제점들을 똑같이 공유하고 있으면서 자본주의와 경쟁을 벌이다 실패하고 말았다고 할 수 있다.

사회주의의 고도의 중앙 집중화와 관료제는 모든 사회 영역에서 현안이 되는 사업에 대해 민중들이 충분히 토론하고 이해하여 합의점을 찾아내어 자발적으로 참여할 수 있도록 하는 민주적 과정을 생략한 채, 소수의 관리자들이 일방적으로 결정하고 이를 강요하는 비민주적 방식을 효율성의 이름 아래 관행으로 만들어버렸다. 사회주의는 계몽의 기획이라는 근대사회의 과제 속에 포함되어 있는 '합리성'의 이념이 도구적 이성으로 변질되어버린 문제점을 자본주의와 공유하고 있다고 할 수 있다. 또한 사회주의는 생산력 중심주의, 생산력 지상주의를 자본주의와 공유하고 있었다. 그 결과로 사회주의 국가들에서도 자본주의 못지않게 심각한 생태계 파괴가 일어났다. 더구나 사회주의는 왜곡된 욕망과 주체성에 따르는 자본주의적 삶의 방식과는 다른 올바른 인간 삶의 방향과 가치에 대한 전망을 제시하고 추구하지 못했다. 사회주의는 인간이 추구할 만한 가치와 이상, 삶의 방향과 양식 같은 진정한 대안을 제시하지 못한 채, 똑같은 차원에서 자본주의와 경쟁을 벌이다가 패배해 몰락해버리고 말았다고 할 수 있다.

문제는 우리의 현실이 여전히 수많은 문제점을 안고 있는 근대의 지평에 머물러 있다는 것이다. 우리가 살고 있는 현대사회는 서구 근대성이 초래한 병폐로 인해 심각한 위기에 처해 있으며, 그 속에서 현대인들은 행복하고 인간다운 삶을 영위하지 못하고 있다. 그러므로 오늘날 우리에게는 근대적 삶의 양식과 지평을 넘어서는 것, 나아가 자본주의와 사회주의 모두를 포함하여 지금까지 인류 문명을 지배해왔던 왜곡된 가치와 논리를 드러내고 타파하여 문명의 대전환을 이룩하는 것이 필요하다. 이것이 바로 우리가 처해 있는 현실이며 우리가 마주하고 있는 과제이다. 나는 천규석 선생이 주장하는 농업과 농촌공동체의 회복, 더 나아가 자립적인 도농공동체의 건설이야말로 바로 이러한 과제의 해결을 위한 올바른 방안이라고 생각한다. 이 길이야말로 자본주의와 사회주의 모두가 머물러 있는 근대적 지평을 넘어서서, 인류는 물론 존재하는 모든 것들이 서로 어우러져 공생하고 상생하는 보다 아름다운 세상으로 갈 수 있는 제3의 길이 될 것이다. 나는 새로운 세계와 문명으로 이끌어갈 이 길을 천규석 선생과 독자들과 더불어 힘차게 걸어갈 수 있기를 간절히 바란다.

소농 버리고 가는 진보는
십 리도 못 가 발병 난다

2006년 5월 25일 초판 1쇄 찍음
2006년 5월 30일 초판 1쇄 펴냄

지은이 | 천규석
펴낸이 | 김영현
편집 | 박문수, 정은영, 홍진, 강영특
디자인 | 여현미, 이선화
관리 · 영업 | 김경배, 김태일, 이용희

펴낸곳 | (주)실천문학
등록 | 10-1221호(1995.10.26.)
주소 | (121-820) 서울시 마포구 망원1동 377-1 601호
전화 | 322-2161~5, 팩스 | 322-2166
홈페이지 | www.silcheon.com

ISBN 89-392-0545-6 03810

이 도서의 국립중앙도서관 출판시도서목록(CIP)은 e-CIP홈페이지
(http://www.nl.go.kr/cip.php)에서 이용하실 수 있습니다.
(CIP제어번호 : CIP2006001156)